D1201722

Bernard Andreae

Odysseus

Archäologie des europäischen Menschenbildes

Bernard Andreae

ODYSSEUS

Archäologie des europäischen Menschenbildes

Societäts-Verlag

086390

N
5613
.A43
1982

Alle Rechte vorbehalten · Societäts-Verlag
© 1982 Frankfurter Societäts-Druckerei GmbH
Umschlaggestaltung: Heinrich Müller
Grafische Gestaltung: Reinhard Schubert
Satz: Maschinensetzerei Janß, Pfungstadt
Lithographie: Frankfurter Societäts-Druckerei
Papier: »Malve« holzfrei mattgestrichen Offset der Firma
Classen-Papier KG, Kettwig, Stuttgart, Hamburg
Druck: F. L. Wagener, Lemgo
Buchbinderische Verarbeitung: Klemme & Bleimund, Bielefeld
Printed in Germany 1982
ISBN 3-7973-0397-1

Der Erinnerung an
Mechthild Andreae

So wurde Odysseus, in den damals alles Griechische für mich mündete, zu einem eigentümlichen Vorbild, das erste, das ich rein zu erfassen vermag, das erste, von dem ich mehr erfuhr als je von einem Menschen, ein rundes und sehr erfülltes Vorbild, das sich in vielen Verwandlungen präsentierte, deren jede ihren Sinn und ihre Stelle hatte.

Elias Canetti

Wenn das Werk des Künstlers gemacht ist, nicht bloß erblickt, sondern betrachtet zu werden, …

Lessing, Laokoon

Inhalt

Vorwort 9

I. Odysseus, Bild eines neuen Menschen 17
II. Ilias, Odyssee und die frühgriechische Vasenmalerei 29
III. Bildwerdung des Polyphem-Mythos 41
IV. Das Skylla-Abenteuer 49
V. Die Irrfahrten des Odysseus 55
VI. Odysseus und Dionysos – Der Polyphem-Giebel von Ephesos 69
VII. Odysseus und die Weinschlauchträger von Baiae 91
VIII. Die Odyssee in Marmor von Sperlonga 103
IX. Die Rekonstruktion der Polyphem-Gruppe 121
X. Der fruchtbare Augenblick 137
XI. Original und Kopie 155
XII. Odysseus als Vorbild – Tiberius in Sperlonga 177
XIII. Athanadoros, Hagesandros und Polydoros von Rhodos 189
XIV. Die Polyphem-Grotten der Kaiser Claudius, Nero und Domitian 199
XV. Polyphem und Skylla in der Villa Hadriana 221
XVI. Odysseus und Laokoon 245
Nachwort 253
Anmerkungen 257
Literaturverzeichnis 268

Der Monte Circeo von Sperlonga aus gesehen.

Im heißen Spätsommer des Jahres 1957 erreichte eine Welle der asiatischen Grippe Rom und traf auch den Verfasser dieser Zeilen. Der Arzt riet zu einem Erholungsurlaub am Meer. Die Wahl fiel auf den Monte Circeo.

Monte Circeo [1]*, das sollte das sagenhafte Eiland der Zauberin Kirke sein, Aiaia im westlichen Mittelmeerbecken, wohin es Odysseus auf seiner langwährenden Heimfahrt von Troja verschlagen hatte, wo seine Gefährten in Schweine verwandelt wurden, er hingegen, den Zauberkünsten der Verführerin trotzend, schließlich von ihr den Rat erhielt, wie er nach Hause zurückkehren könnte* [2]*. Hier, an diesem entferntesten Punkt, den Odysseus auf seinen Irrfahrten erreicht hatte, galt es, die Odyssee neu zu lesen.*

Eine Fülle von Büchern[3] *war erschienen, deren Autoren die Ironie des großen Geographen Eratosthenes aus dem 3. Jahrhundert v. Chr. nicht wahrgenommen hatten. Zu den Bemühungen seiner Zeitgenossen, die Gegend der Irrfahrten des Odysseus auszumachen, hatte er erklärt, das werde erst gelingen, wenn man den Sattler fände, der den Schlauch für die Winde zusammengenäht hat*[4].

Die Lektüre der alten und neuen Autoren, die den Versuch gleichwohl nicht aufgegeben hatten, war unbefriedigend. Zunächst schien der Grund darin zu liegen, daß diese Bücher trotz aller offensichtlichen Akribie der Beweisführung zu auswechselbaren Ergebnissen kamen. Schließlich wurde klar, daß das eigentlich Unbefriedigende daran die Fragestellung war. Die Odyssee ist ein anderes Genre als das Tagebuch Gontscharows von der Fahrt auf der Fregatte Pallas. Nicht umsonst stellte die antike Tradition sich den Sänger Homer als Blinden vor. Was er schildert, vollzieht sich vor seinem inneren Auge. Man kann die Odyssee nicht mit einem Segelboot nachfahren wollen. Der Monte Circeo war längst vor dem Untergang Trojas, der im Bewußtsein Homers weniger als ein halbes Jahrtausend vor seiner Zeit stattfand, keine Insel mehr, sondern er war durch die diluviale Anschwemmung der pontinischen Ebene seit der Urzeit mit dem Festland verbunden.

Es war der Wunsch der Leser der Odyssee, diese Begebenheiten, die einen so unerhörten Wahrheitsgehalt hatten und die Realität oft so genau trafen, mit einem festen Ort zu verbinden. So entstand die Vorstellung, daß der Monte Circeo, der wie eine Insel aus den flachen Pontinischen Sümpfen aufragt, zum Eiland Aiaia wurde, oder die Tradition, nach der die Skylla in der Meerenge von Messina und der Kyklop bei Acireale auf Sizilien hausten, wo man noch heute die Felsbrocken im Meer zeigt, die Polyphem nach dem Schiff des Odysseus geworfen haben soll. Dieser uralte Wunsch der Menschheit, den Weg des Odysseus nachverfolgen zu können, fand durch die Entdeckungen Heinrich Schliemanns, der das Geschehen der Ilias lokalisiert zu haben glaubte, neue Nahrung. Aber auch hier endete das Ganze nur mit dem tieferen Verständnis, daß man ein Dichtwerk nicht einfach in eine archäologisch faßbare, mit dem Spaten an den Tag zu fördernde Realität verwandeln kann.

Die Archäologen haben inzwischen sichere Beweise dafür in der Hand, daß der Trojanische Krieg so, wie Homer und die Dichter seines Kreises ihn schildern, nicht stattfand. Troja wurde nicht von den Griechen, sondern von einem Erdbeben zerstört. Das hatte man mythisch in das Bild vom Trojanischen Pferd gefaßt: Der Erderschütterer Poseidon war in Pferdegestalt verehrt worden, und daß ein Erdbeben die Mauern Trojas zum Einsturz gebracht hatte, ist der historische Kern der dichterisch gestalteten Geschichte[5]. *Will man den Realitätsgehalt der Dichtung mit archäologischen Mitteln aufdecken, dann gibt es zwei ganz verschiedene, jedoch komplementäre Methoden. Den einen Weg beschreitet das große von F. Matz begründete Lieferungswerk der »Archaeologia Homerica«, indem es mit archäologischen Mitteln die mykenische Welt, die die homerischen Gedichte schilderten, und die geometrische Zeit, in der Homer lebte, erforscht, beschreibt und wieder lebendig werden läßt*[6].

Der andere Weg ist derjenige nachzuverfolgen, wie die Künstler sich von der inneren Schau des Dichters zur Verwirklichung von prägnanten Bildern anregen ließen und wie sie das Erlebnis des dichterisch gestalteten Mythos in Vasengemälden, Plastiken, Mosaiken umsetzten und dabei immer neue Interpretationen der Dichtung ans Licht brachten. Diesen zweiten Weg beschreitet das vorliegende Buch, Ergebnis einer Forschungsarbeit, welche durch ein Ereignis vor fünfundzwanzig Jahren am Tag nach der Ankunft des Verfassers am Monte Circeo ausgelöst wurde.

Der Wirt trat mit der ganzen Theatralik eines Mannes, der eine außerordentliche Nachricht zu überbringen hat, an den Frühstückstisch: »Ihre Kollegen von der Archäologie haben in der Höhle von Sperlonga den Laokoon gefunden!« Beim Bau einer Panoramastraße von Terracina am Meer entlang nach Gaeta hatte man die sogenannte Grotte des Tiberius bei Sperlonga, nicht weit vom Monte Circeo, untersucht und eine unvorstellbare Fülle von Fragmenten zum Teil riesiger Marmorskulpturen gefunden und mitten darunter eine Inschrift mit der Signatur der drei gleichen aus Rhodos stammenden Bildhauer Hagesandros, Polydoros und Athanadoros, welche nach Plinius die schon im Altertum hochberühmte Laokoon-Gruppe geschaffen hatten.

Dieses auch in neuerer Zeit wohl berühmteste Stück antiker Plastik war unter der größten Anteilnahme des humanistischen Rom im Jahre 1506 in den unterirdischen Räumen von Kaiser Neros Goldenem Haus gefunden worden. Plinius der Ältere, der beim Vesuvausbruch 79 n. Chr. ums Leben kam, hatte in seiner Kaiser Titus (70–81 n. Chr.) gewidmeten Naturgeschichte (36, 37) niedergeschrieben, daß diese marmorne Statuengruppe allem vorzuziehen sei, was Malerei und Bildhauerkunst hervorgebracht haben. Diesen Text kannten die römischen Antiquare des 16. Jahrhunderts natürlich, und so konnte es nicht ausbleiben, daß sie die neu gefundene Skulptur mit dem von Plinius erwähnten Werk identifizierten. Nach sicherer Überlieferung war es Giuliano da San Gallo[7]*, jener durch die Bauleitung am Petersdom in Rom berühmte Florentiner Architekt, der unmittelbar nach der Auffindung als erster diese Identifizierung ausgesprochen hatte, und seitdem war sie niemals ernstlich bezweifelt worden.*

Nun wurde sie zum erstenmal in Zweifel gezogen, und zwar durch den angesehenen Archäologen Giulio Jacopi, Leiter der Antikenverwaltung von Rom und Latium, der sich seine Sporen vor dem Kriege in Rhodos verdient und dort zahlreiche Skulpturen aus dem weiteren Umkreis der Laokoon-Meister gefunden hatte.

Schlagartig wurde klar, daß der Fund von Sperlonga eine Sensation ersten Ranges war, zweifellos eine der größten Entdeckungen der Archäologie des zwanzigsten Jahrhunderts. Daß es ein Vierteljahrhundert dauern sollte, bis eine tragfähige Grundlage zum historischen Verständnis dieser Entdekkung erarbeitet wäre, und daß man dazu weit ausholen mußte, war damals kaum zu ahnen. Im Rückblick erkennt man, daß eine solche Entdeckung die Forschung herausfordert und daß unmittelbar neben den leicht zu gewinnenden Erklärungen die schwierigen Rätsel und Widersprüche liegen.

Daß der Verfasser trotz anderer, vordringlicher Verpflichtungen immer wieder in diese Forschungsarbeit hineingezogen wurde und sich von archäologischer Seite mit der Odysseus-Gestalt beschäftigte, kam nicht von ungefähr. Der Keim dazu wurde zweifellos schon in früher Kindheit gelegt, als die Mutter ihren Kindern die klassischen Sagen erzählte und die Geschwister mit ihren Spielkameraden die Kämpfe um Troja im Sandkasten austrugen oder den großen Garten hinterm Haus zum Schauplatz der Irrfahrten des Odysseus machten.

Die tiefere Frage, wer dieser Odysseus war, den man als Prototyp des europäischen Menschen bezeichnen könnte, tat sich dann dem Gymnasiasten des Gymnasiums Ludovicianum in Gießen auf, an dem ihm, 30 Jahre nach dem Abitur, zum 375jährigen Jubiläum des Bestehens dieser Schule die Festrede über das Odysseus-Thema aufgetragen wurde[8].

Das Bild des Odysseus hat den Verfasser überall hin begleitet, aber erst ganz allmählich wurde ihm deutlich, daß man die Tiefe dieser Gestalt, so viele Künstler, Dichter, Musiker und Denker sich auch um ihn bemüht haben[9]*, nicht ausloten könne. Die Odyssee ist ein unerschöpfliches Reservoire zum Nachdenken.*

Hier geht es darum, den Anregungen nachzuspüren, die das Dichtwerk den bildenden Künstlern des Altertums gegeben hat. Dabei ist zu betonen, daß dieses Buch keineswegs das erste ist, das sich diese Aufgabe stellt. Es gibt eine ganze Reihe von Untersuchungen, die dieses Problem weit umfassender angehen[10]*. Darin beruht sogar die Rechtfertigung dafür, daß dieses Buch das Odysseus-Thema in der antiken Kunst nicht in einem allgemeinen, sondern im Sinne der Ergebnisse behandelt, die der Autor durch eigene Forschung zur Erhellung des Problems beitragen konnte. Es ist also in gewissem Sinne ein Rechenschaftsbericht vor der Gesellschaft, die dem Verfasser die Möglichkeit zu diesen Studien gegeben hat, und ein Dank an alle einzelnen, im Nachwort namentlich Erwähnten, deren Hilfe auf die verschiedenste Weise zur Vollendung dieser Studien beigetragen hat. Diese* *wenden sich nicht in erster Linie an die Wissenschaft, sondern an alle Interessierten, aus denen Schiller einen Funken schlägt, wenn er sagt:*

»Unter demselben Blau, über dem nämlichen Grün
Wandeln die nahen und wandeln vereint die fernen Geschlechter,
Und die Sonne Homers, siehe! sie lächelt auch uns.«

Will man heute, ein Vierteljahrhundert nach den Ausgrabungen in der Tiberius-Grotte von Sperlonga, ein klares Bild von der Bedeutung dieser Funde gewinnen, die damals als Sensation gefeiert wurden und in der Tat der Beginn einer Serie außergewöhnlicher und weitreichender Entdeckungen waren, so muß man sich in Gedanken, wie ein neuer Odysseus, auf eine Zickzack-Reise durch die Alte Welt begeben. Es ist der Weg, den auch dieses Buch auf der Suche nach der Bildwerdung des Odysseus-Mythos einschlagen mußte.

Am Anfang steht die vielbehandelte Frage nach der Entstehungszeit des Mythos. Sie soll mit rein archäologischen Mitteln neu zu beantworten versucht werden. Bekannt ist, daß die Odyssee dem ersten Großepos der europäischen Literatur, der Ilias Homers, in unbestimmtem zeitlichen Abstand folgt. Noch in der jüngsten philologischen Literatur wird die Ansicht vertreten, daß beide Epen zumindest in ihrer Urfassung das Werk des gleichen Dichters sind. Das setzt voraus, daß sie im zeitlichen Rahmen eines Lebensalters entstanden sind. Die Chronologie, die man durch archäologische Kombinationen erarbeiten kann, spricht nicht dafür. Die Ilias ist ein Werk des mittleren 8. Jahrhunderts v. Chr., das heißt der geometrischen Zeit, die Odyssee hingegen ist erst in der orientalisierenden Epoche geschaffen worden, das heißt am Anfang des 7. Jahrhunderts v. Chr. Sie baut nicht nur auf einer neuen Weltsicht auf, sie stellt im Titelhelden auch einen neuen Menschentypus dar, der zum Inbegriffbild des europäischen Menschen werden sollte. Im Untertitel des Buches »Archäologie des europäischen Menschenbildes« klingen die eigentliche und die übertragene Bedeutung des Wortes Archäologie an. Einmal ist natürlich die Beschäftigung des Fachs Archäologie mit den Darstellungen des Odysseus-Mythos in der antiken Kunst gemeint, zum anderen bedeutet Archäologie im Sinne des griechischen Historikers Thukydides aber auch die Geschichte von den Anfängen, von den Voraussetzungen des eigenen Lebens. Eine solche Voraussetzung ist die von griechischen Denkern, Dichtern und Künstlern vollzogene Ausgestaltung eines dynamischen, die Schwierigkeiten des Lebensweges durch vorausschauendes Planen meisternden Menschentypus, der zuerst im Odysseus der Odyssee vorgebildet wurde.

Schon die unmittelbar auf den Dichter der Odyssee folgenden Vasenmaler der orientalisierenden Zeit erkannten, daß dieser Odysseus seine Geisteskräfte in exemplarischer Weise im Polyphem-Abenteuer einsetzt. Sie geben der Beschäftigung mit dem Thema in der Bildenden Kunst bereits die entscheidende Richtung. Daneben treten die anderen Abenteuer des Odysseus zurück, deren Gehalt sich wesentlich schwieriger in einer einzigen künstlerisch gestalteten Szene erfassen läßt. Vergleichbar ist nur die Skylla-Episode, die auch verhältnismäßig früh in das Repertoire der Mythenbilder aufgenommen wird, jedoch erst zu einer Zeit, als der Polyphem-Mythos wegen des Mißverhältnisses, in dem der Riese zu den Menschen gebildet ist, ästhetisch abgelehnt wird, nämlich in klassischer Zeit.

Die Hauptmasse der Denkmäler, in denen der Odysseus-Mythos gestaltet ist, findet sich nach der archaischen Kunst erst wieder in der römischen. Die Überlieferungsgeschichte ist aber trügerisch. Durch eine kunstgeschichtliche Untersuchung, in der für jedes neue Problem auch neue Methoden der Lösung erarbeitet werden müssen, läßt sich nämlich zeigen, daß die erhaltenen römischen Arbeiten auf ältere, hellenistische Schöpfungen zurückverweisen, die am Beginn eines breiten bis in die Spätantike reichenden Überlieferungsstromes von Darstellungen meist des Polyphem- und des Skylla-Abenteuers stehen. In diesen Darstellungen wird Odysseus als Vorbild hingestellt.

Interessant ist, daß es vor allem die Regierenden sind, die sich in hellenistischer Tradition der Odysseus-Figur als exemplum virtutis *bedienen. In spätrepublikanischer Zeit war es Mode, große Wandelgänge in den palastartigen Häusern der Patrizier mit Darstellungen der Irrfahrten des Odysseus nach hellenistischen Mustern zu bemalen. Der Triumvir Marcus Antonius läßt den Dionysos-Tempel in Ephesos mit einer Giebelgruppe der Vorbereitung zur Blendung Polyphems schmücken. Kaiser Tiberius gestaltet seine Villa in Sperlonga als mythisches Naturtheater, in dem Odysseus als siegreicher Held in vier Episoden auftritt. Die Ikonologie der Überwindung Polyphems durch die von Dionysos geschenkte Macht des Weines, die schon sein Großvater Marcus Antonius als Tempelschmuck verwendete, läßt Kaiser Claudius in einem Grottennymphäum in Baiae am Westrand des Golfs von Neapel in einer Marmorgruppe wiederholen, während dessen Nachfolger Nero das offenbar berühmte Bronzevorbild dieser Gruppe im Gewölbemosaik seines Goldenen Hauses in Rom zitiert.*

Auch von zwei Nachfolgern auf dem Kaiserthron, Domitian und Hadrian, ist bekannt, daß sie das Odysseus-Thema zum wesentlichen Bestandteil der Ausschmückung ihrer Villen bei Castel Gandolfo beziehungsweise bei Tivoli machten. Noch in der spätantiken Kaiservilla von Piazza Armerina ist das Polyphem-Abenteuer in einer an Ephesos, Baiae und das Goldene Haus des Kaisers Nero erinnernden Version das Thema eines der eindrucksvollsten unter den zahlreichen Fußbodenmosaiken. Die Rettung des Odysseus und seiner Gefährten aus der Höhle Polyphems bietet Auftragge-

bern und Künstlern die Gelegenheit zu einer anschaulichen Metaphorik, die für das europäische Menschenbild prägend war.

Doch Odysseus, der sich selbst bestimmende, in keiner Gefahr verzweifelnde, sondern auf Rettung sinnende, phantasievolle, dynamische Mensch, findet sein Gegenbild in Laokoon, der im Recht ist und doch vom Schicksal vernichtet wird. Auf welche verwickelte Weise das Bild von Odysseus und sein Gegenbild Laokoon zueinander in Beziehung gesetzt sind, ist erst durch die hier behandelten Forschungen der letzten 25 Jahre bekannt geworden.

Was auf den ersten Blick wie ein Zickzack-Weg von Griechenland nach Italien, von Athen nach Korinth, Ischia, Caere und Rom, von dort nach Ephesos und zurück nach Italien an den Golf von Neapel, nach Baiae, an den Albaner See, nach Tivoli und Piazza Armerina auf Sizilien führt, erweist sich als Nachvollzug eines konsequenten historischen Entwicklungsgangs, der sich in die Vergangenheit zurückverfolgen und in die nachfolgende Geschichte hineinbegleiten läßt. Dieser Entwicklungsgang hat zum Inhalt, wie die dichterische Schau einer exemplarischen Persönlichkeit zum anschaulichen Bild wird, das die Vorstellungen auch des heutigen Menschen prägt. Es bedarf einer besonderen Gespanntheit, die vielen historischen Schichten abzuheben, die der Entstehung eines solchen Inbegriffbildes zugrunde liegen.

Eine Einschränkung erscheint zum Schluß notwendig. Odysseus ist als Repräsentant einer im Umbruch befindlichen Gesellschaft[11] *ein Typus, der in der Geschichte zwiespältig beurteilt werden mußte. Der byzantinische Ilias-Kommentator Eustathios bemerkt zu Ilias X, 531: »Die Alten haben Odysseus als den Verschlagenen, nicht als den Guten gestaltet.« Man war sich der ambivalenten Deutungsmöglichkeiten immer bewußt.*

Hier wird entsprechend dem Bild, das die antiken Künstler von Odysseus zeichnen, der positive Charakter hervorgehoben, der ihn zum Vorbild des europäischen Menschenbildes in seiner Komplexität werden ließ. Daß es daneben den verlogenen, nachtragenden, heimtückischen, amoralischen Odysseus[12] *gibt, wird nicht geleugnet. Er hat aber mit dem, den die Künstler gestalten, wenig zu tun und ist auch weniger der Held der Odyssee als der Antiheld einer dem Dichter der Odyssee zwar bekannten, aber von ihm nicht hervorgehobenen Parallelüberlieferung. Diese macht sich im vorliegenden Buch vor allem im Aussetzen der Bilder in klassischer Zeit bemerkbar, die das heldische Ideal eines Achill in den Vordergrund stellte. Da aber im Odysseus das heldische Ideal der frühgriechischen Adelsgesellschaft nicht nur überwunden wurde, sondern auch darin aufgeht, kann Achill nicht das eigentliche Gegenbild zu Odysseus bleiben. Dieses ist vielmehr im Typus des Laokoon zu sehen, wie zu zeigen ist.*

I

ODYSSEUS
BILD EINES NEUEN MENSCHEN

S. 17 Kopf des Odysseus aus Sperlonga.

HOMER, oder genauer der Dichter der Odyssee, den man, wie den Dichter der Ilias, Homer nennt, hat in der Odysseus-Gestalt einen neuen Menschentypus entworfen: Es ist der erste sich selbst bestimmende, nicht mehr schlechthin dem Schicksal oder dem Willen der Götter unterworfene Mensch der Weltliteratur[13].

Das wird besonders deutlich, wenn man Odysseus mit dem Helden des anderen großen homerischen Epos vergleicht, mit dem Achill der Ilias. Die Griechen liegen vor Troja. Die Pest, von Apollo gesandt, wütet im Heer. Als Agamemnon zur Besänftigung des Gottes die Priestertochter Chryseis zum Vater zurücksenden muß und dafür Achills Ehrengeschenk, die Tochter des Briseus, verlangt, da packt Achill der Zorn, von dem er nicht läßt, bis das Unglück auf ihn zurückfällt, sein Freund Patroklos erschlagen, Hektor, der ihn getötet hat, überwunden und der Leichnam des Feindes geschändet ist. Er bedenkt nicht die Folgen seiner Handlungen, sondern gibt einem unaufhaltsamen inneren Impuls nach. Nicht er selbst, sondern die eilends herbeigekommene Göttin Athena hindert ihn, dem ersten Aufwallen des Zorns zu folgen, das Schwert zu ziehen und den Atriden niederzuhauen – doch nur, damit ihm auf noch fürchterlichere Weise Genugtuung zuteil wird ohne Rücksicht darauf, daß so viele Trojaner und Griechen, ja selbst sein Geliebter Patroklos um dieses rasenden Zornes willen ihr Leben verlieren müssen.

Auch Odysseus wird von mächtigen inneren Impulsen gelenkt, aber er kann sie seiner verstandesmäßigen Einsicht und seinem Willen unterwerfen. In der Höhle des einäugigen Riesen gefangen[14], antwortet er dem Kyklopen nicht geradeheraus, sondern bedenkt erst, welchen Nutzen Polyphem aus der Antwort ziehen könnte. Da der Riese ihn ausforscht, wo er sein Schiff hat, entweicht er ihm mit windigen trügerischen Worten und sagt, das Schiff sei gescheitert, er selbst mit den wenigen hier dem Übel entronnen. Als der Kyklop dann den riesigen Wanst mit Fraß von menschlichem Fleisch und der Milch aus den Näpfen gemästet hat, sich lang auf dem Boden ausstreckt und beim Vieh in der Höhle schläft, da denkt Odysseus sofort, sein Schwert zu ziehen und hineinzustoßen, wo die Leber hinter dem Zwerchfell sitzt. Doch bevor er die Tat ausführt, kommt ihm ein zweiter Gedanke:

»Selbigen Ortes wären auch wir zu Tode gekommen;
Denn wir vermochten es nicht, vom Tor der Höhle mit Händen
Fortzuschaffen den Stein, den unmäßigen, den er davorschob.«

Odysseus wird klar, daß der einzige, der das kann, der Riese selbst ist. Er muß ihn also in seinen Rettungsplan einbauen, auch wenn das vielleicht bedeutet, daß er noch weitere Gefährten verliert. Er ersinnt vieles und eines zuletzt, das ihm das beste erscheint: Um den Kyklopen unschädlich zu machen, ihn aber doch am Leben zu lassen, so daß er den Felsbrocken vom Höhleneingang wegwälzen kann, beschließt Odysseus, ihn zu blenden.

Das ist möglich, weil der Riese nur ein Auge hat. Mit der Einäugigkeit Polyphems hat es eine besondere Bewandtnis. Nach der Theogonie des Hesiod[15] gab es nur drei Kyklopen: Brontes, Steropes und Arges, Söhne der Erde, Titanen, die den Göttern dienstbar wurden und Zeus den Blitz, Poseidon den Dreizack und Pluton die Tarnkappe schmieden. Sie scheinen einer alten Schicht der Mythenbildung anzugehören, während die Kyklopen der Odyssee ein eigenes, nur hier begegnendes Geschlecht sind.

Bedenkt man, wie notwendig die Einäugigkeit des Riesen für die Entfaltung des eigentlich dichterischen Gedankens ist, den Homer verfolgt, dann kann man sich der Überlegung nicht erwehren, daß es der Dichter selbst war, der dem Riesen die Einäugigkeit angedichtet und sich dabei nur des Namens der Kyklopen bedient hat. Denn worum ging es Homer? Um die märchenhafte, spannende oder unterhaltende Geschichte, die schon Kinder fesselt, oder um die Darstellung einer Persönlichkeit, die auf andere Weise als alle bisher von Dichtern geschilderten Menschen mit bestimmten Situationen und gefahrvollen Erlebnissen fertig wird und dadurch seiner Gefährten und seine eigene Heimkehr zu sichern sucht. Toren nennt Homer die Gefährten, die nicht so handeln wie Odysseus und deshalb die Heimat nicht wiedersehen. So macht er noch einmal deutlich, daß Odysseus ein Mensch besonderer, neuer Prägung ist.

Die neue Art zu denken und zu handeln zeigt sich besonders klar im Polyphem-Abenteuer. Vor den entsetzten Augen der anderen hatte Polyphem ohne weitere Umstände zwei Gefährten ergriffen. Er zerschlägt ihnen den Schädel und frißt sie. Im Augenblick, da Odysseus erkennt, daß er einen erbarmungslosen, durch keine Kultur und Gesittung zum Guten zu stimmenden Gewalttäter vor sich hat, beginnt sein Geist zu arbeiten. Das Gastgeschenk, das ihn als Gastfreund sichern sollte, muß ihn nun retten. Er will den Riesen mit Wein betäuben und töten, indem er dem sinnlos Betrunkenen das Schwert in die Leber rennt.

Stellt man sich Achill in der gleichen Lage vor, so würde man annehmen, daß er auch vor einem direkten Angriff auf den Riesen nicht zurückschrecken würde. Möglicherweise wäre ihm die Überlistung mit Wein als wenig heldisch erschienen, und vielleicht hätte er den Riesen aufgrund besseren Trainings und der geschickteren Handhabung der Waffen töten können, so wie David den Goliath getötet hat. Doch auch dann wäre er verloren gewesen. Denn wer hätte ihm den Stein vom Eingang der Höhle weggewälzt?

Das ist der Gedanke, der Odysseus kommt, als er die Rettungstat vor seinem inneren Auge erprobt. Der erste Gedanke, den Riesen zu töten, erscheint ihm nicht als der beste. Der Dichter hat für diese Art zu denken nach guter epischer Technik einen Wiederholungsvers verwendet, einen der öfter wiederkehrenden Sätze, die als Gliederungselemente den Aufbau der epischen Komposition ermöglichen. Es ist ein Wiederholungsvers, der auch in der Ilias vorkommt wie so viele den beiden Gedichten gemeinsame. In der Iliasübersetzung von Heinrich Voss lautet er folgendermaßen: »Dieser Gedanke erschien mir Zweifelnden endlich der beste.« Beim Dichter der Odyssee bekommt dieser Vers einen neuen Sinn, was Voss auch in einer abgewandelten Übersetzung zum Ausdruck bringt, obwohl der Vers im Griechischen gleich lautet. Während in der Ilias nur mitgeteilt wird, welchen Entschluß Zeus oder ein anderes Mal Agamemnon oder schließlich Hera[16] als besten fassen, zeigt der Dichter der Odyssee auch die Alternative auf. Er läßt seinen Helden zwischen mehreren Möglichkeiten abwägen und die beste wählen. Der Wiederholungsvers, der in der Ilias nur andeutet, daß man einen Einfall suchen muß, wird in der Odyssee durch den Zusammenhang, in dem er steht, erst prägnant.

Für dieses Abwägen der verschiedenen Möglichkeiten hat der Dichter ein neues Wort geprägt, das die Ilias noch nicht kennt: *byssodomein,* d. h. »in der Tiefe des Herzens aufbauen«. Es deutet den gedanklichen Findungsprozeß an, geradezu die Konstruktion eines mit anderen Lösungen verglichenen und schließlich für den besten gehaltenen Planes zu einem der Situation angepaßten Vorgehen. Das wollte der berühmte klassische Homer-Übersetzer Heinrich Voss mit der anders lautenden Formulierung des Wiederholungsverses verdeutlichen. Er läßt Odysseus sagen: »Aber von allen Entwürfen gefiel mir dieser am besten[17].«

Der erfahrene Übersetzer hat die neue Bedeutung des im Text von Ilias und Odyssee übereinstimmenden Wiederholungsverses an dieser Stelle genau getroffen.

Darin ist das Denken des neuen Menschen Odysseus verdichtet enthalten. Achill hat so nicht gedacht; und auch kein anderer, von dem wir wüßten, vor dem Helden der Odyssee. Die Rettung der eigenen Seele und die Heimkehr der Gefährten sind für ihn eine Aufgabe nicht nur der Kraft und des Durchhaltevermögens, nicht nur der Disziplin und der überlegenen Technik, sondern auch eine Frage der Logik, der Psychologie und der Phantasie, kurz, der geistigen Kräfte, die sich ohne Konvention entfalten und doch nach unerbittlichen, in der Erprobung zu bestätigenden Regeln. Odysseus darf dem ersten Impuls nicht nachgeben, wie Achill es getan hätte. Diesen muß die Göttin Athene zurückhalten,

Agamemnon zu töten, um seine Ehre zu retten. Odysseus hält sich selbst zurück und tötet den Riesen nicht, sondern macht ihn nur unfähig zu koordiniertem Handeln. Er blendet und beraubt ihn so einer wesentlichen geistigen, aber nicht der körperlichen Kraft, deren Odysseus noch zu seiner Rettung bedarf.

Doch zuvor bedenkt Odysseus noch eine andere ungleich größere, ja gänzlich unkalkulierbare Gefahr. Was wird geschehen, wenn der trunkene Riese mit dem glühenden Pfahl geblendet ist, wenn der Gallert des Auges zischend und prasselnd von der sengenden Spitze des Pfahles herausgebohrt ist und der unmäßige Schmerz den Riesen aufheulen läßt? Werden nicht seine Gefährten kommen, und kann man sich vor allen wie vor einem schützen?

Dieses Problem kann Odysseus nach der Regie des Dichters in einem Gespräch lösen, das jedem, der einmal das Epos gelesen hat, unvergeßlich eingeprägt ist: Der Riese ist nicht so fern aller Kultur homerischer Zeit, daß er nicht wenigstens gehört hätte von der Ehre, die man dem Gastfreund erweist. Da Odysseus ihm den Wein als Gastgeschenk geboten, fühlt er sich in zynischer Weise zu einem Gegengeschenk verpflichtet. Er sagt, er werde ihm sein Gastgeschenk bekannt geben, wolle der Fremdling nur seinen Namen nennen. Nun reagiert der Gedankenapparat des Odysseus blitzschnell. Ein Computer, dem man das Problem zur Lösung vorgelegt hätte, könnte es trotz raffiniertester Rückkoppelungstechnik so nicht lösen, wie Odysseus oder der Dichter, der hinter ihm steht, es gelöst hat. Er mußte dem Riesen, von dem er sich vorstellte, daß er blutüberströmt aufspringt und sich den glühenden Pfahl aus dem Auge reißt, einen Namen in den Mund legen, den dieser gefahrlos herausbrüllen durfte, der seinen Urheber nicht verraten würde, sondern den, der ihn wiederholt, lächerlich macht und das Gegenteil von dem bewirkt, was er bezweckt, weil die gewollte Aussage durch die Nennung dieses Namens sinnlos wird: »Niemand ist meine Name!« sagt Odysseus. »So will ich dir auch dein Gastgeschenk nennen«, antwortete der Riese: »Niemand, du sollst als letzter gefressen werden!« [18]

Odysseus hatte seinen Rettungsplan Zug um Zug durchdacht. Er hatte überlegt, was der andere tun werde, wenn er so oder so handelte, und danach richtete er sein Handeln ein. Dem Dichter ging es darum, einen Menschen zu zeichnen, der nicht nur agiert und reagiert, sondern der die Situation bedenkt, die durch Aktion oder Reaktion geschaffen wird und die so beschaffen sein könnte, daß eine weitere Aktion oder Reaktion unmöglich gemacht wird.

Achill erwägt nicht, daß durch sein Zürnen die Kampfgefährten in schwerste Gefahr gebracht werden. Als er zuläßt, daß der Freund Patroklos in seine, Achills, Rüstung und damit in eine Rolle schlüpft, die ihm zu groß ist, sieht er nicht, daß jener diese Hybris mit dem Tode bezahlen könnte. Auch als ihm selbst dreimal der eigene Tod als Folge seiner Handlungen geweissagt wird[19], läßt er von der Geradlinigkeit seines Tuns nicht ab. Sein Handeln wird von einer unbeirrbaren Haltung bestimmt, von einem ritterlichen Ehrgefühl, das die Konsequenzen der Handlungen nicht abwägen darf, sondern dem auf jeden Fall Genüge getan werden muß. Auch Odysseus kennt dieses ritterliche Ehrgefühl und erträgt nicht, wenn es verletzt wird. Aber er ist geschmeidiger und geht nicht geradlinig auf ein Ziel zu, wenn er auf gewundenen Pfaden eher und sicherer hinzugelangen weiß.

Gibt es wissenschaftliche Mittel, die Frage zu klären, ob der Unterschied, den man zwischen den Hauptakteuren der Ilias und der Odyssee festgestellt hat, ein Unterschied in der dichterischen Konzeption zweier verschiedener Charaktere ist, die sehr wohl nebeneinander auftreten können, oder ob es sich um zwei durch eine nicht umkehrbare historische Entwicklung von einander getrennte Protagonisten deutlich unterscheidbarer Weltsichten handelt? Hier soll nicht von den Möglichkeiten die Rede sein, welche die Philologie[20] im weitesten Sinn zur Entscheidung dieser Frage entwickelt hat, sondern hier geht es um das Problem, ob man die Verschiedenheit der Weltsicht, die zwischen Ilias und Odyssee angenommen wird, im wahrsten Sinn des Wortes anschaulich machen kann. Dieses Problem kann nur mit archäologisch-kunstgeschichtlichen Methoden angegangen werden: das heißt durch die Betrachtung und Interpretation von Kunstwerken der Zeit, in denen sich die jeweilige Weltsicht spiegelt.

Hier ist zunächst festzustellen, daß nur die Archäologie in der Lage ist, einigermaßen feste Daten für die Entstehungszeit von Ilias und Odyssee zu liefern. Die frühesten Fixpunkte der griechischen Geschichte nach der Zerstörung der mykenischen Burgen, die man durch Synchronismen mit der ägyptischen Geschichte um 1200 v. Chr. ansetzen kann, sind die Gründungsdaten der griechischen Kolonien in Sizilien und Unteritalien. Mit Hilfe dieser Daten konnte man die Entstehungszeit der frühgriechischen Vasen von der geometrischen Form an über die sogenannte orientalisierende Epoche bis in die früharchaische Zeit in ein erstaunlich genaues chronologisches Gerüst bringen, das sich durch neuere Funde in datierbaren Schichten von Siedlungen im Vorderen Orient bestätigen ließ[21].

Für die Datierung der homerischen Gedichte durch Anbindung an dieses chronologische Gerüst sind zwei grundverschiedene Zeugnisse von ausschlaggebender Bedeutung.

Die um 725 v. Chr. von einem griechischen Siedler auf Ischia in den einfachen Tonbecher eingekritzelte Inschrift spielt auf den goldenen Becher des Nestor an, den Homer in der Ilias beschreibt.

Das eine ist ein auf der Insel Ischia gefundener spätgeometrischer Becher aus Ton, der eingeritzt eine Inschrift trägt[22]. Hier sind es Inhalt und Form der Versinschrift, die durch das Gefäß, seine Form und seine Verwendung im Totenkult datiert werden können und damit einen Anhaltspunkt für die zeitliche Einordnung der Ilias liefern.

Im anderen Fall ist es das plötzliche, gehäufte Auftreten eines neuen Mythenbildes, und zwar eben des Mythos von der Blendung Polyphems, das einen Rückschluß auf die Abfassungszeit der Odyssee zuläßt.

Man kann den genannten Becher etwa um 725 v. Chr. datieren, und da er in einem Brandgrab mit stilistisch einheitlich aus dieser Zeit stammendem Material gefunden wurde, darf man annehmen, daß die Inschrift schon bald nach der Verfertigung des einfachen Tonbechers eingeritzt wurde. Das führt zu einer vor dem letzten Viertel des achten Jahrhunderts liegenden Entstehungszeit der Ilias, denn die Verse auf

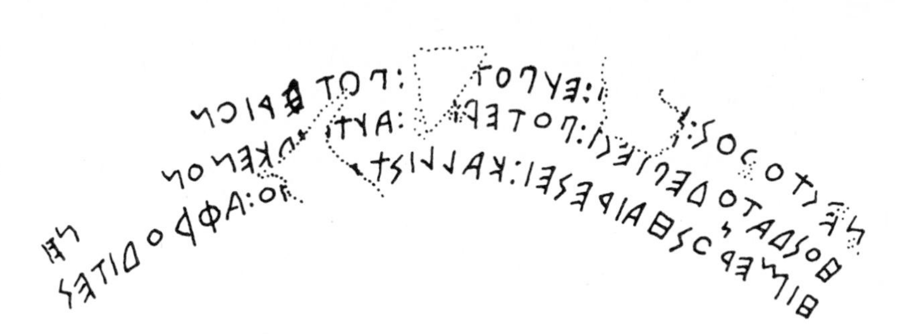

Aufschrift des sogenannten Nestorbechers von Ischia, der griechischen Kolonie Pithekussa.

dem Becher setzen nicht nur den Inhalt der Ilias, sondern auch ihre Form voraus. In deutscher Übersetzung lauten die Verse:

»Nestors Becher ist schön zum Trinken.
Sei es! Doch wer aus diesem Napfe hier trinkt, den ergreifet
gleich die Sehnsucht nach Aphrodite, der herrlich bekränzten.«

In drei Versen, von denen die beiden letzten im griechischen Text formvollendete homerische Hexameter sind, wird hier der in der Ilias ausführlich beschriebene goldene Becher des Nestor[23] mit dem einfachen Trinknapf aus Ton eines euböischen Siedlers auf Ischia verglichen und humorvoll hervorgehoben, daß es nicht auf das kostbare Material und die kunstvolle Ausarbeitung des Trinkgefäßes, sondern auf den Inhalt und seine Wirkung ankommt. Nur ein Kenner der Ilias konnte den witzigen Vers verfaßt haben, und nur ein Kenner der Ilias konnte den darin enthaltenen Witz verstehen[24].

Ist damit ein Zeitpunkt gewonnen, zu dem die Ilias sogar im äußersten Westen des griechischen Einflußbereiches schon bekannt war, so kann man deshalb doch noch nicht sagen, ob das Epos schon lange vor diesem Zeitpunkt oder etwa noch im Verlauf der gleichen Generation verfaßt worden war, in der ein weinfröhlicher Kolonist auf Ischia sie in der eingekratzten Inschrift auf seinem Trinkbecher persiflierte. Das Problem wird noch verwickelter, wenn man bedenkt, daß die sogenannte analytische Philologie von der Vorstellung ausgeht, die Ilias sei nicht als Gesamtwerk, als eine epische Großkomposition geschaffen, sondern aus mehreren mündlich überlieferten kleineren Epen erst im Lauf der Zeit zu der uns vorliegenden Form zusammengewachsen oder zusammengefügt worden[25].

Auch hier kann die Archäologie ein anschauliches Modell liefern, wie man den Standpunkt der *Analytiker* und den der *Unitarier,* die in der Ilias das Werk eines einzigen, überragenden Epikers erkennen wollen, miteinander in Übereinstimmung bringen könnte.

Die Geschichte der geometrischen Vasenmalerei, die aus den letzten Derivaten der immer einfacher gewordenen mykenischen Keramikerzeugnisse hervorgeht, umfaßt etwa vier Jahrhunderte. Eingeteilt wird sie entweder schematisch in drei jeweils dreifach untergliederte Abschnitte Früh-, Mittel-, Spätgeometrisch eins, zwei, drei [26]; oder nach einem zwar umstrittenen, aber doch bewährten Entwicklungsbegriff in fünf kunstgeschichtlich unterscheidbare Perioden: Protogeometrisch, Frühgeometrisch, Strenggeometrisch, Reifgeometrisch, Spätgeometrisch [27].

Drei Amphoren zeigen die Entwicklung von Größe, Form und Dekor in der frühesten griechischen Vasenmalerei von der protogeometrischen bis zur strenggeometrischen Zeit, in der sich auch die Vorstufen der Ilias entwickeln.

Für das hier behandelte Problem ist die nach Ländern und wissenschaftlichen Schulen verschiedene Systematik von untergeordneter Bedeutung. Wichtig ist, daß in der gesamten geometrischen Vasenkunst mit wenigen, immer wiederkehrenden Dekorationselementen gearbeitet wird und daß in den einzelnen aufeinanderfolgenden Epochen das Neue weniger in der Formulierung ganz neuer Ornamentglieder als vielmehr in ihrer Syntax liegt, in der Zusammenfassung zu immer größeren und schließlich übergreifenden Gruppen bis hin zu dem das ganze Gefäß überziehende Streifendekor der monumentalen attischen Grabvasen.

Alle geometrischen Vasen sind mit waagerechten Streifen und Bändern verziert, in denen verschiedene und im Lauf der Zeit komplizierter werdende Mäanderfriese das Gefäß umlaufen. Aber erst auf dem Höhepunkt der Entwicklung, den man um die Mitte des 8. Jahrhunderts ansetzen kann, werden die Kompositionen ihrer Beliebigkeit entkleidet. Jetzt entstehen mannshohe Vasen, die von unten bis oben nach einem einheitlichen und an keiner Stelle mehr ohne weiteres veränderbaren, durchgehenden Kompositionsgesetz mit Mäanderstreifen verziert sind. Am Anfang stehen kleine, erst dem täglichen Gebrauch, dann dem Totenkult dienende Gefäße. Als solche lassen sie das Streben nach Vergrößerung und schließlich nach Monumentalisierung erkennen. Die Dekoration zeigt einen anfänglich lockeren, am Ende immer genauer durchdachten Bezug zur Vasenform. Im gleichen Maße belebt sich die Bemalung mit verschiedenen geometrischen Mustern, Zickzacklinien und Mäandergebilden, die später auch senkrecht gestellt werden können und Felder mit eigenen Bildelementen abtrennen.

Man muß wie bei der Ilias von einer Großkomposition sprechen, in der der Künstler so viele im Lauf der Zeit entwickelte und allgemein anerkannte formale Gesetzmäßigkeiten zugleich berücksichtigen wollte, daß es einer unerhörten geistigen Anstrengung und Erfindungsgabe bedurfte, um zu einer ebenso überzeugenden wie notwendigen Aussage zu gelangen. Die Stufe, auf der dies möglich war, setzt eine lange, jahrhundertelange geduldige Vorbereitungszeit voraus, und sie war erst in der eben aus diesem Grunde als reifgeometrisch bezeichneten Epoche erreicht.

Der Wissenschaft ist es nun darum zu tun gewesen, Strukturäquivalenzen, das heißt Übereinstimmungen nicht auf der Ebene der dargestellten Begebenheiten oder Inhalte, sondern auf derjenigen ihrer künstlerischen Organisation aufzuzeigen[28], die einen Schluß darüber erlauben, auf welcher Stufe der geistigen Entwicklung, verglichen mit der Entwicklung der geometrischen Vasenmalerei, die Großkomposition der Ilias entstanden sein könnte. Diese liegt ja, wie mit einem Male vom Himmel gefallen, als die erste und zugleich größte epische Dichtung vor uns. Alle Vorstufen, die man bis zur Erreichung einer solchen dichterischen Höhenlage voraussetzen muß, sind verloren, denn es handelte sich um mündlich tradierte, von wandernden Sängern bei festlichen Gelegenheiten vorgetragene Lieder, die nicht aufgezeichnet wurden[29].

Im Gegensatz zur epischen Dichtung, bei der nur die überragenden vollendeten Werke überliefert wurden, nicht aber die zahllosen kleinen und mittleren Rhapsodengesänge, die ihnen vorausgingen, ist die Entwicklung der geometrischen Vasenkunst in allen Stufen durch charakteristische Exemplare dokumentiert. Nimmt man nun diese Entwicklung zur Analogie, so könnte man sagen, daß die mündliche Sängerdichtung den kleinen, allmählich an Größe und dekorativem Reichtum zunehmenden Vasen vergleichbar ist. Dort finden sich schon alle Elemente der reifgeometrischen Vasenkunst, die aber weder das monumentale Format noch die das ganze Gefäß von unten bis oben überziehende, einem einzigen, mathematisch faßbaren Kompositionsgedanken unterworfene Formensyntax aufweisen. Dergleichen konnten erst herausragende Vasenschöpfer der reifgeometrischen Zeit und unter ihnen vor allem der sogenannte Dipylonmeister schaffen, und man kann kaum bezweifeln, daß auch erst zu seiner Zeit die fahrenden Sänger den Boden soweit bereitet hatten, daß unter ihnen einer, den wir Homer nennen, aufstehen konnte, um eine epische Großkomposition zu schaffen, in der jedes Glied, ja selbst der vielleicht zum tausendsten und abertausendsten Mal wiederholte festgefügte Vers an seiner einzigen unverrückbaren Stelle im ganzen mehr als sechzehntausend Verse umfassenden Gedicht steht.

Wer diese Analogie als überzeugend ansieht, wird zugeben, daß damit ein neues Verständnis für die andernfalls gänzlich unanschaulichen Voraussetzungen der epischen Großkomposition Ilias und eine neue Begründung für ihre Entstehungszeit um die Mitte des 8. Jahrhunderts v. Chr. gewonnen sind. Das stimmt auch mit der Datierung der weinfrohen, auf die Ilias bereits Bezug nehmenden Inschrift auf dem Becher von Ischia um 725 v. Chr. überein. Schon nach knapp einer Generation war das gewaltige Dichtwerk selbst an der Peripherie des griechischen Einflußbereiches so bekannt, daß man die poetische Anspielung machen und verstehen konnte.

Für die Odyssee gibt es einen dem Becher von Ischia vergleichbaren Anhaltspunkt nicht. Das heißt dann nicht, wenn man nur das geschriebene Wort als vergleichbar ansieht. Gesteht man aber auch einem Bild die gleiche Aussagekraft zu wie einem Text, dann ist es um die Datierungsmöglichkeit der Odyssee nicht schlechter bestellt als um die der Ilias. Denn plötzlich und unversehens findet man in attischen, argivischen, lakonischen und großgriechischen Vasenbildern des fortgeschrittenen ersten Viertels des siebenten Jahrhunderts eine intensive Beschäftigung mit dem in der Odyssee dargestellten Polyphem-Mythos. Darf man diese Vasen, mit denen als Kunstwerke wir uns im übernächsten Kapitel ausführlicher befassen wollen, als Werke ansehen, welche die Odyssee voraussetzen? Könnten Epos und Vasenbilder nicht gänzlich unabhängig voneinander einen in der mündlichen Tradition an vielen Orten überlieferten Mythos sehr viel älterer Zeit reflektieren?

Nach den hier vorgetragenen Überlegungen zur Eigenart der Odysseus-Gestalt, die besonders deutlich in der Polyphem-Episode hervortritt, kann das nicht der Fall sein. Die Polyphem-Episode ist in der Weise, in der sie in der Odyssee erzählt wird, nicht die dichterische Gestaltung eines alten Mythos, sondern sie ist Gedankengut des Dichters der Odyssee. Denn nur ein Mensch, der so denkt wie der Odysseus der Odyssee, kann das Polyphem-Abenteuer so bestehen, wie er und wie es die frühen Vasenbilder wiedergeben. Diese müssen also unter dem unmittelbaren Eindruck Homers, oder genauer, um dies noch einmal zu sagen, des Dichters der Odyssee, den man, wie den der Ilias, Homer nennt, geschaffen sein. Es gilt jetzt zu präzisieren, daß er allem wissenschaftlichen Ermessen nach kaum der gleiche gewesen sein kann. Denn das massierte Auftreten von Darstellungen des Odysseus-Mythos in der Zeit um 675 v. Chr. spricht dafür, daß das Epos von Odysseus, der den Sohn des Poseidon blendet und deshalb vom Erderschütterer und Gott des Meeres erbarmungslos verfolgt wird, nicht sehr lange zuvor entstanden ist. Man wird es in die beiden ersten Jahrzehnte des siebten Jahrhunderts datieren müssen. Es ist also etwa ein halbes Jahrhundert später als die Ilias entstanden, und entsprechend verschieden ist auch die Weltsicht, die aus dem Handeln der beiden Protagonisten Achill und Odysseus spricht.

Natürlich kann man nicht restlos ausschließen, daß die Ilias das Lebenswerk eines Dichters ist, der ein halbes Jahrhundert später das Alterswerk der Odyssee geschaffen habe. Hier kommt einem das Verhältnis des Dichters des ersten Teiles des Faust zu dem des zweiten in den Sinn. Im Leben Goethes gibt es aber eine Entwicklung, die vom ersten zum zweiten Teil der Tragödie führt. Eine solche Entwicklung ist zwischen Ilias und Odyssee nur schwer vorstellbar. Hier liegt vielmehr ein tiefgehender Strukturwandel vor. Würde es schon sehr schwerfallen, die Ilias für etwas anderes anzusehen als für das Lebenswerk eines reifen Menschen, der nicht mehr so lange leben konnte, um ein halbes Jahrhundert später noch ein zweites gleichwertiges Lebenswerk zu schaffen, das nicht wie das abgeklärte Alterswerk eines Greises wirkt, sondern voll von jugendlichem und männlichem Drang ist, so ist die tiefe Gegensätzlichkeit der Struktur in einer einzigen Seele erst recht unvorstellbar.

II

ILIAS, ODYSSEE UND DIE FRÜHGRIECHISCHE VASENMALEREI

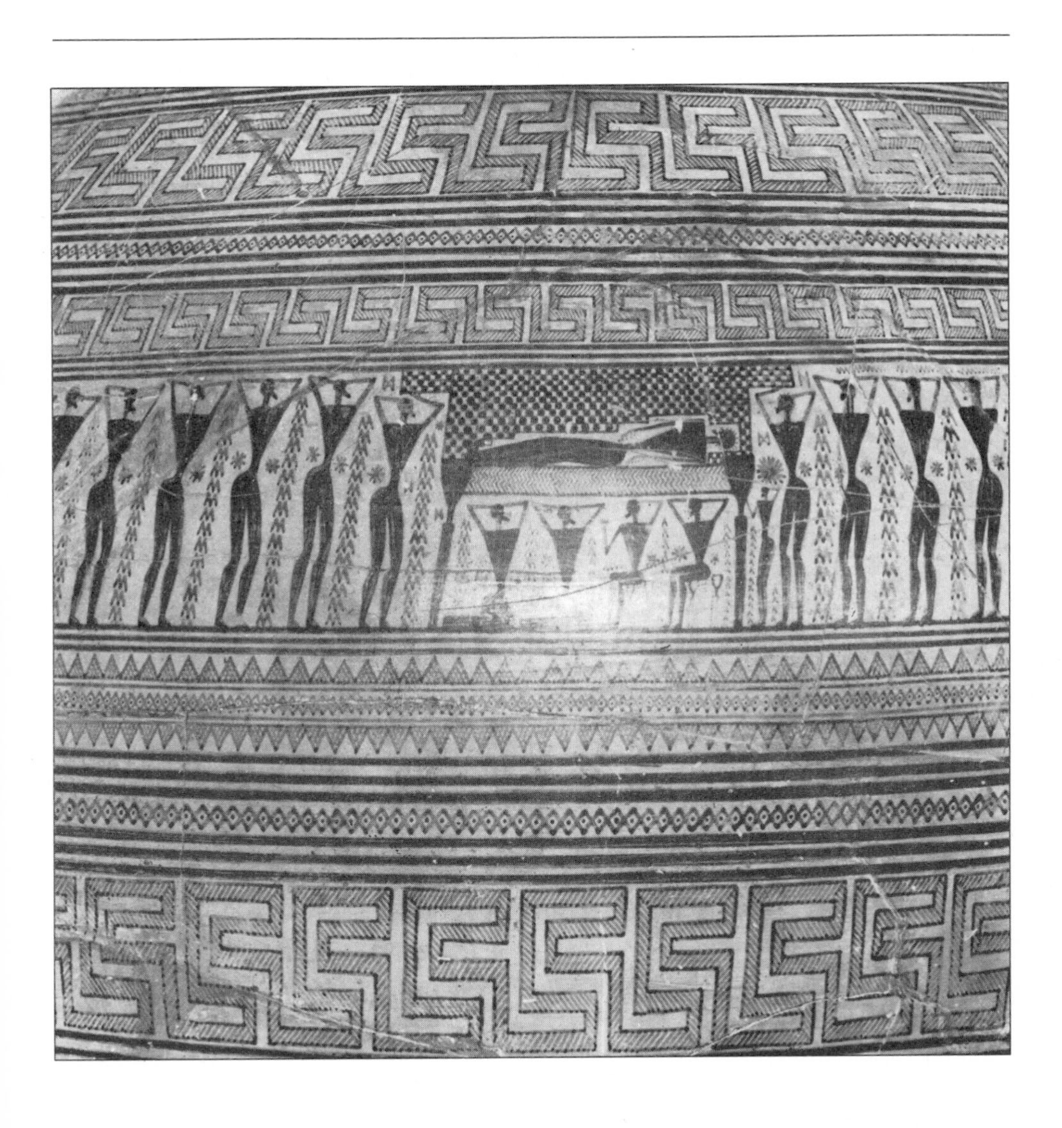

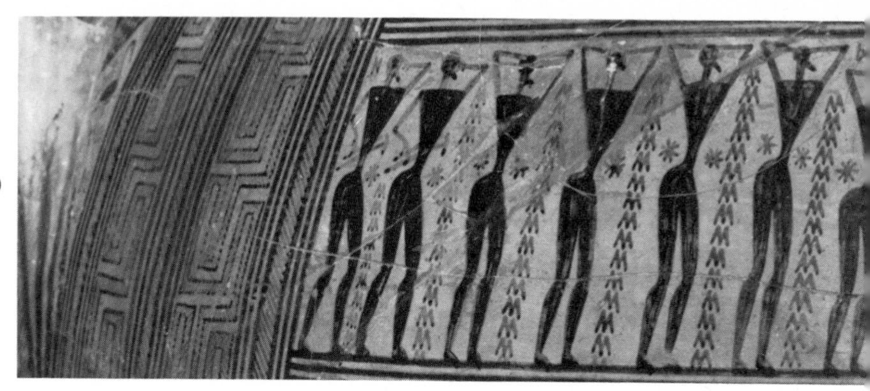

S. 29 und rechts: Aufbahrung eines Leichnams, Detail aus der Amphora in Athen. *(S. 35)*

IM folgenden sei mit archäologischen Mitteln versucht, diesen Strukturunterschied anschaulich zu machen, indem je ein charakteristisches Kunstwerk aus der Mitte des achten und vom Beginn des siebten Jahrhunderts auf ihre Strukturunterschiede und auf mögliche Strukturäquivalenzen zu den jeweils gleichzeitigen Epen, das heißt des früheren zur Ilias und des späteren zur Odyssee hin untersucht werden.

Als eines der Hauptwerke reifgeometrischer Kunst der Zeit, in der die Ilias entstanden ist, gilt die 1,55 m hohe Amphora 804 im Athener Nationalmuseum[30], die als Grabmal auf einem Frauengrab im Friedhof am Eridanosfluß vor dem Athener Doppeltor, dem Dipylon, stand, nach dem der Vasenmaler, der dieses gewaltige Gefäß mit mehr als hunderttausend geduldig und gleichmäßig aufgetragenen Pinselstrichen verziert hat, seinen Namen erhielt: der Dipylon-Meister. Wegen seines unverkennbaren Stiles konnte man ihm noch eine ganze Reihe von Vasen zuweisen, die sein Ringen um das Kompositionsproblem erkennen lassen.

Auf den ersten Blick fällt es schwer, das mit Streifen und schrägschraffierten Mäandern verzierte Gefäß, bei dem nur in drei der Streifen eigentümlich strenge figürliche Elemente erscheinen, für ein der reichen und bunten Bilderwelt der Ilias gleichzeitiges Kunstwerk zu halten. Erst wenn man bedenkt, daß »die Figuren Homers in einen Lebensraum von mathematischer Anschaulichkeit und Klarheit gestellt sind«[31], und wenn man versucht, die bildlichen Elemente auf der geometrischen Amphora im homerischen Stil zu beschreiben, wie Roland Hampe dies in dem im folgenden wiedergegebenen Abschnitt[32] gelungen ist, gewinnt man einen Standpunkt, von dem aus die Zeitverwandtschaft des Epos und der geometrisch verzierten Vase verständlich wird.

Roland Hampe beschreibt die Aufbahrungsszene, die sogenannte Prothesis, im breitesten Streifen an der Stelle der weitesten Ausladung der Bauchhenkelamphora:

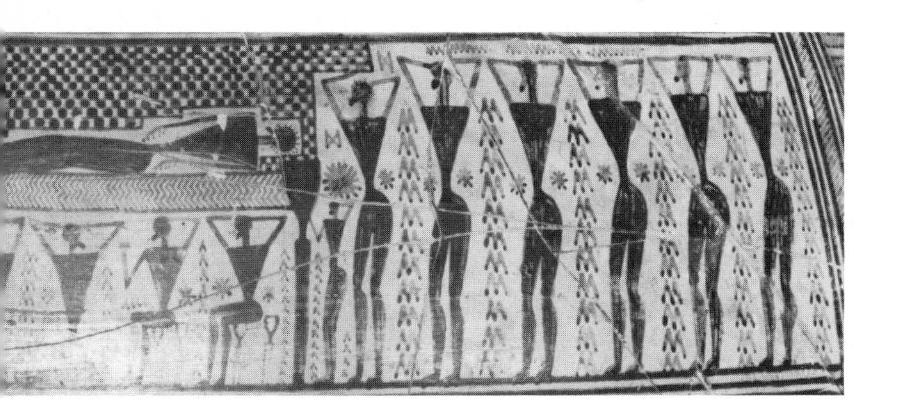

»Sie legten den Toten auf das schöne Totenbett, zogen ihm das linnene Totengewand an, das vom Kopf bis zu den Füßen reichte, und deckten darüber das stattliche Bahrtuch. Dann versammelten sie sich zur Totenklage. Neben der Bahre saßen Sänger auf Schemeln und stimmten den Totengesang an. Die Frauen fielen immer wieder mit ihren Wehrufen ein. Die bestellten Klagefrauen waren neben der Bahre in die Knie gesunken, die anderen standen in großer Zahl um den aufgebahrten Toten herum. Sie rauften sich die Haare, zerkratzten sich Wangen und Hals, schlugen sich Kopf und Brust. An der Bahre aber standen die nächsten Angehörigen, am Kopfende die Gattin und das Kind, Leintuch und Bett mit ihren Händen berührend. Sie vergossen viele Tränen, und ihre Klagerufe, ihr schrilles Aufjammern erregten auch in der Menge der Umstehenden anhaltenden Jammer. So klagten sie die ganze Nacht durch. Dann aber kamen die Männer, im Schmucke ihrer Waffen, um den Toten auf den Leichenwagen zu heben und ihn in feierlichem Zug zum Grabe zu geleiten.«

In diesem Bilde wird offenbar, daß die Vase ein Grabmonument ist. Die feierliche Aufbahrung der Toten, die Prothesis, ist ein Ritual, das im frühen Griechenland durch prunkvollen Aufwand das Ansehen des Toten und seiner Familie sichtbar machen soll. Die Aufbahrung des Patroklos ist eine entscheidende Episode im Aufbau der Ilias XVIII, 352f.:
»Sie legten ihn auf Decken und breiteten köstliches Leinwand
Ihm vom Haupt zu den Füßen und darauf den schimmernden Teppich.«
Versucht man, auch die Streifen mit grasenden Steinböcken und liegenden Rehen, die scheu den Kopf mit aufgestellten Lauschern zurückwerfen, im Sinne homerischer Gleichnisse aus der Gesamtbedeutung der Vase als Grabmal zu interpretieren, so könnte man mit Klaus Stähler[33] von der Todesverfallenheit der Wildtiere sprechen, in deren Herden der Löwe als Werkzeug des alles dahinraffenden Todes einfällt.

Es ist die Frage aufgeworfen worden[34], ob es eine Möglichkeit gebe, auch den geometrischen Mäander gegenständlich zu deuten, und da sich im Laufe der Zeit Mäandermotive nicht selten zu pflanzlichen Ranken weiterentwickeln, ist der Gedanke nicht von der Hand zu weisen, daß in den Mäandern neben der Menschen- und der Tierwelt, die in bestimmten, durch ihre Stellung hervorgehobenen Streifen an Körper und Hals der betrachteten Vase begegnen, der dritte, weiteste Bereich der Natur, die Pflanzenwelt, reflektiert sei. Das unvermittelte Nebeneinander von Lanzettblättern und *rankenden* Mäandern ließe sich so leichter erklären. Wenn den heutigen, von der gegenstandslosen Malerei bestimmten Augen der Mäander als ungegenständliches Element erscheint, so ist er vom abstrahierenden, gleichnishaften Denken homerischer Zeit her vielleicht eher als eine abstrakte Formulierung der Naturwelt zu verstehen, die sich auf der monumentalen Vase als ein Kosmos von nicht geringerem Reichtum darstellt als der, den die Ilias wiedergibt.

Diese das Todeslos in verschiedenen Bildern der Pflanzen-, Tier- und Menschenwelt thematisierenden Darstellungen sind nun nicht an beliebigen, sondern an durch die Vasenform festgelegten Stellen in den Streifendekor eingefügt, der nach einem kompromißlosen Gesetz das Gefäß von unten bis oben überzieht.

Schon die Gefäßform selbst ist nicht beliebig, sondern der eiförmige Körper des Gefäßes, der zweimal so hoch ist wie der Hals, hat die Stelle seiner breitesten Ausdehnung genau in der Mitte des ganzen, aus Körper und Hals mit einem Standring unten und einer Lippe oben zusammengefügten Gefäßes. Das bedeutet, daß das einfache Zahlenverhältnis von 1 zu 2, in dem der Hals zum Körper steht, und die Halbierung des ganzen Gefäßes durch die Henkelzone die grundlegenden Verhältniszahlen 3 und 2 in einen untrennbaren, das ganze durchwirkenden Zusammenhang bringen.

Um dem Streifendekor seinen unverrückbaren, notwendigen Platz auf dem Vasenganzen zu geben, wurden nun mittels einer nach den Potenzen von 2 und 3 in 24 beziehungsweise 12 Teile geteilten Schnur der Vasenkörper in 24 und der halb so hohe Hals in 12 gleiche Abschnitte eingeteilt. Von diesen wurden nach dem einfachen Gesetz der wachsenden Glieder 6 Teile für einen dunkel zu firnissenden Sockel, 8 Teile für die Wandung, 10 Teile für die Schulter und 12 Teile für den Hals zu größeren Einheiten zusammengefaßt. Als Grundbreite für die einzelnen Streifen wurden je zwei Abschnitte gewählt, die aber an bestimmten Stellen zur Akzentuierung des Aufbaus um die gleiche Differenz verschmälert werden konnten, um die der darüberliegende Streifen verbreitert wurde, so daß in der Summe die Breite der Streifen ausgeglichen ist.

Zur Trennung der einzelnen Streifen wurde ein Ornamentband verwendet, das aus der keramischen Technik einfach zu entwickeln war und die waagerecht sich spannenden Kräfte mit nach oben und unten strebenden verband. Zunächst wurde eine Reihe von Punkten in gleichem Abstand auf die mit der Töpferscheibe ruckartig rotierende Vase getupft. Durch 7 solcher Punktreihen auf dem Körper und 4 auf dem Hals, zu denen zur Vollendung der Zwölfzahl eine weitere auf der Lippe hinzukam, konnte die Grundeinteilung der Vase nach dem von unten nach oben steigenden Rhythmus von 6:8:10:12 bereits festgelegt werden.

Um die Punkte wurden sodann zwei gegeneinander verschobene Zickzacklinien gezeichnet, so daß eine Gitterkette entstand. Dabei dienten die Punkte als Anhalt für die Höhe, auf der die Gitterketten sich kreuzen oder die Breite, auf der die Zickzacklinien umbrechen sollten. Oben und unten ließ man je eine Schar von drei parallelen Linien die Gitterkette begleiten. Dieses aus drei Streifen oben, der Gitterkette in der Mitte und drei Streifen unten bestehende Trennmotiv kehrt, wie gesagt, zwölfmal auf der Vase wieder, und zwar in der bemerkenswerten Verteilung von sieben auf dem Körper und fünf auf dem Hals, die Lippe eingerechnet. Hier wirkt sich die Grundeinteilung von 2mal 12 Abschnitten des Körpers und 1mal 12 Abschnitten des Halses aus, die aber durch einen kunstvollen Rhythmus verschleiert wird. Die durch das Trennmotiv der Gitterkette gerahmten aus anderthalb, zwei, zweieinhalb oder drei Grundabschnitten gebildeten Streifen werden nun mit verschiedenartigen Mäandermotiven gefüllt, welche aus dem einfachen Streifendekor einen kunstvollen Aufbau machen.

Das Prinzip, nach dem die einzelnen Elemente dieser Komposition verbunden sind, könnte man als Verklammerung bezeichnen. Denn die einzelnen, triadisch aufgebauten Streifen, deren Randelemente zugleich die Randelemente der anschließenden Streifen sind, werden durch übergreifende Bezüge zu immer größeren Einheiten zusammengefaßt und durch Verschränkung in eine dynamische Beziehung zueinander gesetzt.

Die Dynamik dieser Beziehung wird durch die überlegte Auswahl und Anordnung der Mäandermotive begründet, die für sich genommen als ein schwebendes, nicht etwa notwendig als lastend empfundenes Band mit einer mehr oder weniger stark ausgeprägten Umlaufdynamik angesehen werden. Die dichte Abfolge von Rahmenmotiv und Mäanderstreifen läßt jedoch den Eindruck einer von unten nach oben aufgebauten Streifenarchitektur entstehen, in der das Rahmenmotiv zu einem lastenden, die Mäanderstreifen hingegen zu einem aufstrebenden Teil der Komposition werden.

Die Vase wurde zunächst mit Hilfe einer Schnur in 36 Teile, 24 am Körper und 12 am Hals, unterteilt und dann nach dem Gesetz der wachsenden Glieder in 6 Abschnitte für den Sockel, 8 für die Wandung, 10 für die Schulter und 12 für den Hals rhythmisiert. Die einzelnen Streifen wurden durch eine um die Punktlinien der Gliederung gezeichnete Gitterkette getrennt und in übergreifenden Bezügen mit Blattkette, Zinnenmäander, Hakenmäander, Treppenmäander gefüllt. Im Hauptstreifen die Aufbahrung der Leiche und die silhouettenhaften Figuren der Trauernden, am Hals lagernde und äsende Wildtiere in ihrer Todesverfallenheit.

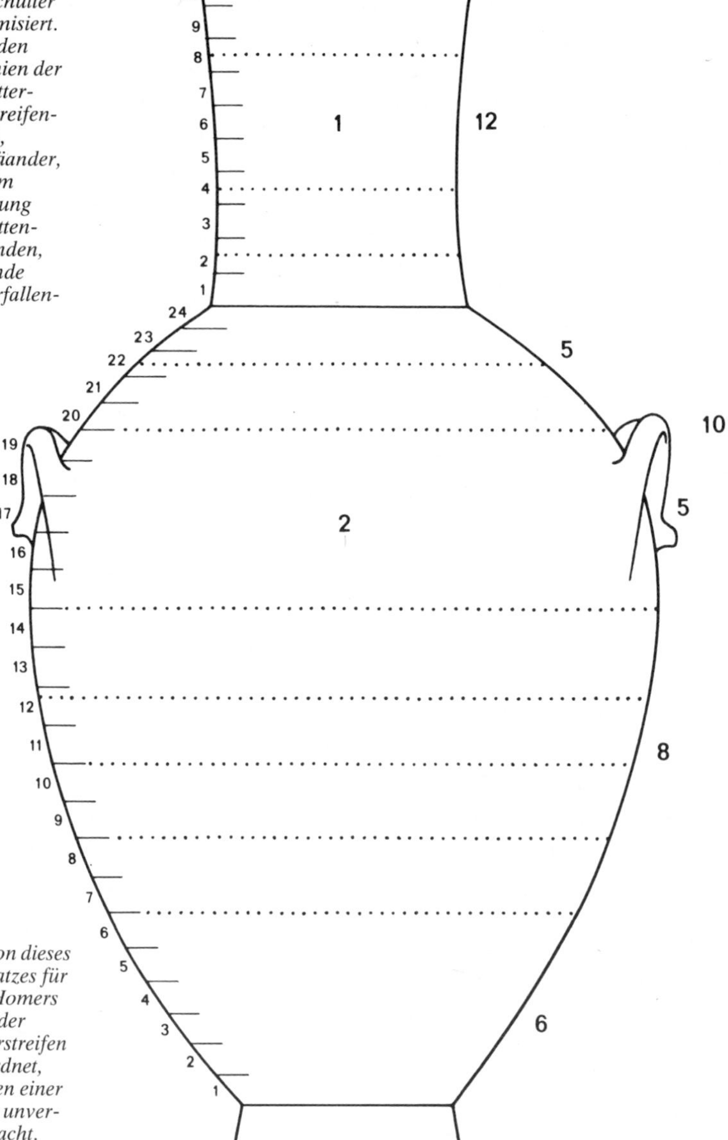

Vasenform und Dekoration dieses monumentalen Grabaufsatzes für ein Frauengrab der Zeit Homers sind untrennbar aufeinander abgestimmt. Die Mäanderstreifen sind nicht beliebig angeordnet, sondern nach den Gesetzen einer Großkomposition in eine unverrückbare Beziehung gebracht. Eine vergleichbare Struktur weist auch die Großkomposition der Ilias auf: Ihre Teile sind miteinander verklammert.

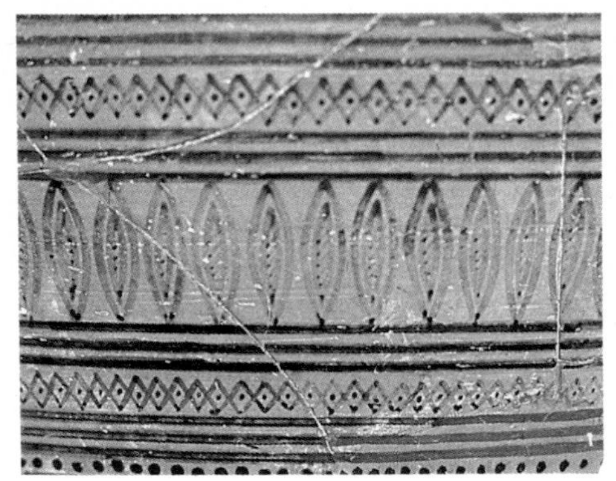
Blattkette

Zinnenmäander

Dieser Eindruck wird durch die steigende Anordnung der Füllmotive akzentuiert: Im untersten Streifen Blätter in der Form sphärischer Zweiecke, welche die Rahmenlinien unten und oben berühren und gleichsam von ihnen zusammengedrückt werden. Sie wirken daher wie ein federndes Element. Zinnenmäander, Hakenmäander und Stufenmäander darüber zeigen eine nach oben sich steigernde Kompliziertheit.

Der Hakenmäander ist ein besonders interessantes Gebilde. Er besteht aus einem liegenden, nach rechts schraffierten und einem stehenden, nach links schraffierten Haken. Der liegende hat die Tendenz, nach links zu kippen, der stehende unterstützt ihn jedoch und leitet den Druck in den unteren Balken des nächsten liegenden Haken weiter, der dadurch auch von dieser Seite gehalten wird. Auf solche Weise entsteht der Eindruck einer durch den Mäanderstreifen fließenden Energie, die dem Fluß des Hexameters im homerischen Epos entspricht, wo diese Energie sich als Hebung und Senkung im Versmaß bemerkbar macht.

Der Stufenmäander, in dem der Energiefluß noch öfter gebrochen ist, kehrt dreimal auf der Amphora wieder, einmal unter und einmal über dem Figurenband, wodurch er für dieses zum übergeordneten Rahmenmotiv wird, und einmal, um eine Schlingung vermehrt, auf dem Hals, wo er mit Tierfriesen und Hakenmäanderstreifen verschränkt ist. Auf dem Hals ist das ganze Streifensystem um eine halbe Maßeinheit nach unten verschoben, wodurch seine Last zum Ausdruck kommt. Aus dem gleichen Grund sind in den Tierfriesen hier auch die Tiere unten liegend und oben stehend angeordnet.

In dem von unten nach oben aufgebauten Streifendekor nimmt die Aufbahrungsszene eine Stelle ein, zu der dieser Aufbau hinführt, über die er aber auch hinausgreift.

An einer ähnlichen Stelle in der ebenfalls nach einem triadischen Kompositionsprinzip aufgebauten Ilias steht die Aufbahrung der Leiche

Hakenmäander

Stufenmäander

des Patroklos, die nicht so sehr zum Wendepunkt des Geschehens wird als vielmehr der Zorn des Achill. Über den Tod des Patroklos hinausreichend, schlägt dieser unbändige Zorn von den Griechen auf die Trojaner und von Agamemnon auf Hektor um.

Das Gliederungselement der Ilias, die in gradliniger zeitlicher Folge aufgebaut ist, sind die von verschiedenartigen Handlungsteilen unterbrochenen oder besser gerahmten Aristien, das heißt Schlachtszenen, in denen sich jeweils andere Helden hervortun[35]. Das mit diesen Elementen durchgeführte Kompositionsprinzip könnte man ebenfalls als ein verklammerndes bezeichnen. Jedenfalls handelt es sich nicht um eine einfache additive Reihung, genausowenig wie die Streifen auf der Vase einfach gereiht sind. Vielmehr gibt es in der Ilias Handlungsscharniere, welche die in sich abgeschlossenen Aristien zu notwendigen Elementen des Handlungsaufbaus machen, der, als Hektor erschlagen und Patroklos bestattet ist, mit einem Verlöschen des Zorns des Achill auf Geheiß der Götter endet.

Die strukturelle Analogie zwischen der Ilias und einer geometrischen Großkomposition wie derjenigen der Amphora 804 läßt deutlicher als ein Vergleich des erzählten Geschehens mit den silhouettenhaften Bildern der Vase die Gleichartigkeit der Weltsicht hervortreten.

Ist nun die Struktur der Odyssee gegenüber der Ilias so andersartig, daß man in ihr eine neue, zeitlich spätere Sehweise erkennen könnte? Diese Frage soll hier mit archäologischen Mitteln durch einen Strukturvergleich zwischen der Odyssee und der orientalisierenden Kunst angegangen werden, welche die geometrische Kunst ablöst.

Es gehört zu den faszinierenden Erkenntnisvorgängen der Kunstarchäologie zu verfolgen, was im Verlauf der sogenannten orientalisierenden Zeit aus den sich kreuzenden Zickzacklinien und den Mäandermotiven geometrischer Zeit wird.

Gitterkette

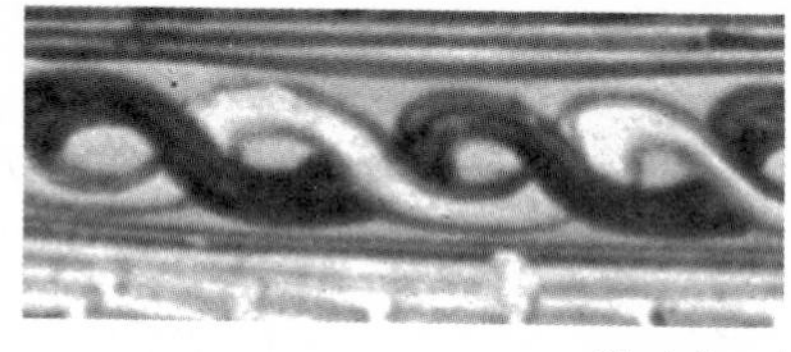

Flechtband

Die Gitterkette wandelt sich zu einem Flechtband, bei dem das eine Band weiß und das um dieses sich herumschlingende schwarz gemalt ist. An den Stellen, wo das eine Band über das andere gelegt ist, läuft einmal das weiße, das andere Mal das schwarze durch, während sowohl die Ritzlinien am Rande als auch die Farbe des jeweils anderen Bandes aussetzen. Das Flechtband bekommt dadurch eine greifbare Körperlichkeit, seine sich umeinanderschlingende Bewegung eine beinahe perspektivische Räumlichkeit. Das ist eine gegenüber der silhouettenhaften Körperlosigkeit des geometrischen Dekors grundlegend gewandelte Wiedergabe der Welt, die man als Ausdruck einer neuen Weltsicht auffassen muß. Die schwingenden Linien der neuen ornamentalen Elemente ermöglichen eine ganz andere Kompositionsform, die man im Gegensatz zur verklammernden der geometrischen Kunst als verflechtende bezeichnen könnte.

Greifen wir auch hier wie im Fall der geometrischen Amphora ein herausragendes Werk orientalisierender Zeit zur genaueren Analyse heraus. Der Boden einer Korinthischen Pyxis der Zeit um 700 v. Chr. zeigt ein bemerkenswertes Flechtbandornament[36].

Das teppichhafte Überspinnen der ganzen Kreisfläche mit schwingenden Ranken wird in seinem Aufbau sofort verständlich,wenn man sich klarmacht, daß die gleichartigen, in einem unendlichen Rapport wiederholten Geschlinge von kleinen Ringen ausgehen, die in gleichen Abständen auf dem Durchmesser des kreisrunden Pyxisbodens angeordnet sind. Die beiden äußeren Ringe sind mittels eines dunkel abgedeckten Dreiecks am Umriß des Bodens gleichsam festgemacht. Da das eine Dreieck größer ist als das andere, hat man den Eindruck, als sei die Reihe der vier Ringe in einer Richtung von unten nach oben angeordnet. Auf den Ringen steht nämlich ein aus zwei kürzeren, sich gegeneinander neigenden Ranken gebildetes Ornament in der Form einer Leier, während nach unten an den Ringen zwei um sich selbst geschlungene Ranken hängen. Indem die Ringe eine Blütenleier nach der einen und ein symmetrisches Rankengeschlinge nach der anderen Seite entlassen, werden sie zu den Knotenpunkten eines ineinander geflochtenen Dekorationssystems, welches das neuartige Kompositionsprinzip der Odyssee gegenüber dem älteren der Ilias anschaulich machen kann.

Nur viermal im Verlauf des Epos wird beschrieben, daß Odysseus sich im Gang der Darstellung an den gerade erreichten Orten aufhält: Auf der Insel Ogygia bei Kalypso, auf Scheria im Lande der Phäaken, auf Ithaka bei und in seinem Palast und schließlich auf dem Landgut seines Vaters Laertes. Alle anderen Orte durchläuft er nur in rückgreifenden Erzählungen und Berichten, die in die Gegenwart des Epos hereingeholt werden. In diesem Zusammenhang kann man nicht mehr von Handlungsscharnieren sprechen wie beim Aufbau der Ilias, es handelt sich vielmehr um Handlungsknoten, in welche die einzelnen Stränge der Handlung verflochten werden.

Die Tatsache, daß die Odyssee mit dem Bericht des auf Ogygia sehnsuchtsvoll harrenden Odysseus beginnt und zugleich in einem ganz anderen Handlungsstrang Telemach von Ithaka aus aufbricht, seinen Vater zu suchen, hatte dazu geführt, hier das Werk zweier Dichter zu sehen[37], nämlich den der eigentlichen Odyssee und den der Telemachie, zweier eigenständiger Epen, die erst in einem späteren Zustand des Großepos miteinander vereinigt wurden. Diese philologische Annahme verkennt aber gerade das Wesen und die Eigenart der Kompositionskunst des Dichters der Odyssee, die in einer neuen Sehweise der orientalisierenden Zeit begründet ist. Man könnte so weit gehen, die einzelnen Handlungsstränge der Odyssee auf die Rankengeschlinge des korinthischen Vasenornamentes zu schreiben.

Während Odysseus von Ogygia nach Hause strebt, bricht in einem darauf antwortenden Handlungsstrang Telemach von dort auf, dem Vater entgegen. Beide Handlungsstränge bleiben liegen, als Odysseus Scheria erreicht. Hier berichtet Demodokos in einem durch die Erzählung mit der Gegenwart verknüpften Handlungsstrang vom Untergang Trojas und von der Rolle, die Odysseus dabei durch die Erfindung des hölzernen Pferdes spielte. Als Antwort darauf erzählt Odysseus dann selbst seine Abenteuer bei der Rückkehr von Troja.

Das Rankengeschlinge auf dem Boden der protokorinthischen Pyxis aus der Zeit um 700 v. Chr. weist eine Strukturverwandtschaft zur Komposition der Odyssee auf.

Nach dem Ende dieser langen in die Runde der Gastfreunde im Palast des Phäakenkönigs Alkinoos hereingeholten Geschichte schreitet die Handlung wiederum in zwei Strängen nach vorne weiter: Odysseus kommt endlich heim nach Ithaka, während auch Telemach, durch Athena gerufen, sich von Sparta nach Hause aufmacht.

So bildet Ithaka den dritten Knotenpunkt, in dem die Handlungsstränge zusammenfließen. Hier erzählen Athena und der Sauhirt Eumaios in zwei parallelen Berichten, die man den zurückgreifenden Rankengeschlingen vergleichen könnte, was sich inzwischen in Ithaka zugetragen hat.

Nachdem auch Telemach in Ithaka angekommen ist, schreitet die Erzählung des Dichters als gegenwärtiges (nicht berichtetes) Geschehen voran: Die Auseinandersetzung mit den Freiern als der eine, das Wiedersehen mit Penelope als der andere tragende Handlungsstrang. Diese beiden Handlungsstränge treffen sich, als Odysseus zum Endkampf mit den Freiern antritt, zu dem Penelope den Bogen bringt.

An diesem Punkt wird wiederum durch zwei parallele Erzählungen in die Vergangenheit zurückgegriffen. Odysseus berichtet Penelope von seinen Irrfahrten, und die Seelen der Freier treffen im Hades Agamemnon und Achill, die noch einmal den Untergang Trojas und ihr eigenes, zu dem des Odysseus kontrastierendes Geschick beschwören.

Und ein letztes Mal geht die Handlung in zwei Strängen weiter: Auf der einen Seite das Wiedersehen mit Laertes und auf der anderen der Streit mit den Anverwandten der Freier, der durch ein Machtwort des Zeus beendet wird, so wie auch am Anfang ein Spruch des Zeus steht, der Kalypso auffordert, Odysseus freizugeben. So ist die Komposition der Odyssee in einer dem Vasenornament vergleichbaren Weise am Anfang und Ende in einem Punkt gleichsam festgemacht durch den Willen des höchsten Gottes. Aber dazwischen entwickeln sich die nach vorne strebenden oder zurückgreifenden Handlungsstränge in freier Verschlingung, die jeweils in einen Handlungsknoten verflochten sind, wo der Dichter Odysseus selbst gegenwärtig auftreten läßt. Der Vergleich zwischen der Komposition des Epos von der Heimkehr des Odysseus und der Komposition des Vasenornamentes führt zu einer verblüffenden Evidenz, die nur in einer gemeinsamen Sehweise der Künstler in der Entstehungszeit der beiden zweifellos voneinander unabhängigen Kunstwerke beruhen kann. Es handelt sich um Strukturäquivalenzen, die auf eine neue, dieser Zeit an der Wende des achten zum siebenten Jahrhundert vor Christus eigenen, von ihr zuerst entwickelten Denkungsart schließen lassen, welche auch die Schaffung des neuen, in Odysseus verkörperten Menschenbildes ermöglicht hat.

III

BILDWERDUNG DES POLYPHEM-MYTHOS

S. 41
Die Blendung Polyphems auf dem Krater des Aristonothos.

DIE dichterische Erfindung des Polyphem-Abenteuers, in dem das neuartige Menschenbild des Odysseus besonders deutlich gezeichnet ist, wird noch nicht lange bekannt gewesen sein, als sich auch schon die bildenden Künstler des Themas bemächtigten. Denn anders als durch den Einfluß des großen Epikers, der diesen Mythos nicht nur gestaltet, sondern, wie wir sahen, geschaffen hat, kann man das plötzliche, gehäufte Auftreten von Darstellungen dieses Mythos in der griechischen Vasen- und Kleinkunst in der ersten Hälfte des 7. Jhs. v. Chr. nicht erklären.

Aus den an vielen Orten der griechischen Welt auftauchenden Bildern seien nur drei besonders ausdrucksvolle und frühe herausgegriffen, eine altattische Amphora in Eleusis[38], ein Kraterfragment aus Argos[39] und ein Mischkrug aus der Etruskerstadt Caere (Cerveteri), »die früheste unter den bedeutenden Vasen, die eine Töpfersignatur von griechischer Hand tragen«[40].

Alle diese Bilder lassen zwar deutlich erkennen, daß sie nichts anderes als die vom Dichter beschriebene Episode meinen, sie weichen aber in einem Punkt entscheidend von der Schilderung des Epos ab: Dort[41] wird der Blendungsakt mit dem Vorgehen eines Schiffsbaumeisters verglichen, der einen Holzklotz durchbohrt, indem er den Bohrer, den zwei Helfer mit einem darum geschlungenen Riemen drillen, senkrecht in den Klotz treibt, wobei er sich von oben her daraufstemmt und dreht. Man soll sich vorstellen, daß der trunkene Riese flach am Boden liegt und der Pfahl mit der glühenden Spitze von oben ins Auge gestoßen und hineingebohrt wird.

Unter den vielen griechischen Darstellungen der Blendung des Riesen Polyphem gibt es nur eine einzige[42], welche den Vorgang so gestaltet, und diese ist bezeichnenderweise nicht eine Illustration des Epos, sondern eine des Satyrspieles *Kyklops* des Euripides. Die Vorstellung eines senkrecht von oben ins Auge des waagerecht liegenden Riesen gestoßenen Pfahles muß den Künstlern komisch erschienen sein. So lassen sie vom ersten Versuch einer Verbildlichung der Mythenszene an durch die archaische bis zur hellenistischen und römischen Kunst Odysseus und die Gefährten den glühenden Ölbaumpfahl immer wie einen Rammbock oder Speer, mehr oder weniger waagerecht, zustoßen, wobei sie den Knüttel bald über dem Kopf schwingen oder ihn mit herabhängenden Armen zwischen sich tragen und geradeaus in das Auge des Riesen lenken, der dann natürlich nicht am Boden hingestreckt sein darf, sondern halb sitzend und höchstens leicht nach hinten gesunken dargestellt werden muß.

Als sich die früharchaischen Vasenmaler daran machten, das dichterisch im zeitlichen Ablauf erzählte mythische Geschehen in ein momentanes, d. h. auf einen Blick zu erfassendes Bild umzusetzen, sahen sie sich noch einer anderen Schwierigkeit gegenüber, die eine grundsätzliche Schwierigkeit der bildenden Kunst gegenüber der Dichtkunst ist – wie schon G. E. Lessing in seiner berühmten Abhandlung »Laokoon« darlegte.

Literatur kann jedes Geschehen im zeitlichen Nacheinander vor dem inneren Auge des Lesers sich vollziehen lassen, die bildende Kunst aber stellt es im unveränderlichen zeitlichen Miteinander dar. Die Lösung, die Lessing in der Wahl des fruchtbaren Augenblicks sieht, war der frühen griechischen Kunst, welche nicht die Erscheinung, sondern das Sein der Dinge darstellen wollte, verwehrt. Die Künstler dieser Frühzeit mußten eine Erzählweise entwickeln, in der Vergangenheit, Gegenwart und Zukunft anschaulich erfahrbar waren.

Im Halsbild der Amphora von Eleusis ist dies auf folgende Weise gelöst: Der Riese sitzt mit geöffnetem Auge und scheint sich an den Henkel der Amphora zu lehnen. In der Rechten hält er den Becher, den Odysseus ihm dreimal gefüllt hat. Mit der Linken aber greift er nach dem

In diesem ältesten bekannten Bild des Polyphem-Abenteuers werden die Phasen des Blendungsvorgangs in archaisch additiver Erzählweise vergegenwärtigt: Der Riese hält noch den Becher, er ist schon trunken, der Pfahl dringt ins Auge, er reißt ihn heraus.

Pfahl, dessen helle, glühende Spitze auf die große, dunkle Pupille gezeichnet ist. So wird klar, daß sie den Augapfel herausstücht. Das Greifen nach dem Pfahl verdeutlicht den Bericht des Dichters, nach dem der Riese blutüberströmt aus der Wunde des Augs den brennenden Ölbaum riß. Diesen tragen Odysseus und zwei seiner Gefährten heran, indem sie ihn über den Kopf stemmen. Odysseus, allen voran, ist durch hellere Farbe und mit breitem Pinsel aufgetragene Umrißformen als älter hervorgehoben. Die Gefährten sind dunkel, von der Sonne gebräunt wie der Riese. Nur die Gesichter mit ihren kühnen, klobigen Nasen und den schräg gestellten Augen sind hell im Umriß gegeben. Die Männer schleichen auf den Zehenspitzen heran, um den gefährlichen Riesen nicht zu wecken. Odysseus stemmt ihm das Knie aufs Bein, um ihn niederzuhalten, bis die Rettungstat vollendet ist. So wird der ganze Vorgang zwar nicht nach einer einheitlichen Logik von Raum und Zeit, dafür aber um so deutlicher in allen für das Verständnis wichtigen Zügen dargestellt.

Wäre eine perfekte Illusion angestrebt wie später in der Gruppe von Sperlonga, dann würde stören, daß der Riese sitzt, daß er das trotz eindringendem Pfahl unverletzte Auge geöffnet hat, daß er den Becher in der Hand hält, während doch Odysseus und seine Gefährten schon mit dem Pfahle zugestoßen haben. Doch Illusion zu erwecken, ist nicht die Absicht des archaischen Künstlers. Er darf keinen für das Verständnis des Bildes wichtigen Zug auslassen und setzt deshalb additiv nebeneinander, was sich in verschiedenen Phasen nacheinander vollzieht. Allerdings ist diese Addition nicht ein unvermitteltes Nebeneinanderstellen von Attributen und Bewegungsmotiven aus verschiedenen Phasen der Handlung, sondern es gehört zur Kunst des Malers, daß er alle prägnanten Einzelzüge zu einem aussagefähigen Kosmos zusammenfügt, der die Glieder so zueinander in Beziehung setzt, daß eine beliebige Deutung ausgeschlossen wird. Wenn ihm das gelungen ist, dann wird man nicht mehr nach der Logik eines geschlossenen Bildes verlangen, dem ja auch andere unverkennbare Werte der archaischen Bildersprache geopfert werden müßten, sondern man wird die Kraft und die Stärke des Ausdrucks in diesen frühen, noch raumlosen Bildern bewundern.

In dem mächtigen Bild der argivischen Scherbe, die so weit erhalten ist, daß man die Vollständigkeit nicht schmerzlich vermißt, ist dem Vasenmaler eine Komposition gelungen, die in ihren Grundzügen nie mehr übertroffen werden sollte. Die Haltung des nach hinten gesunkenen Riesen läßt erkennen, daß der Wein ihm die Glieder gelöst hat. Er liegt mehr, als er sitzt, auf dem ansteigenden, leicht zu einer Bank abgestuften Boden der Höhle, deren Gesteinsmassen sich in schuppenartigen Schichten übereinanderschieben. Der Pfahl ist schon ins Auge gedrungen. Blut ist über Gesicht und Hals gespritzt. Obgleich er noch bewegungslos daliegt, greift der Riese nach dem blutbesudelten Pfahl, um ihn von sich zu werfen. Wiederum sind zwei Phasen des Geschehens in einem Bilde vereinigt durch die chiffrehafte Bewegung eines Armes, die aber als wesentliches Kompositionselement erscheint.

In der dritten frühen Polyphem-Vase, dem Krater des Aristonothos, schwingen die Angreifer den Pfahl nicht mehr über dem Kopf, sondern tragen ihn, überkreuz zugreifend, zwischen sich. Erstaunlich fortschrittlich ist die Art und Weise, wie der Pfahl bei den einen vor dem Leib, bei den anderen dahinter gezeichnet ist, indem der Maler die Linien aussetzen läßt, wo er darstellen will, daß der zweite und der vierte auf der dem Betrachter näheren Seite des Pfahles dahinschreiten, während die beiden anderen sowie der letzte, der sich mit dem Fuß abstößt, um dem Pfahl noch einen besonderen Schub zu geben, sich auf der Linken, vom Beschauer aus anderen Seite des Pfahles befinden. So stehen auch die Gefährten am Pfahlende in Sperlonga auf beiden Seiten des Pfahles und fassen überkreuz um den runden Stamm, dessen Ende der hinter dem Pfahl Stehende umgreift.

Gewiß kann und will die archaische Flächenkunst die räumlichen Verhältnisse, die ein solches Hantieren mit dem Pfahl voraussetzt, noch nicht illusionistisch und perspektivisch wiedergeben, aber die Beobachtung, wie Odysseus und seine Gefährten den Pfahl am besten heranbringen, ist vollkommen richtig und unmißverständlich wiedergegeben.

Die archaische Drastik ist eine andere als die der »Sieben Schwaben«. Eine solche Assoziation, welche Odysseus und seine Gefährten zu Spießgesellen machen würde, liegt diesem Maler fern, auch wenn er gewiß nicht humorlos ist. Es ging ihm vielmehr darum, sich plastisch den Vorgang der Blendung des Riesen zu vergegenwärtigen, der bei Käsedarre und Melkeimer am Boden sitzt und sich, zurückgestoßen, mit dem linken Arm abzustützen sucht, während er mit der rechten Hand den Pfahl schon umklammert. Die Griechen haben den schweren Pfahl zwischen

Erstaunlich durchdacht ist die drastische Komposition auf dem Aristonothos-Krater. (Abb. S. 41)

Von den frühesten Darstellungen an, die unter dem unmittelbaren Eindruck des Dichtwerks entstanden, lassen die Künstler Odysseus und seine Gefährten den glühenden Pfahl waagrecht ins Auge des Riesen stoßen, nicht senkrecht, wie es der Dichter beschreibt.

sich hochgenommen und nähern sich dem betrunkenen Riesen auf Zehenspitzen, aber rasch, mit ausgreifenden Schritten. Odysseus am Ende lenkt und dreht den Pfahl und überträgt mit der den Stumpf umklammernden Hand die Wucht des Trittes, mit dem er sich abstößt, auf den langen ins Auge des Riesen gerichteten Stecken. Da verliert der Kyklop das Gleichgewicht, und seine Schenkel fahren in die Höhe, als der Pfahl ins Auge dringt und der Kopf zurückgestoßen wird. Die Rettungstat ist gelungen.

Die Figuren des Aristonothos haben immer noch die unausgeglichenen Proportionen mit überlangen Beinen, gedrungenem, oben breitem, zur Taille schmal zulaufendem Rumpf, mit dicken, aber kurzen Oberarmen und langen Unterarmen, deren Gelenke besonders schlank sind, wie es auch die altattische und die argivische Vase zeigen. Damit wird die unterschiedliche Funktion der einzelnen Körperteile angesprochen. Davon abgesehen gibt es genügend stilistische und maltechnische Übereinstimmungen wie die ausgesparten Gesichter, die langen schmalen Bärte an den ausrasierten Wangen, die Form der Augen und eine gewisse Klobigkeit der Darstellung, um zu erweisen, daß alle diese Vasen aus der gleichen Generation stammen, die auf das Bekanntwerden der Odyssee

Diese einzige Wiedergabe des Polyphem-Mythos aus dem 5. Jh. v. Chr. auf einem italiotischen Kelchkrater um 430 v. Chr. ist kein Gegenbeweis für das Aussetzen dieses Mythenbildes in klassischer Zeit.

Es handelt sich nicht um eine Odyssee-Illustration, sondern um ein Bild nach dem Satyrspiel »Kyklops« des Euripides; zugleich die einzige Darstellung, bei der der Pfahl senkrecht gehalten wird.

folgte. Diese Generation nahm das neue Epos mit frischen Augen auf. Der Weg, den die späteren Darstellungen der Blendung Polyphems einschlagen sollte, bis zur Vollendung in der Gruppe von Sperlonga, wird hier vorgezeichnet.

In klassischer Zeit setzen die Polyphem-Darstellungen fast völlig aus. Einziges Beispiel ist ein unteritalischer Glockenkrater[42] des späten fünften Jahrhunderts, der sich bezeichnenderweise nicht auf das homerische Epos, sondern auf dessen Umformung im Satyrspiel *Kyklops* des Euripides bezieht. Erst in hellenistischer Zeit wird das Thema neu belebt. Das liegt sicher zum Teil daran, daß die klassische Kunst das Mißverhältnis der Größe von Riesen im Vergleich zu den Menschen ablehnte. Am Beispiel des in der spätarchaischen Vasenkunst besonders beliebten Mythos vom Riesen Alkyoneus, den Herakles besiegt, kann man zeigen[43], wie die frühklassischen Künstler, um einen Proportionsausgleich zu schaffen, den Riesen immer kleiner werden lassen, bis der Mythos seinen Sinn verliert.

Das Aussetzen von Polyphem-Darstellungen in klassischer Zeit hat aber sicher auch etwas mit der anderen Bewertung der Odysseus-Gestalt durch die klassischen Dichter von Pindar bis Sophokles und Euripides zu tun, die in Odysseus weniger den neuen, dynamischen Menschen als vielmehr den Verschlagenen und Listenreichen sehen, ein Gegenbild zum heldischen Ideal eines Achill oder Aias. Das ablehnende Verhältnis, das die klassische Zeit zu Odysseus einnimmt, hat auch Platon in seinem Dialog Hippias der Kleinere in differenzierter Weise reflektiert.

Erst in der hellenistischen Kunst gewinnt das Polyphem-Abenteuer wieder Interesse. Bemerkenswert ist, daß nun bis in die römische Zeit eine andere Episode als der unmittelbare Vorgang der Blendung, nämlich die Weinreichung, das heißt die der Blendung vorausgehende Phase, als Bildthema beliebter wird. Auf vier oder fünf bekannte Darstellungen[44] der Blendung des Riesen, unter denen die von Sperlonga herausragt, kommen weit über zwanzig Darstellungen der Weinreichung in Marmor- oder Terrakottaplastiken, Kleinbronzen, Reliefs, in der Toreutik, auf Tonlampen, Gemmen und in Mosaiken, also ein weites Spektrum, das eine neue Bewertung und einen neuen Sinn des Bildthemas von Odysseus und dem Riesen Polyphem erkennen läßt. Es ging offenbar darum, das Planvolle im Vorgehen des Odysseus herauszustellen, das in einer bildlichen Wiedergabe des Zwiegesprächs über den Namen »Niemand« besonders anschaulich wird.

Daneben gewinnt noch in klassischer Zeit (möglicherweise unter dem Einfluß des Stesichoros)[45] eine andere Episode der Odyssee für die bildenden Künstler ein neues Interesse: das Skylla-Abenteuer.

IV

DAS SKYLLA-ABENTEUER

S. 49 Skylla auf einem bronzenen Spiegelkasten.

IM Skylla-Abenteuer zeigt Odysseus, daß es ihm ebensowenig an Mut mangelt wie Achill. Kirke[46] hatte ihn beim Aufbruch von Aiaia vor den Gefahren der Rückfahrt gewarnt, vor den Sirenen und vor den Felsen des Scheiterns, den *Plankten,* zusammenschlagenden Klippen, zwischen denen nicht einmal eine Schar Tauben hindurchfliegen kann, »sondern auch von ihnen nimmt immer eine der schroffe Felsen hinweg«. Hier war nur die Argo, das Schiff Jasons, mit Heras Hilfe als einziges heil vorbeigekommen. In diese Richtung zu fahren, hatte keinen Sinn. Aber auch in der anderen lauern Gefahren: Skylla und Charybdis. Beide sind unbezwingbar; im Strudel der Charybdis würde das ganze Schiff zugrunde gehen. Skylla hingegen, die Kirke wie eine Riesenkrake beschreibt, würde zwar mit ihren sechs Fangarmen sechs Gefährten aus dem Schiff reißen, wenn Odysseus, um dem Strudel zu entgehen, nah an ihrer Klippe vorbeifährt, aber das ist besser, als alle miteinander zu verlieren. Odysseus folgt dem Rat Kirkes mit der Ausnahme, daß er Skylla doch gewappnet mit zwei Speeren in den Händen auf dem Schiffsbug entgegentritt, obwohl Kirke gewarnt hatte: »Da ist keine Abwehr: Vor ihr zu fliehen ist das beste!«

Im Gegensatz zur Polyphem-Episode haben die Künstler sich erst spät daran gewagt, das Untier Skylla bildnerisch zu gestalten. Dabei geben sie ihr von vornherein eine Gestalt, die im Text nicht in dieser Weise beschrieben war.

Der Dichter der Odyssee[47] nennt sie die schrecklich Bellende und fügt hinzu, »sie hat eine Stimme wie die eines neugeborenen Hündchens« und das, obwohl sie ein Ungetüm ist mit zwölf unförmigen Stummelfüßen und sechs überlangen Hälsen, und auf jedem ein greuliches Haupt, darinnen drei Reihen dichtgedrängte, todbringende Zähne. Kein Wort von einem menschlichen oder gar weiblichen Oberkörper. Vielmehr scheint dieses Untier eher den Riesenkraken ähnlich zu sein, die in der Tat bellende Töne von sich geben, allerdings endigen ihre Fangarme nicht in Haifischköpfen mit ihren drei Zahnreihen.

Die Künstler[48] haben an diesem Mischwesen, das die Ausgeburt einer dichterischen Phantasie ist, welche sich von der Natur zwar anregen, aber nicht festlegen ließ, drei entscheidende Veränderungen vorgenommen: Sie gaben Skylla als weiblichem Wesen den Oberkörper einer Frau, sie verwandelten die Hälse und Köpfe wegen des Gebells, das sie ausstieß, in Hundevorderkörper, und sie ließen aus ihrem Unterkörper nach hinten Fischschwänze herauswachsen, da Skylla ein meerbewohnendes Ungetüm ist.

Schon in den ältesten Skylla-Darstellungen der Kunst, die jedoch erst in frühklassischer Zeit entstehen, zu einer Zeit also, wo die sehr viel älte-

Um 460 v. Chr. entstand dieses melische Tonrelief mit der ältesten bekannten Darstellung der Skylla, aus deren Unterleib Hundevorderkörper herauswachsen.

ren Polyphem-Darstellungen aussetzen, ist Skylla so gebildet, und sie bleibt es bis in spätrömische Zeit und darüber hinaus. Die prägnanteste literarische Beschreibung dieses Typus gibt Vergil in der Aeneis[49], darin nicht auf sein großes Vorbild Homer zurückgehend, sondern entweder auf eine verlorene hellenistische Quelle oder eher noch auf ein bedeutendes Kunstwerk, das sich ihm einprägte:

»Vorn von Menschengestalt, und schön von Busen die Jungfrau
bis an den Schoß; doch hinten ein grau'nvoll ringelndes Meertier,
welches Delphinschwänz' an den Bauch der Wölfe gefüget.«

So ist Skylla besonders eindrucksvoll schon auf einem griechischen Spiegelkasten aus getriebener Bronze gebildet, der aus Eretria stammen soll[50]. In diesem um 275 v. Chr. zu datierenden Werk eines bedeutenden großgriechischen Toreuten ist die plastische Komposition schon vorgebildet, die später in Sperlonga und in der Villa Hadriana verwirklicht werden sollte. Aus dem Unterleib dieser geflügelten Skylla brechen drei Hundeköpfe hervor, ihr Ansatz ist durch einen Flossenschurz verdeckt. Nach hinten ringelt sich ein schuppiger Fischschwanz. Skylla mit weiblichem Oberkörper schwingt in der erhobenen Rechten einen Stein und hat mit der Linken einen nackten Griechen an den Haaren gepackt, der in Todesangst und furchtbarem Schmerz den linken Arm mit geöffneter Handfläche und gespreizten Fingern steil nach oben reckt. Die Hunde schnappen nach dem Opfer. Es geht den Künstlern darum, das Entsetzen zu schildern, das Odysseus in diesem Augenblick erleben muß, als die Schreienden die Arme nach ihm streckten in dem schrecklichen Verderben. »Das war das Jammervollste, das ich mit Augen gesehen habe unter allem, soviel ich ausgestanden, während ich nach Durchfahrten auf der Salzflut forschte.« So läßt der Dichter[51] ihn bei der Erzählung dieses Abenteuers am Hofe des Alkinoos sagen.

In diesem Relief spiegelt sich ein Archetypus, dem man immer wieder in der bildlichen Darstellung des Mythos begegnet. In einem tarentinischen Kalksteinrelief aus dem späten 4. Jahrhundert v. Chr. in Wien[52] sind schon der Flossenschurz und drei darunter hervorkommende Hundeprotomen zu sehen.

In diesem Relief eines bronzenen Spiegelkastens aus dem 1. Viertel des 3. Jahrhunders v. Chr. erscheint Skylla (abgesehen von der Beflügelung) schon so, wie sie auch noch in Sperlonga und in der Villa Hadriana dargestellt wird und wie Vergil sie beschreibt.

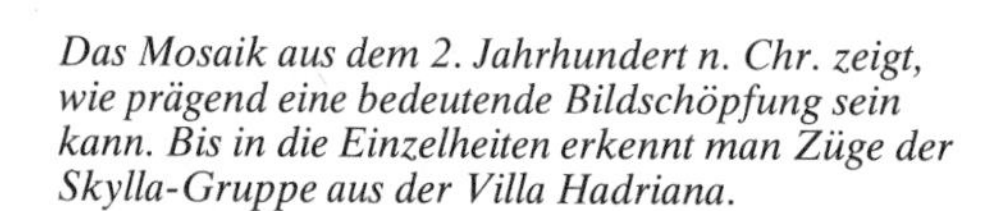

Das Mosaik aus dem 2. Jahrhundert n. Chr. zeigt, wie prägend eine bedeutende Bildschöpfung sein kann. Bis in die Einzelheiten erkennt man Züge der Skylla-Gruppe aus der Villa Hadriana.

(oben)
Die bronzene Griffschale aus dem 1. Jahrhundert n. Chr. bezeugt die Beliebtheit des Themas in römischer Zeit.

(links)
Die unter einem Flossenschutz aus dem Unterleib Skyllas herauswachsenden Hundeprotomen zeigt schon ein Tarentiner Kalksteinrelief des späten 4. Jahrhunderts v. Chr.

(rechte Seite)
Die Darstellung auf dem Stirnband dieses bei Reiterspielen getragenen Prunkhelms in Istanbul zeigt Skylla als Todesdämon in einer aus der hellenistischen Kunst stammenden Komposition.

Ähnliche Skylla-Darstellungen sind an den verschiedensten Orten als Treibarbeiten überliefert[53]. Bei Waffen, wie dem prächtigen Gesichtshelm aus dem späten 1. Jahrhundert v. Chr. in Istanbul[54], sollte das Untier wohl eine den Gegner abschreckende Wirkung haben. Daß hier etwa zur Zeit, da Vergil die Skylla in dieser Weise beschrieb, der gleiche Typus auftaucht wie auf dem Spiegelkasten in Berlin aus dem frühen 3. Jahrhundert v. Chr. und im noch etwas früheren Kalksteinrelief aus Tarent zeigt, daß er nun Allgemeingut der ikonographischen Überlieferung geworden war. Man konnte sich Skylla nicht mehr anders vorstellen. Im 1. Jahrhundert n. Chr., auf jeden Fall vor der Verschüttung der Vesuvstädte im Jahre 79 n. Chr., begegnet der in seinen wesentlichen Zügen festgelegte Typus im Tondo einer Bronzekasserole aus Boscoreale in London[55], im 2. Jahrhundert n. Chr. auf einem Schwarzweißmosaik mit Odyssee-Szenen aus Tor Marancia im Vatikan[56]. Wie bei der Blendung des Kyklopen, deren künstlerische Wiedergabe im einzelnen auch nicht der dichterischen Beschreibung folgt, hatten die Künstler eine eigene Version der Mythenepisode geschaffen, die bildfähig war.

Bemerkenswert ist, daß bei den meisten Darstellungen ein wesentlicher Teil hinzugedacht werden muß: das Schiff des Odysseus. Bei den hier abgebildeten Beispielen sieht man nur im Tondorelief der Bronzepatera aus Boscoreale rechts oben Bug oder Heck eines undeutlich wiedergegebenen Schiffs. Es wirkt wie eine unbeholfene Zutat des Toreuten. Die Künstler wollten im allgemeinen offenbar den Augenblick darstellen, in dem das Schiff des Odysseus schon vorbeigefahren und Skylla mit ihrer Beute beschäftigt ist. Nur das triumphierend über dem Haupt geschwungene Steuerruder erinnert in manchen Darstellungen noch an das Schiff.

In einer, und zwar der bedeutendsten Skylla-Darstellung, ist das Schiff des Odysseus jedoch integrierender Teil der Gesamtkomposition: Es ist die von den Laokoon-Künstlern signierte Skylla-Gruppe in Sperlonga, die allem Anschein nach auf eine später in Konstantinopel aufgestellte Bronzeplastik zurückgeht, wie die Berichte darüber und die Darstellung auf Kontorniatenprägungen des mittleren 4. Jahrhunderts n. Chr. nahelegen. Dieser Skylla-Gruppe wird unten ein eigenes Kapitel gewidmet ebenso wie der Skylla-Gruppe aus der Villa Hadriana, die zu derjenigen in Sperlonga in einem ähnlichen Verhältnis stehen dürfte wie das Kleine Attalische Gallierweihgeschenk zum Großen[57].

Bevor wir uns diesen plastischen Darstellungen der beiden gefährlichsten Abenteuer zuwenden, die Odysseus zu bestehen hat, das eine am Anfang, das andere gegen Ende seiner Irrfahrten, seien im folgenden die wesentlichen Stationen dieser Irrfahrten selbst ins Auge gefaßt.

V

DIE IRRFAHRTEN DES ODYSSEUS

S. 55 Kundschafter im Land der Lästrygonen. Ausschnitt aus den Odyssee-Fresken.

DIE Irrfahrten des Odysseus, den Poseidon, der Gott des Meeres, mit unablässigem Zorn verfolgt, weil jener ihm den Sohn Polyphem geblendet hatte, sind vom Verlassen der Kyklopeninsel an bis zum Skylla-Abenteuer in einem berühmten antiken Gemäldezyklus dargestellt, der 1849 im Wohnhaus eines römischen Patriziers spätrepublikanischer Zeit auf dem Esquilinischen Hügel gefunden wurde und in die Vatikanische Bibliothek gelangte[58]. Hier hängen die Freskenausschnitte in schweren Goldrahmen. Will man die ursprüngliche Anbringung der Wandgemälde erkennen, muß man die gemalte Scheinarchitektur beachten, durch die hindurch der Blick in den weiten Landschaftsraum gelenkt wird, wo das Schiff des Odysseus in kontinuierender Darstellungsweise mehrfach wiederbegegnet.

Von diesem illusionistischen Architekturprospekt ist nur der obere Teil erhalten. Man muß die roten Pfeiler mit ihren vergoldeten Kapitellen, welche im Verein mit scheinbar von der Außenseite der Wand dagegengelegten braunen Pilastern das Gebälk über dem fensterartigen Durchblick tragen, bis nach unten zu einem gemalten Sockel ergänzen, um die Gliederung der ursprünglich annähernd 20 m langen und über 5 m hohen Wand wiederzugewinnen, die in ihrem oberen Abschnitt fortlaufend die Landschaftsbilder trug. Von den ursprünglich 10 Bildern sind sieben ganz erhalten, eines, und zwar das erste, das gewiß die Kyklopen-Insel zeigte, ist vollkommen zerstört, das siebte weist nur noch Spuren der Bemalung rechts oben auf. Vom letzten ist nur ein Fragment des linken Randes erhalten. Aber die übrigen sieben, die alle wesentlichen Episoden der Irrfahrten wiedergeben, wie Odysseus selbst sie am Hofe des Alkinoos erzählt, sind in erstaunlicher Frische und Vollkommenheit erhalten. Dem Maler kam es darauf an, die Weite und Vielgestaltigkeit der Landschaft zu zeigen, durch die Odysseus irren muß und in der sich der Untergang seiner Flotte und aller seiner Gefährten unaufhaltsam vollzieht. Besonders ausführlich, in drei Abschnitten, und noch auf einen vierten übergreifend, werden die Geschehnisse im Lande der Lästrygonen geschildert.

Die Lästrygonen sind unzivilisierte, menschenfressende Riesen, deren Wut nur Odysseus mit einem Schiff und seiner Mannschaft entkommt, weil er aus mißtrauischer Voraussicht nicht in der einladenden Bucht, sondern am freien Gestade vor Anker gegangen war. Die Bilder, in denen die Geschichte ausgemalt ist, liest man ganz anders als die nur fünfzig Verse im 10. Buch der Odyssee[59], in denen sie erzählt wird. Dem Dichter selbst ist das Geschehen ungleich wichtiger als die Landschaft, in der es sich vollzieht. Odysseus, der von schroffer Warte aus über das Land der Lästrygonen blickt, sieht weder Werke von Rindern, das heißt also gepflügte Felder, noch von Menschen, das heißt Bauten, sondern nur einen Rauch, der von irgendwoher aufsteigt. Der Maler der Odyssee-Fresken ließ sich hingegen von den knappen Worten des Dichters zu hinreißenden Landschaftsfolgen anregen. Aus der Bemerkung über den »herrlichen Hafen, um den sich rings der Fels hinzieht, steil aufsteigend, fort und fort auf beiden Seiten, und vorspringende Gestade ragen vor, einander gegenüber an der Mündung, und schmal ist die Einfahrt«[60], gewann er die Inspiration, eine tief ins Land reichende Bucht zu gestalten, die als Ankerplatz für die Schiffe der Gefährten des Odysseus dient, aber auch zur schrecklichen Falle wird.

Die Schiffe versperren sich selbst den Ausgang. Da haben die Kannibalen leichtes Spiel, »mit Feldsteinen, von denen jeder einen Mann schwer belastet hätte, von den Felsen zu werfen. Und alsbald erhob sich ein schlimmes Getöse auf den Schiffen von Männern, die zugrunde gingen, und Schiffen zugleich, die zerbrachen. Und wie Fische spießten sie sie auf und trugen sie mit sich fort zur unlieblichen Mahlzeit«.[61]

Dieses ganze furchtbare Geschehen, in dem alle anderen Schiffe und Gefährten des Odysseus zugrunde gingen, und nur er selbst sich mit seinem Schiff retten konnte, weil er alle Eventualitäten vorausbedacht hatte, ist mit großer Ausführlichkeit geschildert. Je mehr man sich in die Bilder vertieft, desto mehr Einzelheiten erkennt man, in denen der Maler die dichterische Erzählung bildlich ausgestaltet hat. Und doch begreift man, daß die Sehweise der Zeit eine ganz andere ist als die des Dichters. Der großartige Reiz der landschaftlichen Szenerie, in der der Maler die Handlung sich abspielen läßt, scheint für den Dichter der Odyssee nicht existent gewesen zu sein. Er erwähnt nur die Unwirtlichkeit der Gegend, welche suggestiv das drohende Verderben ankündigt. »Den ebenen Weg, auf welchem Wagen von den hohen Bergen das Holz zur Stadt hinunterfahren«, erwähnt er[62], nicht weil der Weg durch eine eindrucksvolle Gegend führt, sondern weil man auf diesem Wege erkunden kann, wer in der Stadt wohnt.

Hier begegnet den Kundschaftern die starke Tochter des Lästrygonenkönigs Antiphates, die an einer Quelle Wasser holen will. Der Maler hat aus den Andeutungen des Dichters, den die Anzeichen menschlicher Werke, das heißt die Bewohntheit der Gegend interessieren, ein bizarres, vielgestaltiges Gestade herausgelesen, mit einem Felsenturm im Vordergrund und einem überhängenden Felsrücken rechts, zwischen denen ein Hohlweg zur Quelle herabführt. Am Himmel links oben fahren noch die schemenhaften Windgötter durcheinander, die die Gefährten in unbezähmbarer Neugier aus dem Sack des Aiolos entfesselt hatten. Sie verschlugen die Flotte an dies entfernte Gestade. Man sieht, wie die Winde

über die zerzausten, sich duckenden Bäume fegen, die auf den dunklen Felsen wachsen.

Die idyllische Szene mit den Personifikationen des Gestades als Kahnfahrer, der Quelle als Nymphe, eines Berggottes als ruhender Mann, mit Ziegen- und Rinderherden auf den Weiden, also ausgerechnet dem, was Odysseus beim Blick von seinem schroffen Ausguck vermißte, scheint zunächst um ihrer selbst willen dazusein und wird erst in zweiter Linie durch die kleinen Figuren der lebhaft gestikulierenden Kundschafter im Zentrum, die sich plötzlich einer Riesin gegenüber sehen, zur Odyssee-Landschaft.

Im nächsten erhaltenen Wandausschnitt setzt sich hinter dem Pfeiler die Landschaft fort. Hirten sind bei ihren Herden auf der Weide, die in einer gehörnten Pansfigur mit der Beischrift *Nomai* (Weiden) personifiziert ist. Im Vordergrund säuft ein Ziegenbock aus der Quelle, zu der das Lästrygonenmädchen strebt. Im Mittelgrund sieht man als Silhouette einen Hirten vor dem hellbeschienenen Feld, und im Hintergrund links oben zeichnen sich die Konturen eines einfachen Stadttores ab, das zu der türmebewehrten Mauer auf dem Kamm des Berges zu gehören scheint, der Stadt der Lästrygonen. Diese eilen auf den Ruf ihres Königs Antiphates von allen Seiten herbei. Sie brechen Äste als Waffen von den Bäumen, heben mächtige Feldsteine auf und werfen sie von der Höhe der den Hafen umringenden Felsen auf die Schiffe der Griechen. Einige der Riesen sind sogar ins Wasser gestiegen und stürzen die Schiffe wie Kähne mit splitternden Riemen um.

Dabei achtet der Maler auf eine genaue Perspektive mit hohem Augpunkt, so daß der Horizont im oberen Drittel des Bildes liegt und man die Landschaft von oben herab zu den Füßen sich ausdehnen sieht. In sechs verschiedenen Größenabstufungen sind die Figuren vom Vordergrund zum Hintergrund gestaffelt, und während im Vordergrund alles kräftig erscheint, sind die Formen im Hintergrund wie von einem verblauenden Dunst umfangen. Seine Tiefe erhält der Raum aber nicht durch diese virtuos gehandhabten Mittel der Luftperspektive, sondern durch eine geschickte Verteilung von Felsmassiven und offenen Landschaftsräumen, in der mehr Kunst ist, als man bei einem unreflektierten Betrachten dieser so natürlich wirkenden Landschaftsbilder annehmen möchte.

Man kann dies am besten bei der Betrachtung des folgenden Bildes erläutern, in dem man links das Schiff des Odysseus mit geschwellten Segeln und im Takt bewegten Riemen hinter einem bizarren Steilabfall der Felsenbarriere hervorkommen sieht, die sich im Rücken der Seefahrer um die verhängnisvolle Bucht im Lästrygonenland zusammenschließt.

Im Vordergrund erblickt man noch einen der Riesen, der einen Steinbrocken hochstemmt, um ihn auf einen rücklings hinstrauchelnden Griechen hinabzuschmettern.

Nach rechts wird die Landschaft jenseits eines Kanales milder und lichter. Rundgeschwungene, nicht so drohend zerklüftete und hoch aufragende Felskulissen schieben sich von der Bugseite her ins Meer. Im Vordergrund rechts sieht man eine hoheitsvolle Gruppe dreier Ortsgöttinnen, die auf das Geschehen des folgenden Bildes vorausweisen.

Die räumliche Wirkung dieses Bildes kommt durch eine Kombination mehrerer Kunstmittel zustande. Die Weite der von einem hohen Standpunkt aus gesehehen Landschaft, der die Figuren untergeordnet sind, wird fast greifbar anschaulich durch die diagonal angelegten Landschaftsöffnungen. Im Vordergrund links ist der Ausblick durch den dunkel beschatteten Felsen verschlossen. Im Hintergrund rechts steigen die hellbeschienenen Bergformationen der Insel Aiaia auf und verstellen hier den Horizont. Der Kanal, der die Insel der Kirke vom Land der Lästrygonen trennt, ist von links oben, das heißt hinten, nach rechts unten, das heißt vorn, angeordnet. In ähnlicher Weise gehen in allen Bildern die Felsenmassen oder die mit ihnen abwechselnden offenen Räume diagonal durch die Bildfläche. Hat man sich das System an einem Bilde klargemacht, dann findet man es in allen anderen höchst phantasievoll abgewandelt und im einzelnen variabel ausgestaltet wieder.

Außer vielleicht im folgenden Bild, das die Mitte des ganzen Zyklus bildete, was man an den auf beiden Seiten in den Prospekt hineinragenden dunklen Pfeilern der illusionistisch evozierten Außenwand des Saales erkennen kann.

Bei diesem Durchblick schiebt sich von rechts wie eine Theaterkulisse eine Palastfassade bildparallel in den Landschaftsraum hinein. Das rechte Drittel der Säulenexedra mit ihren Flügelbauten wird von den Wandpfeilern verdeckt. Hier wird der Raum zu einem bühnenartigen Innenraum, in dem sich in zwei kontinuierend erzählten Szenen das Zusammentreffen des Odysseus mit der Zauberin Kirke vollzieht[63]. Sie hatte ihm die Gefährten, die er als Kundschafter vorausschickte, in Schweine verwandelt. Als er davon erfuhr, brach er auf zu sehen, wie er die Hexe bezwingen könne. Auf dem Weg begegnet ihm Hermes in Gestalt eines jungen Mannes, gibt ihm die Pflanze Moly als Gegengift und rät ihm, die Zauberin mit dem Schwert zu bedrohen und durch einen heiligen Eid zu binden, ihm nichts Böses anzutun und die Gefährten zu erlösen.

Der Maler hat das Zusammentreffen in zwei Episoden gestaltet. Zunächst die Begegnung an der Türe. Odysseus stürmt herein. Die göttliche Gestalt Kirkes empfängt ihn hoheitsvoll und arglistig. Furchtsam

schaut hinter ihr eine kleine Dienerin hervor, die in ihrer schreckhaften Haltung die Gefahr ahnen läßt, welche der Herrin droht. In der zweiten Szene liegt Kirke Odysseus zu Füßen, und die Dienerin flieht entsetzt. Kirke hatte Odysseus sich setzen geheißen und ihm ein Mus gereicht, in das sie das Zauberkraut geworfen hatte, das Männer in Schweine verwandelt. Doch zum ersten Mal wirkt es nicht. Da erkennt sie, daß Odysseus gekommen ist, wie Hermes ihr einst geweissagt. Sie wirft sich vor ihm nieder, um Gnade flehend, immer noch Trug im Sinn. Doch er zwingt sie mit dem blanken Schwert, einen heiligen Eid zu schwören, und erreicht die Lösung der Gefährten, eine Szene, die wahrscheinlich im folgenden, durch Abblättern der Farbe unkenntlich gewordenen Bild dargestellt war.

Kirke sagt Odysseus, daß er sich bei Teiresias in der Unterwelt Rat holen müsse, wie er wieder in die Heimat zurückfinden könne. Teiresias ist der blinde thebanische Seher, »dem auch im Tode Einsicht gegeben ist, daß er allein bei Verstande ist, die anderen aber schwirren umher als Schatten«.

So macht Odysseus sich auf und läßt sich vom Nordwind zu den Grenzen des Okeanos und zum Eingang der Unterwelt treiben. Der Maler hat diesen Eingang als ein riesiges Felsentor gestaltet, nahe am Meer, welches das Schiff des Odysseus heranträgt. Durch das Felsentor fällt dump-

Die Folge der Odyssee-Fresken von Esquilin:
(S. 58 oben)
Kundschafter im Land der Lästrygonen.
(S. 59 oben)
Angriff der Lästrygonen unter ihrem König Antiphates.
(S. 58 unten)
Zerstörung der Flotte in einer Bucht des Lästrygonenlandes.
(S. 59 unten)
Flucht des Odysseus nach Aiaia.
(S. 62 oben)
Odysseus im Palast der Kirke.
(S. 62 unten)
Odysseus in der Unterwelt.
(S. 63 unten)
Die Büßer Orion, Sisyphos, Tityos und die Danaiden.

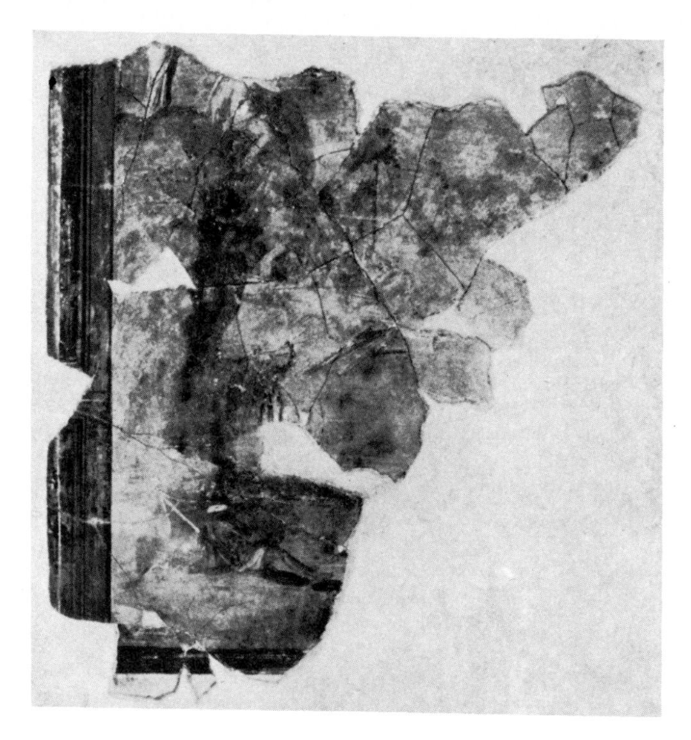

fes Licht in das blaugrüne Dämmern des schilfbewachsenen Hades. Daraus tauchen Scharen langgewandeter Schatten auf und drängen an die Grube, in die Odysseus das Blut eines geschächteten Widders fließen läßt. Zwei Gefährten halten das Tier an den Beinen, so daß der Kopf mit durchschnittener Gurgel herabhängt. Odysseus, den Fuß auf den Aushub der Grube gestellt, den linken Arm über den Oberschenkel gelegt, das Schwert, mit dem er die Schatten zurückhielt, in der Rechten, lauscht der ehrfurchtgebietenden Gestalt des gebeugten Sehers. Weißes Haar zeugt von dessen Alter, der Stab in der Linken von seiner Blindheit.

Unter den bleichen Schatten fallen einige Frauen in gelben Gewändern und drei abseits stehende Gestalten auf. Die Frauen sind Antikleia, des Odysseus Mutter, mit der er ein schmerzliches Gespräch führt, und eine Reihe von Heroinen, welche die Urmütter vieler Helden waren, mit denen Odysseus vor Troja zog[64]. Die Männer aber sind wohl Agamemnon, Achilleus und Aias, mit denen Odysseus die unseligen Tage ihres Endes beschwört[65]. Besonders Aias bittet er, »den Zorn um der Waffen willen zu vergessen«, die Odysseus als Kampfpreis errungen hatte, obwohl sie Aias zustanden. Aias aber gab ihm keine Antwort »und ging den anderen Seelen der Verstorbenen nach in den Erebos«. Dorthin lenkt Odysseus nun den Blick und sieht Orion, Tityos, Tantalos und Sisyphos,

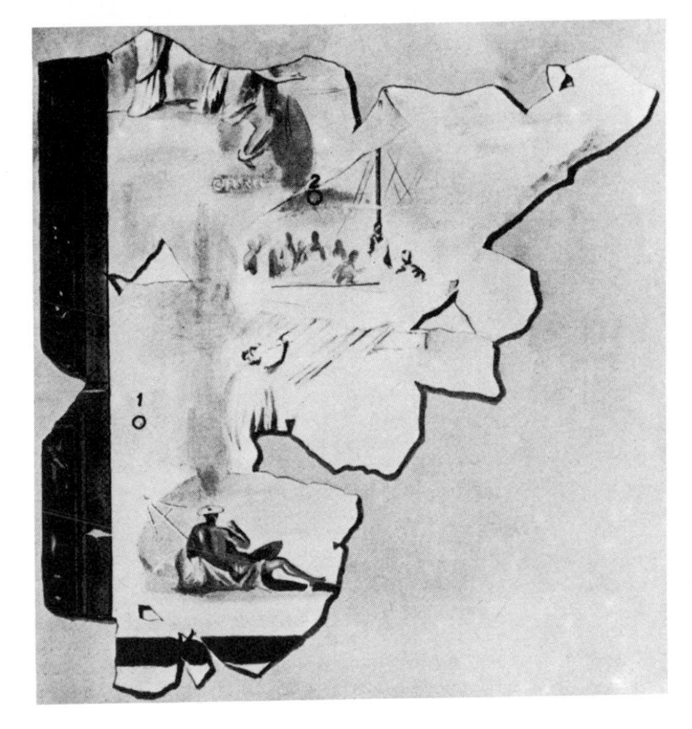

Fragment der Odysseus-Fresken mit einer Darstellung des am Sirenenfelsen vorbeisegelnden Schiff des Odysseus. Fotographie und Aquarell.

die großen Büßer, die sich gegen die Götter vergangen hatten. Drei von ihnen sind in dem halben Bildfeld dargestellt, in dem sich die düstere Hadeslandschaft weiter nach rechts fortsetzt. Dieses Bild ist nur halb so breit wie die anderen, weil sich die Wand, auf der die Fresken angebracht waren, nun zu einem weiten Durchgang öffnet. Sollte dieser mit einer Art Tapetentür verschlossen gewesen sein, so könnte sich darauf die Malerei ohne Unterbrechung fortgesetzt haben, und dort könnte auch Tantalos dargestellt gewesen sein, der sonst als einziger der in der Odyssee erwähnten Büßer fehlen würde.

Andererseits sind in dem halben Bild auch einige Figuren dargestellt, die in der Odyssee nicht begegnen. Es sind fünf Mädchen, die in Amphoren Wasser holen und in ein Faß ohne Boden schütten, so daß es auf der linken Seite unten wieder herausfließt. Drei entleeren gerade ihre Gefäße, eine vierte wendet sich zum Gehen. Weiter hinten sitzt eine fünfte zusammengekauert am Boden und legt ihren Kopf in trostloser Erschöpfung solcher vergeblichen Mühe auf das Gefäß, das sie zwischen die Beine gestellt hat. Auch ohne die griechische Beischrift wüßte man, daß es die Danaiden sind, die mit der Strafe des ewigen, sinnlosen Wasserholens belegt wurden, weil sie ihre Gatten in der Brautnacht ermordet hatten[66].

Das ist eine Anreicherung der Odyssee mit jüngerem Mythengut, während der Maler mit dem Jäger Orion, der Wurfholz und Schlinge, nicht aber die in der Odyssee erwähnte eherne Keule schwingt und auch nicht »die wilden Tiere auf der Asphodeloswiese zusammentreibt, die er selbst auf einsamen Bergen getötet hatte«, weiter mit Sisyphos, der den »tückisch entrollenden« Marmor den Berg hinaufschiebt, und schließlich mit dem an den Boden geschmiedeten Tityos, dem ein Adler die Leber aufhackt, die großen Büßer darstellte, welche die Odyssee [67] hervorhebt. Der Maler bleibt dabei nicht sklavisch am Text. Zum Beispiel sucht man den Totenrichter Minos und den Schatten des Herakles vergeblich, wenn sie nicht in einer Fortsetzung der Malerei auf der Türe wiedergegeben waren. Vor allem sind die Scharen der Toten, Zehntausende, die mit unsäglichem Geschrei herankommen und Odysseus in bleichem Entsetzen fliehen lassen, nicht mehr dargestellt. Hier genügt dem Maler das im Hintergrund verschwimmende Gedränge an der Blutgrube.

Nur einer sitzt abseits weiter oben am Hang. Es ist die Seele des Gefährten Elpenor, der im Rausch vom Terrassendach des Palastes der Kirke fiel und unbestattet liegen geblieben war, so daß er nicht eintreten konnte in das Reich der Toten. Er hatte als erster Odysseus angeredet und um Bestattung seines Leichnams gebeten [68]. Um ihn zu begraben, mußte Odysseus noch einmal nach Aiaia zurückkehren, bevor er endgültig die Heimfahrt antreten konnte.

Was ihm auf diesem Teil der Heimfahrt begegnete, so wie Teiresias und Kirke es ihm vorausgesagt hatten, läßt der Dichter Odysseus im zwölften Gesang berichten. Früher glaubte man, daß diese Abenteuer, vor allem die Sirenen, Skylla und Charybdis, in den Odyssee-Fresken vom Esquilin nicht dargestellt waren. Doch dann fand man in einer römischen Privatsammlung ein Freskenfragment, das nach Größe, Form und Maltechnik eindeutig zu den Odyssee-Fresken gehören mußte [69]. Man erkennt noch das Schiff des Odysseus, das mit gerafften Segeln am Sirenenfelsen vorbeifährt. Odysseus hatte seinen Gefährten die Ohren mit Bienenwachs verstopft, damit sie den sehnsüchtigen Gesängen der Vogelfrauen nicht erlägen. Er selbst aber wollte sie hören, doch um ihnen nicht nachgeben zu können, ließ er sich an den Mastbaum des Schiffes binden. Die Sirenen sind hier menschlich als schöngewandete Mädchen und nicht als Vögel gebildet. Die Landschaft ist ähnlich wie im vierten Lästrygonenbild gestaltet, so daß man nach der Analogie dieses Bildes auch bei dem Fragment erwarten darf, daß am rechten Rande wieder Land dargestellt war.

Hier, am rechten, verlorenen, Rand des letzten Bildes dieser Wand, deren Länge sich durch verschiedene Kombinationen bestimmen läßt, kann nur Skylla dargestellt gewesen sein. Wenn dem so ist, dann sind auf der Ostwand des esquilinischen Hauses in der Tat alle prägnanten Abenteuer aus der Erzählung des Odysseus am Hof des Alkinoos wiedergegeben, mit Ausnahme der Tötung der Heliosrinder auf der Insel Thrinakia, die den Untergang der Gefährten und des Schiffes nach der Warnung des Teiresias heraufbeschwören sollte. Von dieser Episode ist keine einzige antike Darstellung bekannt. Sie scheint zur bildlichen Gestaltung nicht geeignet gewesen zu sein, im Gegensatz zu den Irrfahrten, die offenbar ein beliebtes Thema der hellenistisch-römischen Wandmalerei spätrepublikanischer Zeit waren. Denn der römische Architekt Vitruv[70] schrieb um 25 v. Chr., daß man in der vorhergehenden Generation große Wandelgänge gerne mit Fresken bemalte, in denen die Irrfahrten des Odysseus durch die Lande *(Ulixis errationes per topia)* gestaltet waren. Einziger bedeutender Überrest dieser Mode sind die Odyssee-Fresken, die als die ältesten echten Landschaftsmalereien europäischer Kunst gelten. Der Dichter der Odyssee hatte sich auch hier als ein großer Anreger erwiesen.

Eine Frage ist noch, ob diese Fresken Erfindungen der Zeit sind, in der sie gemalt wurden, das heißt der Jahre um 40 v. Chr., oder ob sie ältere Vorbilder wiedergeben[71]. Wegen der spezifisch hellenistischen Form des Raumaufschlusses in Tiefendiagonalen, wegen der griechischen Beischriften und wegen des fast geographisch-wissenschaftlichen Interesses an der Landschaftsschilderung ist dies wahrscheinlich. Auch die eigentümlich insektenhaften Figuren mit ihrem labilen Stand und den nervös ausgreifenden Körpergebärden lassen eher an die Kopie eines hellenistischen Originals des ausgehenden 2. Jahrhunderts v. Chr. als an ein eigenständiges römisches Werk denken. Schließlich besteht eine eigenartige Diskrepanz zwischen der Perspektive der illusionistischen Architekturmalerei, die auf den Augpunkt eines in der Mitte des Saales stehenden Menschen berechnet ist, und dem hochliegenden Augpunkt, von dem aus man durch die oben in der Wand befindlichen Fensteröffnungen blickt. Dem römischen Wandmaler spätrepublikanischer Zeit mochte es willkommen sein, die Mischung von Realität und visionärer Illusion noch dadurch zu verstärken, daß er den Betrachter der Odyssee-Landschaften gleichsam vom Boden löste und ihn in der Höhe des Saales schwebend einen Blick auf diese mythische Landschaft tun ließ, die tatsächlich niemals jenseits der Mauern dieses Stadthauses liegen konnte. Es ist aber zweifelhaft, ob dieser Effekt schon beim Entwurf der Landschaftsbilder angestrebt worden war. Wahrscheinlicher ist die Übertragung eines älteren Landschaftsfrieses in den neuen Zusammenhang der römischen illusionistischen Wandmalerei.

Die Landschaftsfresken vom Esquilin nehmen unter den von der Odyssee inspirierten antiken Denkmälern eine Sonderstellung ein. Sie treffen vielleicht am genauesten, was die Menschen heute von einer Odyssee-Illustration erwarten. Der Begriff »Odyssee« ist ja zu einem Synonym von »Irrfahrt« geworden, und es sind eher die Irrfahrten des Odysseus in ihrer Gesamtheit als einzelne Episoden aus dem Epos, die den modernen Leser anziehen. Den Unterschied zwischen der Darstellungsweise der Odyssee-Fresken und den übrigen in diesem Buch behandelten Denkmälern könnte man als den Unterschied zwischen einer nahsichtigen und einer fernsichtigen Betrachtungsart bezeichnen. Die Vorliebe der antiken Künstler vor allem für das Polyphem- und das Skylla-Abenteuer, an denen Denk- und Handlungsweise des Odysseus am eindringlichsten zu exemplifizieren waren, zeigt an, daß die nahsichtige Betrachtungsart dem antiken Menschen offenbar angemessener erschien.

Die Vorstellung von einem antiken Menschen ist aber nur in einer vergröbernden Sicht zulässig, in der die Masse der antiken Menschen den im Mittelalter und der Neuzeit lebenden Menschen gegenübergestellt wird. In historischer Sicht müssen bei einer immer noch sehr groben Einteilung in Bezug auf den antiken Menschen die großen Epochen der archaischen, der klassischen, der hellenistischen und der kaiserzeitlich-römischen Kunst und Sehweise unterschieden werden. Man kann dann feststellen, daß der archaischen, der klassischen und der frühhellenistischen Zeit eine fernsichtige Betrachtungsweise in der Kunst noch unbekannt war. Erst im fortgeschrittenen 2. Jh. v. Chr. wandelt sich die Sehweise allmählich von einer als »haptisch«, d. h. plastisch greifbaren, zu einer »optischen«, d. h. impressionistisch erfahrbaren Betrachtungsform. Die Odyssee-Fresken sind eines der eindrucksvollsten, und, wenn ihre Rückführung auf ein griechisches Vorbild der 2. Hälfte des 2. Jahrhunderts zutreffen sollte, auch frühesten Beispiele für diese Form, die auf jeden Fall zur Zeit, als diese Bilder in die illusionistische Architekturmalerei des spätrepublikanischen Hauses auf dem Esquilin eingefügt wurden, voll ausgeprägt war.

Man muß sich diese wichtige Erkenntnis vor Augen halten, wenn man verstehen will, auf welche Weise die römischen Auftraggeber, die in den folgenden Kapiteln behandelten Nachbildungen zumeist hochhellenistischer Vorbilder durch die Künstler in ihren Lebens- und Anschauungsraum haben einordnen lassen:

Es sind nahsichtig zu betrachtende Skulpturengrupen in einer fernsichtig zu betrachtenden Aufstellung, also griechische Schöpfungen in römischer Disposition.

VI

ODYSSEUS UND DIONYSOS

Der Polyphem-Giebel von Ephesos

S. 69
Die Polyphem-Gruppe von Ephesos.

WENN die Rekonstruktion der Odyssee-Landschaften vom Esquilin das Richtige trifft, dann war hier am Anfang das Polyphem- und am Ende das Skylla-Abenteuer dargestellt – gleichsam die Ecksätze der großen Symphonie, in welcher der Dichter Odysseus selbst seine Leiden und die vergeblichen Mühen, auch die Gefährten zu retten, vortragen läßt[72]. So nimmt es nicht wunder, daß die antiken Künstler vor allem diese beiden Episoden immer wieder zu gestalten versuchten.

Besonders in der römischen Kunst sind zahlreiche Darstellungen dieser beiden Mythenepisoden erhalten, von denen die großartigsten erst in den letzten 25 Jahren bekannt geworden sind. Sie überliefern in römischer Form vielfach Kompositionen, die bereits in hellenistischer Zeit entworfen wurden, wie man dies auch bei den esquilinischen Odyssee-Fresken annehmen darf. Es handelt sich in erster Linie um große Skulpturengruppen, welche die Skylla-Episode in der schon im 4. Jahrhundert festgelegten Typologie und die Geschichte der Überlistung des Riesen Polyphem in zwei verschiedenen Phasen des Mythos, entweder der Weinreichung oder dem Akte der Blendung, darstellen.

Im Jahre 1959 kamen bei den österreichischen Ausgrabungen in Ephesos im halbrunden Becken einer in die Stützmauer des Staatsmarktes am Domitiansplatz hineingebauten Brunnenanlage, dem sogenannten Pollio- oder richtiger Domitians-Nymphäum, zahlreiche stark zerstörte und durch Brand in der Oberfläche beschädigte Skulpturen zutage. Sie wurden auf recht verschiedene Weise interpretiert[73].

So war die Vermutung geäußert worden, ein mit verrenkten Gliedern und gebrochenem Genick am Boden liegender Mann könne den abgestürzten Ikarus darstellen. Bei anderen Figuren, die den Galliern des sogenannten Attalischen Weihgeschenks ähnlich sind, dachte man an eine Darstellung von Kriegern dieses barbarischen Volksstammes, die auf ihrer Wanderung quer durch Europa im Jahre 240 v. Chr. das Heiligtum von Delphi geplündert hatten, bevor sie erst im 2. Jh. v. Chr. von den pergamenischen Königen besiegt und im mittleren Kleinasien seßhaft gemacht wurden. Besonders ein Mann, der einen prallen Sack hinter sich herschleppt, wurde als Gallier gedeutet, der seine Beute davonträgt.

Durch eine Reihe von Beobachtungen und Vergleichen konnte erst einige Jahre nach der Entdeckung die richtige Deutung erhärtet werden[74]. Da war eine leider ohne Kopf erhaltene Männerfigur, die beide Arme vorstreckt, wie Odysseus auf Mosaiken und römischen Lampenreliefs in der Szene, in der er dem Riesen Polyphem den Becher ismarischen Weines reicht. Der pralle Sack des vermeintlichen Galliers erwies sich bei näherer Betrachtung als Weinschlauch. Dann gab es ein riesiges gebeugtes Bein, über dessen Oberschenkel ein unförmiges Gebilde liegt,

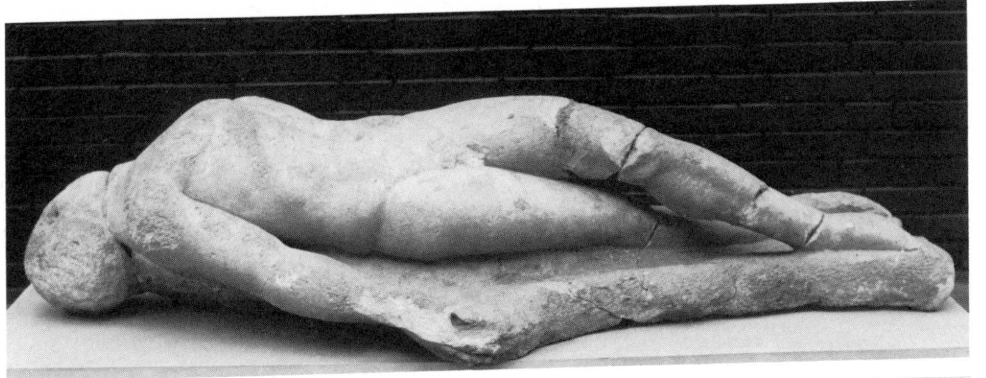

Fragmentierte Figuren aus der Polyphem-Gruppe von Ephesos.

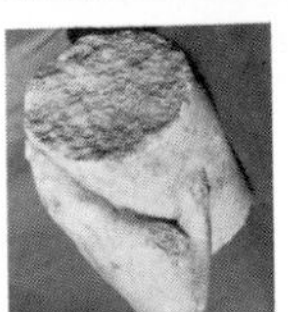

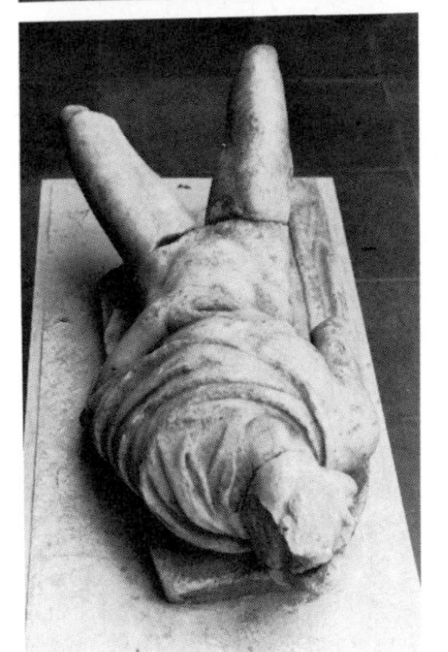

das so bestoßen ist, daß man nicht leicht darin den Oberkörper eines Mannes erkennen kann, dessen Kopf auf der einen Seite über den riesigen Schenkel herabhängt. Sein Brustkorb ist offen, und die Gedärme quellen heraus. Der kannibalische Riese hat den Mann schon zur Hälfte gefressen. In ähnlicher Weise liegt in der Darstellung eines Mosaiks aus der spätrömischen Villa von Piazza Armerina[75] auf Sizilien ein Widder mit aufgerissenem Bauch über dem Schenkel des Riesen.

Der Kopf des Riesen ist so verrieben, daß er als letzter identifiziert wurde. Außerdem gab es noch Fragmente eines Pfahles, die von nervigen Männerhänden umklammert wurden.

Zunächst war nicht klar, ob man es mit einer einzigen oder mit zwei Gruppen zu tun hatte. Die Tatsache, daß sowohl die Weinreichung als auch das Hantieren mit dem Pfahl dargestellt waren, sprach für die letztere Hypothese. Man mußte dann jedoch annehmen, daß nur ein kleiner Bruchteil der ursprünglichen Gruppenkomposition erhalten war, was zwar im Bereich des Möglichen lag, aber einen erheblichen Unsicherheitsfaktor darstellte.

Da gelang eine entscheidende Entdeckung. Außer den Köpfen von zwei am Boden liegenden Gefährten des Odysseus, die der Riese offenbar an die Höhlenwand geschmettert hatte, gab es noch einen dritten Kopf, der an der Rückseite einen Ansatz aufweist, also ebenfalls zu einer am Boden liegenden Figur zu gehören schien. Mit drei am Boden hingestreckten Griechen aber ließ sich schlechterdings eine überzeugende Komposition nicht ausmachen. Die erwähnte Entdeckung brachte eine befreiende Lösung: Der dritte Kopf ließ sich Bruch auf Bruch an den Oberkörper des über dem Riesenschenkel hängenden Gefährten anpassen. Der Kopf gehörte also nicht zu einem dritten am Boden hingestreckten Gefährten, sondern der Ansatz am Hinterkopf ließ sich mit einem entsprechenden Ansatz am Unterschenkel des Riesen, an dem er seitlich herabhängt, verbinden.

Das machte den Weg zu einem Rekonstruktionsversuch frei, bei dem alle Stücke in einer einzigen Gruppe sinnvoll unterzubringen waren: Von links schleppt ein Gefährte des Odysseus den prallen Weinschlauch heran. Er hat soeben einen Becher mit Wein gefüllt, den ein zweiter Gefährte mit ausgestreckten Armen ihm hingehalten hat. Dieser will ihn nun, im Schwung um die eigene Achse, Odysseus weiterreichen. Die beiden Gefährten bilden mit Odysseus eine Kette. Sie können ständig für Nachschub an Wein für den unmäßigen Durst Polyphems sorgen. Zu Füßen des Riesen liegen die beiden hingeschmetterten Gefährten.

Weiter rechts, gleichsam im Rücken des Riesen, aber bereiten die Griechen Rache und Rettung vor. Erhalten ist der Torso eines Mannes, der einen Pfahl in die Leistenbeuge über das aufgestützte rechte Bein gelegt hat und mit beiden Armen fest in dieser steilen Position zu halten sucht. Von einem zweiten Gefährten ist die linke Hand erhalten, die den Pfahl weiter oben unterstützt. Zur gleichen Figur wie diese Hand müssen die in Ausfallstellung stehenden Beine auf runder Plinthe gehören. Der Mann stützt also den Pfahl in ausschreitender Haltung, um festen Stand zu haben. Man hat gerätselt, warum die beiden den Pfahl in dieser steilen Lage halten. Ein erster Vorschlag lautete, daß sie ihn wie auf der Kyklops-Vase im Britischen Museum[76] von oben ins Auge eines liegenden Polyphem stoßen, von dem allerdings keine Spur vorhanden war. Als Gegenvorschlag wurde erwogen, sie hielten den Pfahl in die Flammen, um ihn glühend zu machen. Doch wäre das sehr unvorsichtig: Die Flammen würden nach oben schlagen und die Männer versengen.

Und schließlich gibt es eine viel einfachere Erklärung, die zugleich das letzte noch übrige Fragment einbezieht, nämlich das bis zum Knie erhaltene rechte Bein eines Mannes, der die Fußsohle fest aufgesetzt hat. Der Schenkel aber geht schräg nach oben, so daß der Mann mit gespreizten Beinen dastehen mußte. Man könnte sagen, der Mann hat festen Stand gefaßt. Doch um was zu tun? Bedenkt man die Haltung der übrigen und zieht auch den Odyssee-Text zu Rate, so gibt es im Grunde nur eine Handlung, die man hier erwarten muß.

Als Odysseus bei Alkinoos von Polyphem erzählt und wie er den Rettungsplan ausgearbeitet hat, da berichtet er[77] auch von dem großen Knüttel des Kyklopen, der beim Pferch lag, grün von Olivenholz: »Zu dem trat ich heran und schlug von ihm ein Stück, so groß wie ein Klafter, ab und legte es den Gefährten hin und befahl ihnen, es abzuschaben, und die machten es glatt.« Nun sieht man die Handlung plötzlich vor Augen. Die beiden Gefährten links haben den Pfahl mit dem dünneren Ende auf den Boden gestellt und der rechte spitzt ihn vornübergebeugt und breitbeinig dastehend mit Hieben seines Schwertes an. In der Odyssee, in der die Handlungen im zeitlichen Ablauf aneinandergereiht werden können, bleibt Odysseus selbst das Anspitzen vorbehalten. In der plastischen Gruppenkomposition, die auf einen Blick zu überschauen ist, muß das Anspitzen des Pfahles ein Gefährte übernehmen, während Odysseus dem Riesen zu trinken bringt. So schließt sich die ganze Gruppenkomposition um Polyphem als Zentrum zusammen. Links sieht man in einer Kette von drei Figuren, wie der Riese trunken gemacht wird, rechts entsprechen dem drei Gefährten, die die Blendungstat vorbereiten.

Was von dieser Komposition noch an größeren und kleineren Fragmenten vorhanden ist, hat der Verfasser mit Erlaubnis der Direktion des Ephesos-Museums in Selçuk in Zusammenarbeit mit R. Fleischer durch den Bildhauer und Archäologen H. Schroeteler und unter der technischen Hilfe von F. Hueber in einem Saal des Museums auf einer Basis wieder aufstellen lassen, welche in den Maßen genau einem sichelförmigen Postament an der halbkreisförmigen Rückwand des Domitians-Brunnens entspricht. Sichelförmig ist dieses 3 m hohe Postament, auf dem die Polyphem-Gruppe als Brunnenschmuck aufgestellt war, weil in der Mitte vor dem sitzenden Riesen noch die beiden liegenden Gefährten des Odysseus untergebracht werden mußten. Das Postament in Form einer einfachen Steinbank ist dementsprechend in der Mitte 1,30 m tief, während es sich an den beiden Enden des Halbkreises bis auf 70 cm verschmälert. Es ist also ganz klar, daß man den Domitians-Brunnen, der nach der mitgefundenen Inschrift[78] aus dem Jahre 93 n. Chr. stammt, in der Absicht, hier die Polyphem-Gruppe aufzustellen, in dieser Form errichtet hat. Das Postament ist in einem Zuge mit der ganzen Brunnenanlage aufgemauert worden. Diese wurde aus Gründen einer ausgewogenen Platzanlage als dritte Dominante an dem unterhalb des riesigen Domitians-Tempels vor der Stützmauer des Staatsmarktes liegenden Platz notwendig, an dessen Eingang von der Stadt her schon das hohe Denkmal für den Consul suffectus des Jahres 34 v. Chr., C. Memmius, einen markanten Blickpunkt bildete[79].

Die Aufstellung der Polyphem-Gruppe von Ephesos in der Form, in der sie nun im Museum von Selçuk rekonstruiert ist, erfolgte im Jahre 93 n. Chr. Das ist durch eine Inschrift gesichert. Doch hier beginnen eigentlich erst die Schwierigkeiten. Denn nach ihrem Stil gehören die Figuren nicht in diese Zeit. Sie dienten im Domitians-Nymphäum als Brunnenfiguren. Man hatte an ihnen Bleirohre angebracht, aus denen Wasser in verschiedene Richtungen in das halbrunde Becken spritzte, wo in der Mittelachse eine Säule mit einer Springfontäne stand.

Es mag einem heutigen Betrachter merkwürdig erscheinen, daß man das heroische Thema als Brunnenschmuck verwendete. Doch scheint das in der römischen Kaiserzeit nicht ungewöhnlich gewesen zu sein.

Die als Anthologia Palatina bekannte Gedichtsammlung überliefert die folgenden Verse[80] des dichtenden Rechenkünstlers Metrodor:

»Ehern hier steht Polyphem, der Kyklop. O sieh nur, wie kunstvoll
  einer das Auge, den Mund und seine Hand ihm geformt
und mit Fontänen versehn. Er gleicht einem rechten Beriesler,
  ja, aus dem Munde sogar flutet ein Strahl ihm hervor.
Doch die Fontänen sind alle voll kluger Berechnung: der Handquell
  füllt mit dem Sprudel in drei Tagen das Becken erst voll,
der im Auge braucht einen, der Mundquell zwei Fünftel vom Tage.
  Sagt, wann füllen die drei alle zusammen es voll?«

Auch wenn es dem Verseschmied in erster Linie auf das rechnerisch zu lösende Rätsel ankam, so kann doch kein Zweifel sein, daß ihn dazu die bronzene Brunnenfigur eines Polyphem inspirierte, die er irgendwo gesehen haben muß. Vielleicht handelte es sich nicht um den Polyphem einer Weinreichungs- oder Blendungsgruppe, sondern um Polyphem als den verschmähten Liebhaber Galatheas, aber er war auf jeden Fall als einäugiger Kyklop dargestellt, dem das Wasser aus Auge, Mund und Hand quoll.

Ein Geschmacksurteil ist hier nicht gefragt. Man muß allerdings feststellen, daß die Skulpturen von Ephesos nicht ursprünglich als Brunnenfiguren geschaffen waren, sondern erst nachträglich durch die ziemlich rohe Anbringung der Bleirohre zu solchen degradiert wurden.

Wenn die Skulpturen von Ephesos auch nicht gerade von überragender Qualität sind, so hätten doch niemals die Bildhauer, die sie gearbeitet haben, in so brutaler Weise, wie es hier zu beobachten ist, eine Vertiefung in die Schulter des Odysseus gehackt, um das mit Eisenkrampen am Rücken hochgeleitete Bleirohr in den Becher zu führen, aus dem das Wasser dann überquoll. Sie hätten nicht die Plinthe des mit herabhängendem Kopf am Boden liegenden Gefährten durchbohrt und eine Rinne zwischen seinen Beinen herausgeschlagen, um das Wasserrohr hindurchzuführen. Auch in den prallen Tierbalg, der als Weinschlauch dient, hätten sie so nicht eine Rille gemeißelt, um ein Bleirohr darin zu vertiefen. Da hätte es dem Werte der Bildhauerarbeit besser entsprechende Methoden gegeben.

Es kommt aber noch etwas Entscheidendes hinzu. Im Stil sind die Figuren den um 34 v. Chr. zu datierenden Reliefs vom Memmius-Denkmal in Ephesos[81] so nahe verwandt, daß man ihre Entstehungszeit nur in die Zeit von 40–30 v. Chr. ansetzen kann. Sie sind demnach rund 130 Jahre älter als das Domitians-Nymphäum und nicht für dieses geschaffen. Vielmehr ist umgekehrt das Nymphäum für die Aufnahme der älteren Statuen in der beschriebenen Weise mit einem Postament auf sichelförmigem Grundriß ausgestattet worden.

Daß die Skulpturen ursprünglich für eine ganz andere Aufstellung geplant waren, geht auch aus folgenden Beobachtungen hervor: Um die Figur des längelang hingeschmetterten Gefährten vor das ausgestreckte rechte Bein des Polyphem und vor die Füße des Odysseus legen zu können, mußte man ein Stück aus der rechten Schulter des Mannes herausschlagen und von der Plinthe, die sonst mit der Plinthe der Odysseus-Statue in Konflikt gekommen wäre, ein ganzes Stück segmentförmig abmeißeln. Man bediente sich dazu eines Instrumentes, dessen Bearbeitungsspuren sich auch bei der Rinne für das Bleirohr zwischen den

Beinen dieses Gefährten finden. Das bedeutet, daß die Umarbeitung zu Brunnenfiguren und die Aufstellung im Domitians-Nymphäum gleichzeitig erfolgt sein müssen, und das wiederum besagt, daß die Figuren zunächst keine Brunnenfiguren waren und daß die am Boden liegenden Gefährten in der ersten Aufstellung nicht vor den Füßen des Riesen gelegen haben können. Denn wenn man die ursprüngliche Form der Plinthe des ausgestreckt Liegenden ergänzt, dann muß man ihn, um nicht mit der Plinthe der Odysseus-Figur in Konflikt zu kommen, so weit von den anderen Figuren abrücken, daß von einer Geschlossenheit der Komposition nicht mehr die Rede sein kann. Er liegt dann so vor den anderen, als ob er nicht dazugehörte.

Sucht man nun einen Platz für diese und die entsprechende Figur, die beide integrierender Teil des Ganzen sind, so bleibt nur eine Stelle jeweils am rechten und am linken Ende der Figurenkette.

Legt man die beiden Figuren versuchsweise dorthin, dann verstärkt sich der Eindruck einer pyramidal zum Mittelpunkt anwachsenden Gruppenkomposition mit einem Male so sehr, daß nur ein einziger Schluß übrigbleibt: Wir haben es zumindest mit einer giebelförmigen Komposition, möglicherweise sogar mit einer Giebelgruppe zu tun.

Die Hypothese, daß die Polyphem-Gruppe ursprünglich als Giebelkomposition geplant war und 130 Jahre später als Brunnengruppe wiederverwendet wurde, stieß in der archäologischen Wissenschaft auf so einhellige Ablehnung, daß der Verfasser sich gezwungen sah, eine Rekonstruktion im Maßstab 1 : 1 zu versuchen, um die künstlerischen Gesetzmäßigkeiten herauszufinden, die bei der Schaffung der Skulpturengruppe beachtet worden waren. Hierbei kamen ihm die Erfahrungen zugute, die er bei dem Rekonstruktionsversuch anderer fragmentierter Skulpturengruppen und insbesondere der Polyphem-Gruppe von Sperlonga gesammelt hatte.

Bei diesen Versuchen war schon klargeworden, was selbst ein Künstler vom Rang Michelangelos bei seinem Versuch der Rekonstruktion der Laokoon-Gruppe hatte erfahren müssen, nämlich, daß die Wiederherstellung eines beschädigten Kunstwerkes einer früheren Epoche unmöglich ist. Man kann durch einen Rekonstruktionsversuch nur die Gedanken herauszufinden versuchen, welche die Künstler bei der Schöpfung ihrer Werke bewegt haben. Nicht die vollendete Rekonstruktion ist das Ziel der Bemühungen, sondern der Vorgang der Rekonstruktion selbst, die Bemühung um die Ergänzung des Fragmentarischen, die erst zu den richtigen Fragestellungen und Beobachtungen führt, das Umgehen mit dem Material nicht nur am Schreibtisch, sondern im Atelier. Nicht ein zweidimensionaler Rekonstruktionsversuch auf dem Papier, das geduldig ist, sondern das Zusammenpassen der Teile im dreidimensionalen Raum, wo jeder Fehler unerbittlich weitere nach sich zieht, führt zu einer Evidenz, der man sich nicht mehr so leicht entziehen kann.

So wurden denn die Statuen und alle Fragmente in Ephesos nach dem aus Anlaß der Arbeiten in Sperlonga entwickelten Verfahren mit glasfaserverstärktem Kautschuk abgeformt und die Formen im Atelier, das die Bergbauindustrie in Bochum großzügigerweise zur Verfügung gestellt hatte, ausgeformt, so daß leichte und unzerbrechliche, maßgleiche Wiederholungen der schweren und verletzbaren Skulpturen zur Verfügung standen, mit denen man alle möglichen Stellungen ausprobieren konnte. Diese Duplikate durfte man gegebenenfalls auch zu vollständigen Figuren ergänzen, wenn dadurch der Gedankengang klarer darzustellen war, wenn dadurch die Motive in der Gesamtkomposition deutlicher wurden.

Es ist das Verdienst eines ungewöhnlichen Mannes, daß dies in endlosen, zermürbenden Versuchen bis zu einem hohen Grade an Wahrscheinlichkeit gelungen ist, nämlich des Bildhauers Heinrich Schroeteler. Mit Odysseus hat er gemeinsam, daß er auch in verzweifelter Lage nicht aufgibt. Als U-Boot-Kapitän im letzten Weltkrieg hat er die Schrecken des Meeres kennengelernt und doch seine Mannschaft immer heil in den Hafen zurückgebracht. In englischer Gefangenschaft lernte er die Bildhauerei, und als in seiner Heimatstadt die Ruhr-Universität begründet wurde, promovierte er nach einem regulären Studium in Kunstgeschichte und Archäologie. Nun besaß er die doppelte Qualifikation, welche für die ungewöhnliche Aufgabe, die sich hier stellte, notwendig war. Ohne ihn hätte das, worüber in diesem Buch berichtet wird, nicht Gestalt gewinnen können.

Nachdem alle Fragmente abgeformt und die beiden Figuren, deren Größe sonst nicht kenntlich gewesen wäre, nämlich Polyphem und der pfahlanspitzende Gefährte, wenigstens im Umriß ergänzt waren, wurde in einer aufgelassenen Maschinenhalle der Zeche Lothringen eine Bühne aufgeschlagen, auf der man die Figuren nach dem Bewegungsablauf ihrer Handlungen gruppieren konnte. Ein großer Spielraum ist dabei nicht gegeben, denn besonders die Gruppe der Gefährten, die den Pfahl anspitzen, kann weder weiter auseinandergezogen noch enger zusammengedrängt werden, als es die Länge der Arme der Männer erlauben, die ja an den Pfahl herankommen müssen, um ihn zu halten und mit Schwerthieben anzuspitzen. Da die Kette der drei den Wein heranbringenden Figuren auf der anderen Seite in ihrer Ausdehnung den drei Figuren auf der rechten Seite weitgehend entsprechen muß, kann es auch hier eigentlich nur um wenige Zentimeter gehen, um die man die Figuren bei einer optimalen Aufstellung nach rechts oder links verschieben kann.

Rekonstruktionsversuch der als Giebelschmuck des Dionysos-Tempels von Ephesos geplanten Polyphem-Gruppe.

Teilweiser Wiederaufbau des Domitiansbrunnens (sogenanntes Pollio-Nymphäum) in Ephesos aus dem Jahr 92/93 n. Chr.

Rekonstruktion der als Brunnendekoration wiederverwendeten Polyphem-Gruppe, die ursprünglich als Giebelschmuck für den gegen 40 v. Chr. von Marcus Antonius in Auftrag gegebenen Dionysos-Tempel auf dem Staatsmarkt von Ephesos bestimmt war.

Diese Fotomontage, die dem Rekonstruktionsversuch zugrundelag, gibt einen Eindruck von der Wirkung der Polyphem-Gruppe als Brunnendekoration.

Um aber nicht das Ergebnis durch die eigene vorgeformte Meinung zu präjudizieren und das zu beeinflussen, was erst herauszufinden war, hat der Verfasser sich selbst auf die Bühne gestellt, wo er die richtige Stellung der Figuren nicht mit dem notwendigen Abstand kontrollieren konnte, und hat einige Kollegen gebeten, ihm die Stellung, die man den einzelnen Figuren im Zusammenhang des Ganzen am besten geben sollte, durch Handzeichen anzuzeigen.

So kam ein erster Rekonstruktionsversuch zustande, bei dem sich der giebelförmige Umriß der ganzen Gruppe schon sehr deutlich abzeichnete. Eine Schnur, die in Form des Giebeldreiecks über die Figuren gespannt wurde, ergab, daß ein Giebel, in dem diese Figuren hätten aufgestellt werden können, eine lichte Weite von 12,50 m und einen Steigungswinkel von 22° haben müßte. Das sind genau die Maße eines gewöhnlichen römischen Tempels von 50 Fuß Frontbreite aus der zweiten Hälfte des 1. Jahrhunderts v. Chr., wie er in der Maison Carrée in Nîmes noch heute aufrecht steht[82]. Das war eine merkwürdige Feststellung, denn Ephesos liegt im griechischen Kulturbereich, wo die Tempelgiebel nicht so steil gebildet werden, daß sie die Fassade dominieren, sondern wo sie eine Steigung von 15°–18° gewöhnlich nicht überschreiten[83].

Aber vielleicht war es überhaupt noch verfrüht, von einem Giebel zu sprechen. Zu viele Fragen waren ungelöst. Gab es überhaupt die Möglichkeit, sich den Polyphem-Mythos als Thema eines Tempelgiebels vorzustellen? Welcher Gottheit hätte ein Tempel mit diesem Giebelschmuck geweiht sein können? Wo in Ephesos sollte ein so ansehnlicher Tempel gelegen haben, dessen Giebel mit dieser Giebelgruppe hätte geschmückt sein können? Wieso waren die Giebelfiguren, wenn es je solche waren, nicht im Giebeldreieck geblieben, sondern schon 130 Jahre nach ihrer Anfertigung in einem kaiserzeitlichen Nymphäum als Brunnenfiguren wiederverwendet worden? Schließlich weisen die Figuren, von denen immerhin die Hälfte mit ihren Plinthen erhalten sind, nicht die mindesten Klammerspuren zur Befestigung im Giebelboden auf. Und dann hängt der Kopf des einen, am Boden liegenden Gefährten so über die Plinthe herab, daß er in einem Giebel von unten, wenn man nah an den Tempel herantrat, nicht mehr sichtbar war. Das gleiche gilt von dem Schwänzchen des Tierbalges, der als Weinschlauch dient. Also Fragen über Fragen – und andere Probleme, welche die Giebeltheorie geradezu auszuschließen schienen.

Es leuchtet ein, daß die Möglichkeit, die Figuren hätten ein Giebeldreieck geschmückt, ausscheiden muß, wenn auch nur eine einzige von ihnen über den angenommenen Giebelrahmen hinausragt. In dieser Beziehung gab es bei den fragmentierten Figuren zwei Merkwürdigkeiten.

Die eine ist die, daß der pfahlanspitzende Gefährte auf der rechten Seite, nach dem allein erhaltenen Bein zu urteilen, sehr groß gewesen sein muß. Die andere ist die, daß der dem Pfahlanspitzer auf der anderen Seite entsprechende Weinschlauchträger, obwohl er erheblich kleiner ist als alle anderen Figuren, doch mit seinem Kopf noch zu hoch hinaufzuragen schien, als daß er das Giebeldach nicht hätte durchstoßen müssen. Besonders nachdem ihm auf dem Wege des Ausschlusses ein Kopffragment zugewiesen worden war, das zwar nicht Bruch auf Bruch angepaßt werden konnte, weil der Halsansatz bei dieser Figur vollkommen verrieben ist, das aber doch zu dem Körper hätte passen können. Der Kopf wurde in ergänztem Zustande so hoch, daß man die Figur weiter als es der Komposition zuträglich war, nach rechts rücken mußte, um sie unter dem Giebeldach unterzubringen.

Bei einem letzten verzweifelten Versuch, die Giebeltheorie doch noch zu retten, ergab sich nun, daß das zunächst dieser Figur zugewiesene Kopffragment mit an Sicherheit grenzender Wahrscheinlichkeit einer anderen Figur zuzuweisen war, deren Kopf nun frei wurde. Und dieser Kopf paßte wesentlich besser zum Weinschlauchträger als der vorherige. Denn er hat eine Eigenart, die man nicht selten bei späthellenistischen Statuen beobachtet. Die Schädelkalotte ist schräg abgearbeitet und weist eine für den Anschluß bestimmte sogenannte Anathyrose auf. Das heißt, die Anschlußfläche ist mit einem glatten Rand und einer leicht mit dem Meißel gespitzten, flachen Vertiefung in der Mitte versehen, die einen dichten Schluß mit der darüber liegenden Steinfläche gewährleisten sollte. Wenn man dem Weinschlauchträger diesen hinten abgeschrägten Kopf aufsetzt, der nach gründlicher Überprüfung in der Tat der einzige ist, der für ihn in Frage kommt, dann paßt er genau an die für ihn vorgesehene Stelle in dem Giebel, dessen Schmiege die exakte und absolut überzeugend wirkende Haltung des Kopfes festlegt.

Das war eine vollkommen unerwartete und nachdrückliche Bestätigung der Giebeltheorie. Denn diese Schräge mußte beim Entwurf der Gruppe schon miteingeplant worden sein, damit man den am Rande der Gruppe stehenden Weinschlauchträger nicht noch kleiner machen mußte. Handelt es sich doch bei der sorgfältigen Anathyrose der Abschrägung nicht etwa um eine bei der Aufstellung der Figuren im Giebel rasch ausgeführte Abarbeitung, um Platz zu gewinnen.

War also dies schon ein entscheidendes Argument für die Annahme, die Figuren seien für einen Giebel bestimmt gewesen, so erwies sich eine andere Beobachtung, die zunächst auch negativ gedeutet wurde, letztendlich als kaum weniger gewichtig. Während der Weinschlauchträger trotz der Manipulation mit der abgeschrägten Kalotte außerordentlich

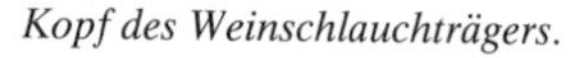

Kopf des Weinschlauchträgers.

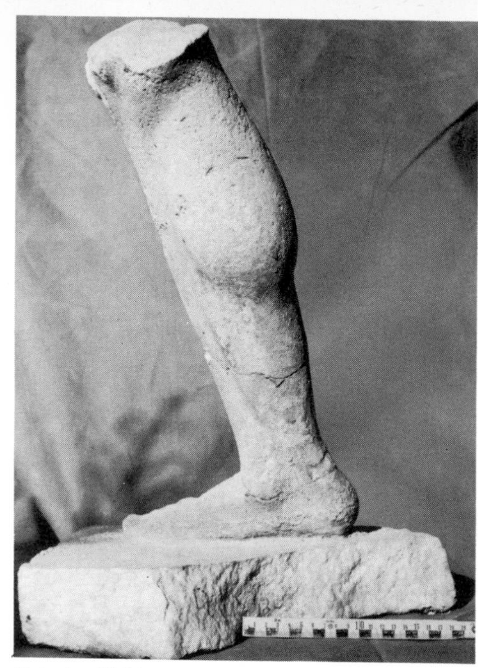

Bein des Pfahlanspitzers.

klein ist, erscheint das Bein des ihm auf der anderen Seite entsprechenden Gefährten, der den Pfahl anspitzt, ungewöhnlich groß. Bis zum Knie mißt es schon 5 cm mehr als die Beine der neben ihm stehenden Gefährten, die den Pfahl halten.

Auf der einen Seite eine kleine Figur und auf der anderen eine große, wie stimmt das zusammen? Es erklärt sich, wenn man bedenkt, daß dieser Mann sich bücken muß und trotzdem über seinem Rücken kein leerer Raum entstehen soll. Damit er diesen Raum bis zum starren, schräg herablaufenden Giebelrahmen füllen konnte, mußte man ihn im ganzen entsprechend größer machen als die anderen und besonders als den weit weniger vorgebeugten Gefährten mit dem Weinschlauch. So sprach alles für einen Giebel, und es ging darum, diesen durch einen maßstäblichen Rekonstruktionsversuch anschaulich zu machen.

Daher wurde nach dem Vorbild des Giebels der Maison Carrée in Nîmes das Tischlermodell eines römischen Giebels aus Holz gebaut, und die Figuren, deren fehlende Teile anatomisch zutreffend, wenn auch nicht mit dem Anspruch der Stilgerechtigkeit, ergänzt worden waren, wurden in den hölzernen Rahmen hineingestellt.

Der Anblick war verblüffend. Die Gruppenkomposition, die in der Weite der Brunnenexedra etwas Auseinanderklaffendes hat, ein Eindruck, der zwar durch die Bruchstückhaftigkeit verstärkt, aber nicht eigentlich begründet wird, wirkt im festen Giebelrahmen konzentriert und sinnvoll. Auf der linken Seite sieht man das Aufsteigen des Weines zum Riesen, auf der rechten das Abfallen der Kompositionslinien zur Spitze

Hypothetische Rekonstruktion des wahrscheinlich in ein Augusteum umgewandelten Dionysos-Tempels auf dem Staatsmarkt von Ephesos mit den dafür vorgesehenen, aber niemals im Giebel versetzten Skulpturen der Polyphem-Gruppe.

des Pfahles. In den Ecken liegen die an die Höhlenwand geworfenen Griechen. Die Bewegungsabläufe sind ohne erkennbaren Zwang auf die extreme Raumform eines Giebeldreiecks abgestimmt.

Im Entwurf dieser Komposition, in der Anpassung einer, zumindest in Teilen, wie noch zu zeigen ist, anderweitig schon vorgeformten Mythenszene an die extremen Bedingungen eines Dreieckfeldes, das an der höchsten Stelle nur ein Viertel so hoch wie lang ist, liegt die eigentliche Leistung des Schöpfers dieser Skulpturen, deren Bildhauerarbeit nicht gerade hervorragend ist. Aber in der einzigartigen Gruppe der drei Gefährten mit dem Pfahl, der die Kette der drei den Wein heranschaffenden Figuren glücklich entspricht, hat der Meister des Giebels von Ephesos der späthellenistischen Kunst ein neues Blatt hinzugefügt. Auch die Gruppe der drei Männer links, von denen der erste sich leicht vorbeugt, der zweite um seine Achse wirbelt, der dritte, nämlich Odysseus, einen so vorsichtigen Stand einnimmt, daß er bei jeder falschen Bewegung des Riesen zurückweichen könnte, zeigt ein solches Spektrum an Bewegungsmöglichkeiten, daß man der Komposition seine Bewunderung nicht versagen kann trotz der zum Teil flauen und schematischen Ausarbeitung der eigentümlich überlängten, knochenlosen Figuren, die in ihrer insektenhaften Beweglichkeit an die etwa gleichzeitig gemalten Figuren der esquilinischen Odyssee-Fresken erinnern.

Kann man nach allem kaum noch bezweifeln, daß die Polyphem-Gruppe von Ephesos ursprünglich einen Tempel mit italischer Giebelhöhe von der Größe der Maison Carrée in Nîmes schmücken sollte, so erhebt sich die Frage, ob man einen solchen Tempel aus der Zeit etwa zwischen 40 und 30 v. Chr. in Ephesos kennt oder nennen kann, mit dem man die Giebelfiguren verbinden könnte. Es war einer der Beteiligten an der Ausgrabung eines Tempelfundamentes auf dem Staatsmarkt von Ephesos[84], nämlich Stefan Karwiese, der zuerst auf die Möglichkeit aufmerksam machte, daß von der Größe und der Erbauungszeit her eigentlich nur dieser Tempel als einziger von den bisher bekannten in Ephesos für eine solche Zuweisung in Frage komme. Aber die Datierung und Benennung dieses Tempels sind noch umstritten. W. Alzinger, der Leiter der Ausgrabung dieses Tempelfundamentes, das in dominierender Stellung mitten auf dem Staatsmarkt liegt, hatte aufgrund der Funde einiger ägyptisierender Kleinplastiken und des Bronzeglöckchens eines ägyptischen Kultgerätes, eines sogenannten Sistrums, eine Benennung als Isis-Tmpel erwogen.

Die Baugrubenkeramik hatte eine Datierung in die Zeit nach der Mitte des ersten Jahrhunderts v. Chr. ergeben. Außerdem war nicht weit vom Tempel ein überlebensgroßer Porträtkopf gefunden worden, den

Kolossaler Porträtkopf spätrepublikanischer Zeit, wahrscheinlich Marcus Antonius, vom Staatsmarkt in Ephesos.

man als Marcus Antonius, den Triumvirn, glaubte deuten zu können[85]. Dieser hatte 41 v. Chr. Ephesos zum Vorort des von ihm beherrschten östlichen Reichsteils gemacht, bevor er noch im gleichen Jahre in Tarsos Kleopatra kennenlernte und ihr nach Alexandria folgte[86]. In den Jahren 38 und 32 v. Chr. kehrte er mit Kleopatra zu Staatsbesuchen nach Ephesos zurück. Es wäre daher möglich, daß er zu Ehren Kleopatras dort einen Isis-Tempel errichten ließ.

Wahrscheinlicher allerdings ist, daß Marcus Antonius, wenn er wirklich der Erbauer oder zumindest Auftraggeber des Tempels war, diesen dem Dionysos geweiht hat. Denn in Anknüpfung an die hellenistische Tradition des Gottkönigtums hat Marcus Antonius sich im ganzen Osten als neuer Dionysos feiern lassen. Besonders von seinem Einzug in Ephesos in einem dionysischen Taumel ist bei Plutarch eine eindrucksvolle Schilderung überliefert. In einem Tempel des Dionysos, der in Ägypten als Osiris verehrt wurde[87], könnten sich auch ägyptische Devotionalien finden, wenn die im Schutt über dem Tempelfundament gefundenen ägyptischen Kleinplastiken und der Überrest des Sistrums tatsächlich zum Inventar des Tempels gehören sollten.

Bei neuesten Studien[88] hat sich jedoch die Wahrscheinlichkeit ergeben, daß der Tempel auf dem Staatsmarkt in Ephesos in Wahrheit dem Kaiser Augustus geweiht wurde. Dieser hatte schon 29 v. Chr., als er noch nicht den Ehrennamen Augustus trug, sondern sich Octavian nannte, die Errichtung von Heiligtümern für die Dea Roma, für seinen vergöttlichten Adoptivvater Gaius Julius Caesar und für sich selbst erlaubt. Im Jahre 27 v. Chr. scheint seine Statue im Tempel aufgestellt worden zu sein.

Hier liegt nun allerdings ein Stein des Anstoßes. Der Tempel auf dem Staatsmarkt in Ephesos ist viel zu groß, als daß er in der kurzen Zeit zwischen 29 und 27 v. Chr. erbaut worden sein könnte. Für einen Tempel von dieser Größenordnung muß man mit einer etwa zehnjährigen Bauzeit rechnen[89]. Wenn der Tempel 27 v. Chr. fertig war, so daß man darinnen eine Statue aufstellen konnte, dann muß er spätestens in den frühen 30er Jahren in Auftrag gegeben worden sein. In diesem Fall kommt nur Marcus Antonius als derjenige in Frage, der den Tempel entweder selbst in Auftrag gegeben hat oder zu dessen Ehren er in Auftrag gegeben wurde. Denn kein anderer als der Beherrscher des östlichen Reichsteiles hätte es wagen können, mitten auf der Agora von Ephesos einen Tempel zu erbauen. Den griechischen Bewohnern der Stadt lag die Vorstellung fern, den als Treffpunkt der Bürger dienenden Platz durch einen axial angeordneten Tempel zuzustellen. Solche die Fora beherrschenden Tempel waren eine italisch-römische Tradition. Der Tempel muß also mit der Römerherrschaft in Kleinasien zusammenhängen, die in der fraglichen Zeit vor Augustus von Marc Anton ausgeübt wurde. Hängt der Tempelbau also mit Marc Anton zusammen, dann kann nur geplant gewesen sein, ihn dem Dionysos zu weihen, der in Marc Anton verkörpert war.

Doch Marc Anton wurde schon 31 v. Chr. in der Schlacht von Actium durch die Flotte Octavians vernichtend geschlagen. Er flüchtete, Kleopatra folgend, nach Ägypten und gab sich im Jahre 30 v. Chr. dort selbst den Tod.

Es ist möglich, ja sogar wahrscheinlich, daß der frühestens 41 v. Chr. in Auftrag gegebene Tempelbau damals, das heißt 10 Jahre später, zwar schon weit gediehen, aber noch nicht vollendet war. Schon während des Krieges mit Octavian und besonders nach der Niederlage von Actium 31 v. Chr. müssen die Bauarbeiten zum Erliegen gekommen sein. Was lag näher, als den noch nicht geweihten Tempel nach dem Tode Marc Antons, nachdem eine gewisse Zeit der Konsolidierung der Herrschaft Octavians verstrichen war, dem neuen Machthaber zu widmen? 29 v. Chr. hatte er die Erlaubnis erteilt, ihm sowie seinem Adoptivvater Gaius Julius Caesar und der personifizierten Roma göttliche Ehren zu erweisen. Den kleinen, rasch zu erbauenden Doppeltempel der beiden letzteren hat man am Rande des Staatsmarktes ausgegraben. Den großen Tempel für ihn selbst sucht W. Jobst[90] neuerdings zu Recht in dem Tempel auf dem Staatsmarkt, der als Zentrum in die augusteische Neuordnung dieser monumentalen Platzanlage einbezogen wurde. Aber er kann nicht mit dieser zugleich begonnen worden, sondern muß, wie wir sahen, älter sein.

Wenn das zutrifft, dann ließen sich erstaunlicherweise alle oben offengebliebenen Fragen mit einem Schlage beantworten. Die einzige Gottheit, bei deren Tempel das Thema der Blendung Polyphems als Giebelschmuck sinnvoll erscheint, ist Dionysos. Denn Polyphem wird durch den Wein, das heißt die Kraft des Dionysos, überwunden[91].

Nur in der Zeit Marc Antons, aus der die Skulpturen ihrem Stil nach zu stammen scheinen, konnte ein Dionysos-Tempel auf dem Staatsmarkt in Ephesos gebaut und konnten die Giebelskulpturen dazu in Auftrag gegeben werden. Nur in einem römisch beeinflußten Tempel mit steilem Giebeldreieck konnten die Skulpturen untergebracht werden.

Doch sie wurden offenbar niemals in den Giebel versetzt, wofür nun auch eine Erklärung möglich ist. Der Tempel war noch nicht fertig, als der Mann, zu dessen Ehren er für Dionysos errichtet wurde, ums Leben kam. Es hatte nun keinen Sinn mehr, die Skulpturen im Giebel zu versetzen, an denen man parallel zur Erbauung des Tempels gearbeitet hatte. Sie blieben ungenutzt in der Bildhauerwerkstatt stehen, wie so viele Skulpturen, deren Vollendung der Auftraggeber nicht erlebt hat oder über deren Sinn die Zeit hinweggegangen ist. Erst viele Generationen später wurden sie unter anderen Voraussetzungen und an anderer Stelle wiederverwendet.

Das alles klingt wie ein Roman, und es ist im wissenschaftlichen Sinn auch kaum strikt zu beweisen. Es gibt aber einen verborgenen Hinweis für die Richtigkeit dieser Hypothese, eine Textstelle bei dem griechischen Historiker Plutarch, dem wir die ausführlichste Biographie des Triumvirn Marc Anton verdanken.

Plutarch berichtet[92], beim Einzug Marc Antons in Ephesos seien Frauen als Bacchantinnen, Männer und Knaben als Satyrn und Pane kostümiert vor ihm hergegangen. Von Efeu und Thyrsosstäben, vom Klang der Saiteninstrumente, von Schalmeien und Flöten sei die Stadt erfüllt gewesen, und ihn selber priesen sie als Dionysos den ›Freudenbringer‹, den ›Huldreichen‹. Doch dann fährt er fort: »Das war er gewiß für einige; für die meisten aber war er der ›Rohverschlinger‹, der ›Grausamwilde‹.« Diese beiden Bezeichnungen sind Kultnamen des Dionysos, die seine dunkle, wüste Seite andeuten sollen. Deshalb kann man sie auch einfach als Aussage über die Willkürherrschaft Marc Antons verstehen. Der politische Witz, der in dieser Aussage steckt, wird aber vor dem Hintergrund der Auftragserteilung für den Tempelbau und für die Schaffung der Giebelgruppe mit dem Riesen Polyphem in der Mitte wesentlich prägnanter. Wenn Marc Anton diesem Themenvorschlag für den Giebelschmuck zugestimmt hat, dann sah er zweifellos in Odysseus ein Vorbild für seine eigene *Virtus.* Dieses römische Lebensideal[93], das die griechischen Tugenden der *Arete* und *Andreia,* der Tüchtigkeit und der Mannhaftigkeit, in einem einzigen Wort zum wesentlichen Wertbegriff der Römer verbindet, war in Odysseus verkörpert. Mit einer Verherrlichung des Odysseus könnte der Römer versucht haben, sich bei den Griechen beliebt zu machen, deren Heros und Vorbild Odysseus war. Zugleich könnte er in der Überwindung des italischen Riesen Polyphem auf seine Rivalität mit Octavian angespielt haben, den er vielleicht mit den gleichen Eigenschaften zu bezwingen hoffte, wie Odysseus sie hier an den Tag legte.

Was er aber nicht verhindern konnte, war, daß die Griechen in Ephesos das ganz anders sahen und daß sie ihn ihrerseits nicht mit Odysseus, sondern mit Polyphem identifizierten. Seine Trunksucht war bekannt, und wenn seine politischen Feinde den *Neos Dionysos* mit den uralten Kultnamen *›Rohverschlinger‹* und *›Grausamwilder‹* bezeichneten, dann könnte darin unter Bezug auf den im Entstehen begriffenen Polyphem-Giebel eine böse, geistreiche Spitze stecken. Denn auch Polyphem war ein Rohverschlinger und Grausamwilder. So erscheint der Bericht über diesen politischen Witz, der damals in Ephesos umging, bei Plutarch verkürzt. Plutarch schrieb seine Biographie 150 Jahre nach den Ereignissen, als Dionysos-Tempel und Polyphem-Giebel schon vergessen waren. Vor dem Hintergrund der Rekonstruktion desselben bekommt die Geschichte aber erst ihre eigentliche Pointe.

So spricht alles dafür, daß in der Polyphem-Gruppe von Ephesos die Skulpturen des spätesten griechischen Figurengiebels erhalten sind, die zugleich als die ältesten und einzigen erhaltenen Reste eines römischen

Die fragmentarisch erhaltene Terrakotta-Gruppe aus Tortoreto, die motivisch auch der Polyphem-Gruppe von Baiae (Abb. S. 101) verwandt ist und deshalb vom gleichen hellenistischen Vorbild abhängen dürfte, zeigt, daß zumindest im italischen Bereich der Polyphem-Mythos als Giebelschmuck begegnet.

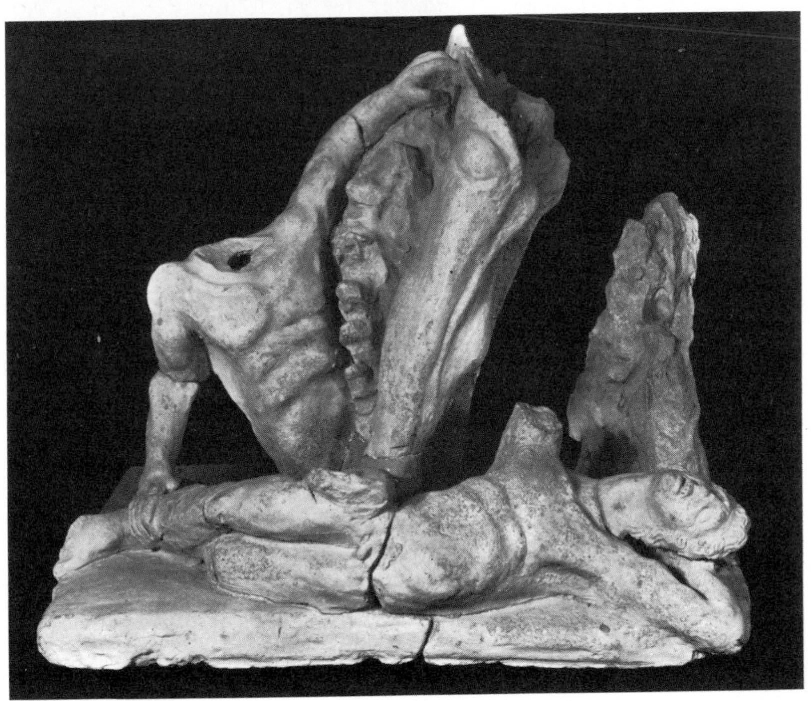

Marmorgiebels gelten können. Schon in den frührömischen Terrakottagiebeln [94] kündigt sich die Tendenz an, Giebel mit Reliefs zu schmücken, eine Form, die im Lauf der Zeit die zur Aufstellung rundplastischer Figuren bestimmte griechische Giebelbühne verdrängt. Erhalten ist kein einziger kaiserzeitlicher Giebel mit Rundfiguren [95]. Aber zumindest beim Giebel des 42 v. Chr. gelobten, aber erst 20 v. Chr. ausgeführten Mars-Ultor-Tempels auf dem Forum des Augustus [96], der aus einer Reliefnachbildung in Rom bekannt ist, wird man mit rundplastischen oder fast rundplastischen, an die Giebelrückwand gelehnten Figuren rechnen dürfen. Dieser Giebel ist die zeitlich dem Polyphem-Giebel nächststehende römische Giebelkomposition, die man kennt. An vorhergehenden griechischen Giebeln, von denen wenigstens Reste erhalten blieben, sind der Giebel des Dionysos-Tempels in Teos [97] und derjenige des neuen Tempels in Samothrake [98] zu nennen, beide aus dem 2. Jahrhundert vor Christus.

In die zeitliche Lücke zwischen den Schöpfungen dieser Giebelkompositionen tritt nun der im Jahrzehnt 41 bis 31 v. Chr. entstandene Polyphem-Giebel von Ephesos. Er stellt damit einen Eckstein der Kunstgeschichte dar, dessen Problematik hier nicht erschöpfend behandelt werden kann.

Es sei aber darauf hingewiesen, daß die Darstellung des Mythos von der Blendung Polyphems in einem Giebel nicht so singulär ist, wie man zunächst annehmen möchte. Im italischen Raum wurden bei Tortoreto in den Abruzzen, auf halbem Weg zwischen Ancona und Pescara, Fragmente tönerner Giebelfiguren [99] von einem kleinen, wahrscheinlich aus Holz errichteten Gebäude gefunden, wohl einem ländlichen Heiligtum des 1. Jahrhunderts v. Chr. Diese Figuren sehen dem Zentrum der Giebelfiguren von Ephesos recht ähnlich.

Erhalten ist nur das rechte im Verhältnis zu den Menschen riesige Bein eines sitzenden Polyphem, zu dessen Füßen ein hingeschmetterter Gefährte des Odysseus liegt. Ein zweiter Gefährte, den der Riese offenbar am Handgelenk hielt, hängt auf seiner rechten Seite neben dem Felsensitz herab. Eine von links herankommende Figur, leider ohne Arme und Kopf, kann als Odysseus gedeutet werden. Es ist allerdings nicht sicher auszumachen, ob er dem Riesen den Becher reicht oder ob er schon mit dem Pfahl zustößt, wofür die am Schulteransatz erkennbare Haltung des rechten Armes spricht und eine eingetiefte Rille vor dem Leib, die vom Pfahl herrühren könnte. Auf jeden Fall war in dieser italischen Terrakotta-Giebel-Gruppe der Polyphem-Mythos dargestellt. Der Giebel von Ephesos steht also nicht allein.

VII

ODYSSEUS UND DER WEINSCHLAUCH-TRÄGER VON BAIAE

S. 91 Polyphem-Mosaik im Goldenen Haus des Kaisers Nero.

DIE gleiche Typologie der Weinreichung an den Riesen Polyphem, wie der Entwerfer des Giebels von Ephesos sie verwendet, findet sich, wie schon erähnt, in einer ganzen Reihe von Darstellungen, die von der monumentalen Form überlebensgroßer Rundplastiken aus Marmor über Statuetten, Kleinbronzen, Marmorreliefs, Bildmedaillons von Terrakottalampen und sogar Kuchenformen bis zu Darstellungen in der Flächenkunst des Mosaiks reichen[100].

Von diesen ist ein Glasmosaik[101] im Goldenen Haus des Kaisers Nero in Rom aus der Zeit zwischen 64 und 68 n. Chr. besonders interessant. Steigt man heute aus dem Großstadtlärm in die Fundamente der Thermen des Kaisers Trajan auf dem Colle Oppio hinab, die 104 n. Chr. über dem zugeschütteten Nero-Palast errichtet wurden, dann umfängt einen Stille, Kühle und Moderduft. Die Wände des einst prächtigsten Baus der Stadt Rom sind mit abblätternden Fresken bedeckt. In einem großen überwölbten Saal, der einst mit Wasserspielen ausgestattet war, begreift man, warum Nero diesen Villenbau, den er, nach dem Brande Roms, im Herzen der Großstadt errichten konnte, »Goldenes Haus« genannt hat. Denn das ganze Gewölbe ist mit vergoldetem Bimssteinstuck ausgeschlagen, und in der Mitte des Gewölbes funkelt ein achteckiges Glasmosaik, das älteste erhaltene Gewölbemosaik der Kunstgeschichte.

Beim Anblick dieses erstaunlichen Deckenschmucks wird man sich erst allmählich einer eigenartigen Irritation bewußt. Man erkennt trotz einiger Lücken in der Darstellung den sitzenden Riesen Polyphem, der die rechte Hand nach dem von Odysseus gereichten Becher ausstreckt. Nur diese beiden Figuren, deren Motiv der Mittelgruppe des Giebels von Ephesos verwandt ist, sind erhalten. Vielleicht waren ursprünglich noch mehr Figuren vorhanden. Aber das ist es nicht, was einen stutzen läßt, sondern der eigenartige Bronzeton, in dem nicht nur das Inkarnat der Figuren, sondern auch die gewandeten Teile gegeben sind. Diese metallisch schimmernde Farbe mit den Glanzlichtern auf den scheinbar erhabenen Teilen kann nur Bronze meinen. In anderen Mosaiken sind Mythenszenen und darunter auch die Polyphem-Episode mit den bunten Farben des Lebens geschildert, wie ein berühmtes Mosaik[102] in der spätantiken Villa bei Piazza Armerina in Sizilien zeigt. Nur hier im Goldenen Haus ist das Mosaik nicht aus bunten, verschiedenfarbigen Steinchen in lebendigen und realistischen Farben zusammengesetzt, sondern zeigt den typischen dunklen Ton patinierter Bronze, wie man ihn an gut erhaltenen antiken Bronzeplastiken sieht. Es ist klar, daß hier nicht unmittelbar eine Mythenszene, sondern eine offenbar berühmte ältere Bronzegruppe wiedergegeben, man möchte sagen, zitiert wird. Denn welcher

Die Tatsache, daß die Figuren dieses Gewölbemosaiks im Goldenen Hause Kaiser Neros in Rom nicht in den üblichen bunten Farben mosaizierter Mythenszenen, sondern in Bronzeton mit Glanzlichtern gegeben sind, läßt auf die Existenz einer berühmten hellenistischen Bronzegruppe schließen, die hier zitiert und in Baiae in Marmor kopiert wurde.

Die Dreiäugigkeit des Riesen im Mosaik von Piazza Armerina ist eine spätantike Inkonsequenz. Der ikonographische Typus läßt die bis in den Hellenismus zurückzuverfolgende Tradition einer bedeutenden Bildschöpfung erkennen.

Mosaizist kommt darauf, seine Fähigkeit zu verleugnen, bunte Bilder in Farbpunkte umzusetzen, wenn ihm nicht der Auftrag erteilt war, ein ganz bestimmtes bronzenes Bildwerk im Deckenmosaik dieses Saales zu kopieren?

Dieses Mosaik weist also auf die Existenz einer bronzenen Polyphem-Gruppe hin, die wohl auch dem Schicksal fast aller antiker Bronzewerke nicht entgangen ist, nämlich eingeschmolzen zu werden. Für das Verständnis der Ikonographie dieser immer wieder nachgeahmten Gruppenschöpfung ist der Hinweis, den das Mosaik mit seinen Bronzefarben gibt, von entscheidender Wichtigkeit. Er besagt, daß man das Urbild der weit verbreiteten Filiation dieser Mythenversion in einer berühmten Bronzegruppe hellenistischer Zeit suchen muß. Diese gab die Anregung zu den vielen Bildern des gleichen Themas in der römischen Kunst, sie scheint auch den Giebelmeister von Ephesos inspiriert zu haben, und vor allem scheint sie das Vorbild für eine bedeutende plastische Gruppe aus Marmor abgegeben zu haben, von der Teile im Frühjahr 1969 in einem 7 m unter den Meeresspiegel abgesunkenen römischen Bau im Golf von Baia westlich von Neapel gefunden wurden[103].

Noch bevor die Unterwasserarchäologie durch den Fund der Bronzestatuen von Riace[104] eine unerwartete Popularität erhielt, hatten Taucher, die von Nino Lamboglia, dem Begründer der wissenschaftlichen Unterwasserarchäologie, ausgebildet waren, in den unterseeischen Trümmern der antiken Stadt Baiae Statuenreste ausgemacht[105].

Baiae am Westrand des Golfs von Neapel zwischen dem Cap Misenum, der großen kaiserzeitlichen Flottenbasis, und Pozzuoli gelegen, wo sich die Solfatara, einziger noch tätiger Vulkan des europäischen Festlandes, befindet, gehört zu dem Gebiet, das von den seit der Mitte des 8. Jahrhunderts v. Chr. hier siedelnden Griechen Phlegräische Felder genannt wurde [106]. Phlegra war eine durch den Mythos von unterirdischem Feuer berühmte Gegend an der westlichen Landspitze der makedonischen Halbinsel Chalkidike, wo die Götter die Giganten besiegt und unter die Erde geworfen hatten. Nach dieser Gegend im griechischen Mutterland benannten die Kolonisten in ihrer neuen Heimat den Küstenstrich zwischen Cuma und Neapel, der von vulkanischen Seen, von Solfataren und Fumarolen, von Kratern und Lavakuppen durchsetzt ist. Man könnte Phlegräische Felder mit »Brennende Gefilde« übersetzen.

Hier beobachtet man das geologische Phänomen des Bradysismus [107], wörtlich übersetzt langsames Erdbeben, das heißt ein allmähliches Absinken und Wiederaufsteigen der auf dem flüssigen Magma schwimmenden Erdrinde. Schon Goethe [108] hatte den Muschelfraß bemerkt, der in einer Höhe von 5,71 m rings um die 12 m hohen Marmorsäulen des sogenannten Serapäums von Pozzuoli zu sehen ist. Er nahm an, daß es ein Wasserstau war, der die Muscheln bis zu dieser Höhe reichen ließ, und wußte noch nicht, daß das Niveau des Baues um die Spanne von fast 6 m ins Meer abgesunken war und später wieder aufgetaucht ist. Inzwischen kennt man dieses immer noch nicht völlig geklärte Phänomen genauer, zumal man es vor wenigen Jahren in Pozzuoli studieren konnte, als sich über einen Zeitraum von 300 Tagen die Erde pro Tag bis zu 3 mm hob [109]. Durch Hitzeentwicklung im Erdinneren wird die Erdrinde nach oben gedrückt und zieht sich bei Abkühlung wieder zurück. Durch ein Absinken um bis zu 14 m ist das ganze am Meer liegende Stadtviertel von Baiae zwischen den beiden Punta Epitaffio und Punta di Castello genannten Landspitzen im Osten und im Westen der am Hang sich emporstaffelnden Stadt unter den Wasserspiegel geraten.

Dabei war auch ein großer Apsidensaal unmittelbar vor der Punta dell'Epitaffio, die ihren Namen von einer Inschrift (Epitaph) des Vizekönigs Pedro von Aragon aus dem Jahre 1670 hat, wenigstens 7 m tief abgesunken. Zu beiden Seiten der 6 m breiten Apsis standen die Statuen. Sie waren zunächst als Sklaven, die ihrem Herrn den Trank reichen, gedeutet worden [110]. Wegen ihrer evidenten Ähnlichkeit mit den anderen Darstellungen der Mythenepisode, in der Odysseus Polyphem den Becher reicht, welchen ein Gefährte aus dem Weinschlauch gefüllt hat, konnten auch diese Skulpturen später als Odysseus und Weinschlauchträger identifiziert werden [111].

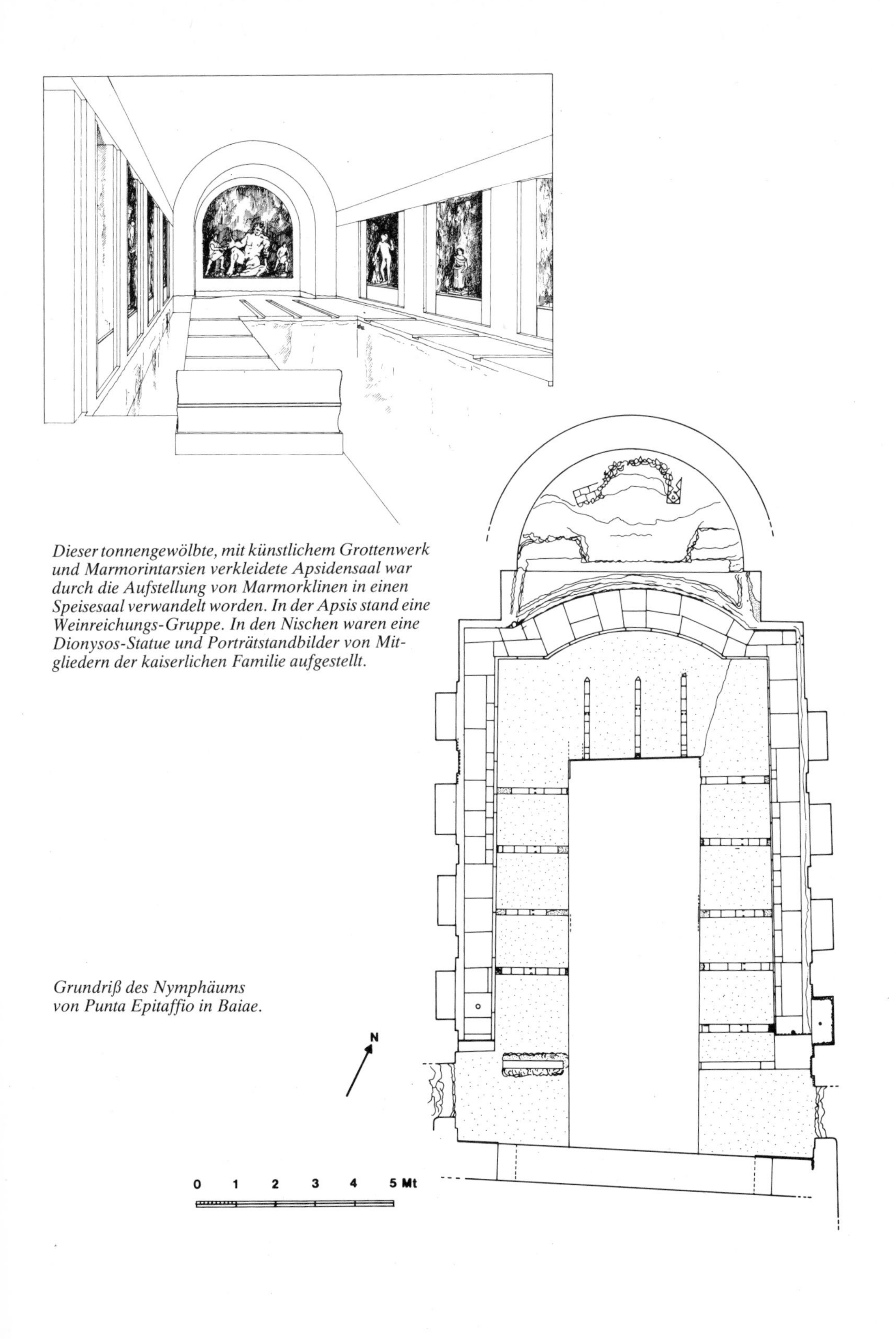

Dieser tonnengewölbte, mit künstlichem Grottenwerk und Marmorintarsien verkleidete Apsidensaal war durch die Aufstellung von Marmorklinen in einen Speisesaal verwandelt worden. In der Apsis stand eine Weinreichungs-Gruppe. In den Nischen waren eine Dionysos-Statue und Porträtstandbilder von Mitgliedern der kaiserlichen Familie aufgestellt.

Grundriß des Nymphäums von Punta Epitaffio in Baiae.

Leider ist der ganze Kopf des Odysseus, der offenbar nie ständig mit Sand und Schutt vom Einsturz des Bauwerks bedeckt war, sondern immer wieder vom Meer freigespült wurde, von Kalk fressenden Muscheln, sogenannten Lithodomen oder Bohrmuscheln, abgenagt worden. Der Weinschlauchträger, der einen Kopf kleiner ist als der ohne Kopf schon 1,75 m messende Odysseus, war besser geschützt, aber auch bei ihm ist das Gesicht zerfressen. Die Körpergebärde beider Figuren ist aber deutlich erkennbar. Odysseus, der den mit Weinblättern verzierten großen Becher hält, lehnt den Oberkörper ein wenig zurück, als ob er sich dem Riesen nicht allzu bedenkenlos nähern wolle. Mit federndem Schritt steht er auf dem leicht ansteigenden Gelände, so daß er bei einer falschen Bewegung des Riesen sofort zurückspringen könnte. In seiner Bewegung ist ebensoviel Annäherung an den Riesen wie Zurückhaltung ausgedrückt. Alle Sehnen der kräftigen Beine sind gespannt. Die prachtvoll ausgearbeiteten Hände strecken den Becher vorsichtig, gleichsam prüfend in die Richtung des Riesen.

Der Gefährte, der über seinem aufgestützten linken Oberschenkel einen Weinschlauch hält und mit der linken Hand im weichen, von der Flüssigkeit nicht prall gefüllten Leder des Tierbalges versinkt, während die abgebrochene Rechte wohl die Öffnung umschloß, wirft den Kopf erschreckt nach oben, um die Bewegungen des Riesen zu verfolgen. Sein Motiv mit dem weit zurückgesetzten rechten Bein und dem wie bei stokkendem Atem eingezogenen Leib drückt Entsetzen aus. Diese beiden Statuen können nur zu einer Polyphem-Gruppe gehören.

Von einer Polyphem-Statue hatte man bei der Bergung der beiden anderen Statuen mit Hilfe der italienischen Kriegsmarine im Januar 1969 aber keine Spur gefunden, es sei denn man wollte eine große zwischen den beiden anderen Statuen gefundene Marmorlocke, die man zunächst für die Spitze eines Pferdeschwanzes hielt, als eine solche Spur ansehen. Leider ist diese Locke nicht mehr auffindbar; die von den Teilnehmern an der Bergung der beiden anderen Statuen bezeugte Existenz dieser Locke war jedoch ein wichtiger Hinweis, daß zu den beiden hier gefundenen Statuen noch die Sitzfigur eines Polyphem gehört haben mußte. Auch wenn die Aussicht, eine solche Riesen-Figur noch an Ort und Stelle zu finden, äußerst gering war, weil man sie, auch ohne nach ihr zu suchen, bei der Bergung der beiden anderen Statuen hätte anschneiden müssen, erschien eine Unterwasserausgrabung an dieser Stelle als unabweisbare wissenschaftliche Pflicht, um den Zusammenhang zu klären, in dem die Skulpturengruppe ursprünglich gestanden hat. Möglich wurde diese Unterwasserausgrabung erst nach langen Vorbereitungen im Frühjahr 1981.

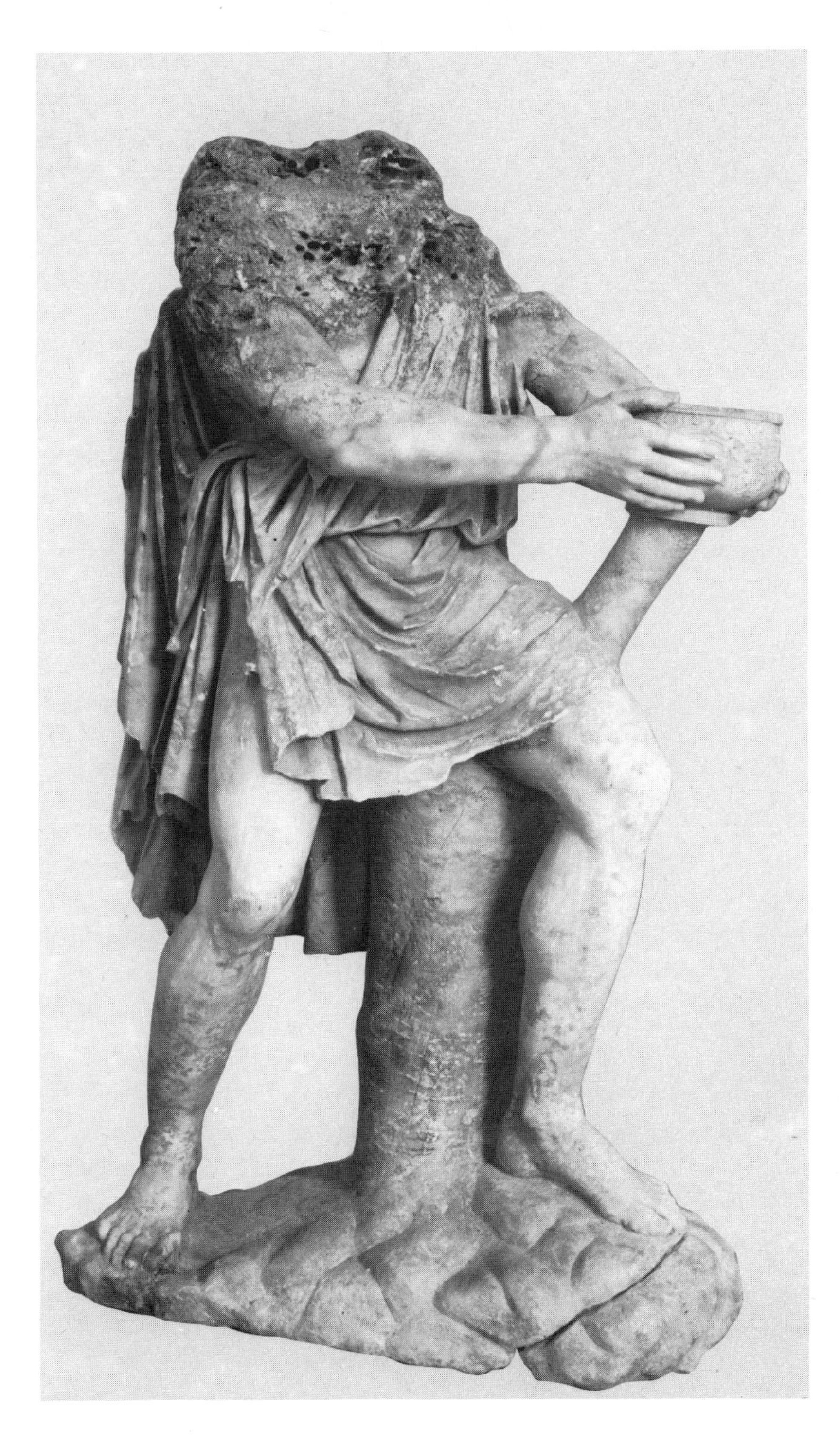

Der Odysseus aus der Apsis des als Speisesaal ausgestalteten Nymphäums im 7 m unter dem Meeresspiegel abgesunkenen Kaiserpalast von Baiae ist eine Marmorkopie nach einem hellenistischen Bronzeoriginal. Der Kopf ist von Muscheln abgefressen.

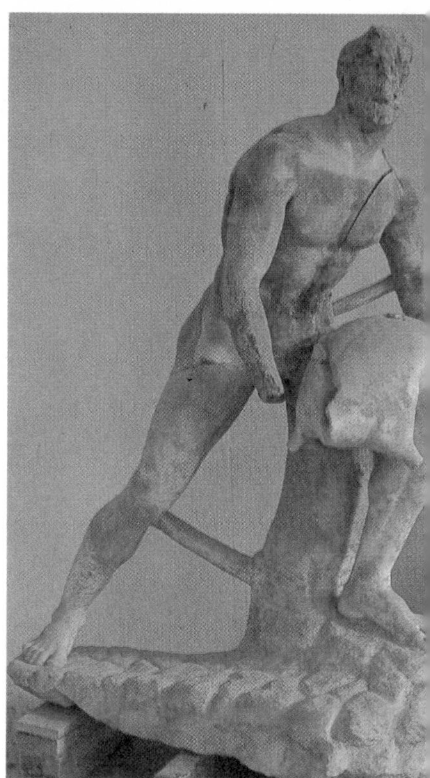

Einer der Gefährten des Odysseus, Baios mit Namen, soll der mythische Gründer von Baiae gewesen sein. Vielleicht dachte man auch daran, als man diese Figur im Nymphäum von Punta dell'Epitaffio aufstellte.

Die Tatsache, daß der Odysseus von Baiae einen Kopf größer ist als der Weinschlauchträger, verlangt eine Erklärung: Wahrscheinlich stand dieser in der ursprünglichen Komposition höher und schräg vor Odysseus, so daß er den Becher füllen und zugleich den Riesen im Auge behalten konnte. In der dekorativen römischen Aufstellung wurde er auf die rechte Seite der Apsis versetzt.

Statue des Dionysos in Fundlage 6 m unter dem Meeresspiegel.

Da die Dionysos-Statue aus der gleichen Werkstatt stammt wie die Figuren der Polyphem-Gruppe, bestätigt sie den in Ephesos postulierten Zusammenhang zwischen der Blendung Polyphems und dem Gott des Weines, der das Mittel dazu gab.

Es gelang, das gleiche Team von Tauchern zusammenzustellen, die 1969 die ersten Statuen lokalisiert und gehoben hatten. Mit ihnen sollte nun die erste regelrechte Unterwasserausgrabung eines großen durch Bradysismus 7 m unter dem Meeresspiegel abgesunkenen Architekturkomplexes in der Geschichte der Archäologie durchgeführt werden, wobei die Methoden angewendet wurden, die bei der Erforschung prähistorischer Siedlungen vor allem in Schweizer und italienischen Seen [112], bei topographischen Untersuchungen abgesunkener Küstenbebauung von Städten und Hafenanlagen [113] und bei den ersten von Nino Lamboglia durchgeführten unterwasserarchäologischen Vermessungen [114] erprobt worden waren. Eine Unterwasserausgrabung bringt neben manchen Nachteilen gegenüber der Ausgrabung an Land auch einige Vorteile [115]. Erstens ist das Material im Durchschnitt unter Wasser um die Hälfte leichter, ebenso wie der Taucher selbst schwerelos über dem Ausgrabungsgebiet schwebt. Das gestattet ihm bei klarem Wasser, das Ausgrabungsgebiet gleichsam aus der Vogelperspektive zu betrachten, was dem Ausgräber an Land nur mit Gerüsten möglich wäre.

Zweitens wird die Ausgrabung nicht mit Spitzhacke und Schaufel durchgeführt, und die Ausgrabungsmasse wird nicht mit Körben oder Förderbändern abtransportiert, sondern das Verschüttungsmaterial wird mit einem Druckwasserstrahl schonend aufgelockert und durch eine sogenannte Mammutpumpe abgesaugt. Das heißt, man führt in ein Steigrohr von 20 oder 30 cm Durchmesser, das an zwei Ballons in schräger Lage im Wasser schwebt, von unten Druckluft ein, die dann nach oben steigt und Wasser sowie das Ausgrabungsmaterial ansaugt und durch einen Auffangkasten in ein feinmaschiges Netz fallen läßt, mit dem es zur weiteren Durchsuchung an Bord des Schiffes gehievt werden kann. Hier steht eine Schütte, auf der der Inhalt der Säcke ausgebreitet und noch einmal sorgfältig auf archäologisch aussagefähige Funde durchgesiebt werden kann. Fundmaterial, das vom Unterwasserausgräber bereits im Ausgrabungsgebiet gesichtet wird, legt er vorsichtig in Gitterkörbe, oder es wird mit aufwendigeren Methoden gehoben und geborgen: Zum Beispiel werden Statuen unter Wasser mit feinem Gerät und mit den Händen freigelegt und mit leichtem Wasserdruck freigespült. Sodann werden sie unter Wasser auf eigens dafür vorbereitete Schaumgummibetten gelegt, mit Ballons ebenfalls noch unter Wasser zum Schiff gebracht, um schließlich vom Schiffskran gehoben zu werden.

Zunächst ging es darum, Ausmaße und genaue Form des Gebäudeteils zu bestimmen, in dem die beiden Statuen standen. Es handelt sich um einen Apsidensaal mit je vier Statuen-Nischen an den Längswänden und zwei seitlichen Zugängen in den ersten Nischen rechts und links.

Hypothetische Rekonstruktion des hellenistischen Vorbildes der Weinreichungsgruppe von Baiae, entsprechend einem römischen Relief im Louvre.

Die erstaunlichen Ergebnisse der noch im Gange befindlichen Ausgrabungen können hier nur angedeutet werden: Die Polyphemstatue scheint in der Tat zerstört zu sein, denn es fanden sich in der Verschüttungsmasse der Apsis nur wenige Marmorsplitter, darunter aber auch eine ähnliche Riesenlocke wie die schon erwähnte. Die Mitte der Apsis wird von einem künstlich aufgemauerten Felsensitz eingenommen, der demjenigen auf dem bekannten Relief im Louvre mit einer Darstellung der Weinreichung an Polyphem unmittelbar vergleichbar ist. Es kann sich nur um den Sitz des Kyklopen handeln. Einen weiteren Hinweis gibt das unscheinbare Fragment der Marmorzehe eines Fußes von gleicher Größe wie derjenigen des Weinschlauchträgers. Während dessen Zehen aber fest am Boden aufstehn, ist die neugefundene Zehe auch auf der Unterseite ausgearbeitet, sie muß also zu einer liegenden Figur gehört haben. Eine solche bietet das Relief im Louvre in der Gestalt des unglücklichen Gefährten des Odysseus, den der Riese am Arm ergriffen hat. Das Relief kann also eine Vorstellung vom ursprünglichen Aussehen der Weinreichungsgruppe von Baiae geben.

Allerdings besteht ein bedeutungsvoller Unterschied: In Baiae stand der Weinschlauchträger rechts am Rande der Apsis. Das kann aber nicht die vom entwerfenden Künstler geplante Aufstellung sein, denn der Wein, den er ausgießt, fließt auf den Boden. Soll der Wein in den Becher rinnen, dann muß man die Figur schräg oberhalb und hinter Odysseus anordnen, also genau so, wie das Relief im Louvre sie bietet. In diesem Fall ließe sich auch die aus perspektivischen Gründen notwendige geringere Größe des Weinschlauchträgers erklären. Das spricht für die bereits angedeutete These, daß die Weinreichungs-Gruppe von Baiae eine römische Marmorkopie jener hellenistischen Bronzegruppe ist, die auch im Mosaik des Goldenen Hauses zitiert wird. Während das Relief im Louvre die ursprüngliche Komposition aber verhältnismäßig genau wiedergibt, scheint sie in Baiae im römischen Sinn zu einer achsialsymmetrischen Brunnengruppe umgebildet zu sein, bei der Odysseus links und der Weinschlauchträger rechts von der Sitzfigur des Riesen standen. Dieser ragte offenbar, wie der Kopf des Odysseus aus dem Versturz der Apsis heraus und wurde möglicherweise zerschlagen und zu Kalk verbrannt.

Bei der Suche nach Resten dieser Skulptur wurde von der ersten Nische der Westwand eine weitere Statue gefunden, nämlich die auf dem Rücken liegende Figur eines jugendlichen Dionysos. Der Gott stützt den rechten Ellenbogen auf einen Pfeiler, über den er das Gewand geworfen hat, und blickt nach unten, wo eine kleine weibliche Pantherkatze hockt und mit erhobener linker Pranke zu ihrem Herrn hinaufschaut. Ein genau gleicher statuarischer Typus ist mir nicht bekannt, doch ist der Kopf des Dionysos von Baiae demjenigen des Apollon Sauroktonos von Praxiteles nah verwandt, wie überhaupt das ganze Götterbild an praxitelischem Stil geschult ist[116]. Eine ausführliche Würdigung dieser qualitätvollen, in eigentümlicher Stückungstechnik gearbeiteten Skulptur muß der endgültigen Publikation nach der Restaurierung vorbehalten bleiben. Für den hier behandelten Zusammenhang ist aber die Tatsache, daß im Nymphäum von Baiae neben der Weinreichungs-Gruppe eine Dionysos-Statue stand, von großer Bedeutung, denn sie scheint in überraschender Weise die bei der Untersuchung des Polyphem-Giebels von Ephesos aufgestellte Hypothese vom Zusammenhang zwischen dem Polyphem-Mythos und dem Gott des Weines zu bestätigen, der in seinem Geschenk an die Menschen das Mittel zur Rettung des Odysseus geschaffen hatte.

Die noch nicht abgeschlossenen Unterwasserausgrabungen[116a] des claudischen Nymphäums von Baiae haben also auf Anhieb eine unerwartete Bestätigung für einige Hypothesen zum Polyphem-Giebel von Ephesos erbracht. Mit dem festen Datum für die Skulpturen der Weinreichungs-Gruppe, das die Fortsetzung der Unterwasserausgrabungen erbringen sollten, ergeben sich aber auch Rückschlüsse auf die Skulpturen von Sperlonga, deren Erforschung am Beginn dieser Untersuchungen stand. Sie müssen deshalb jetzt in die Betrachtung einbezogen werden, zumal die Kenntnis der Tiberius-Grotte von Sperlonga und ihrer Ausstattung sich als notwendige Voraussetzung für das richtige Verständnis des Polyphem-Nymphäums von Baiae erweist.

VIII

DIE ODYSSEE IN MARMOR VON SPERLONGA

Besuch der Tiberius-Grotte von Sperlonga in einem Stich von Luigi Rossini aus dem Jahr 1835.

Die Tiberius-Grotte von Sperlonga vor dem Beginn der Ausgrabungen im Jahr 1956.

AN jenem Morgen im Frühherbst des Jahres 1957, von dem im Vorwort kurz berichtet wurde, war noch nicht im mindesten zu ahnen, was die Ausgrabungen von Sperlonga an Eindrücken und Problemen bringen würden. Das Fischerdörfchen lag damals noch ganz verlassen am Ende einer Stichstraße von Fondi aus. Die Trasse der neuen Straße war zwar schon fertig, und die Tunnel waren schon gesprengt, aber noch war der einzigartige Reiz dieser Gegend unberührt, denn der ganze Verkehr rollte seit dem Abstich des Monte Ginestro durch Kaiser Trajan im Jahre 112 n. Chr. auf der Via Appia von Terracina über Fondi und durch die Berge von Itri direkt nach Formia und ließ das ganze Gebiet des Monte Lanzo bis zum Vorgebirge von Gaeta westlich liegen.

Sperlonga ist unter allen italienischen Küstenorten am tyrrhenischen Meer der griechischste. Wenn man die schmalen, gewundenen Treppengassen unter Bögen und Durchgängen zwischen weiß gekalkten Mauerwänden zur Piazza hinaufschreitet, fühlt man sich auf eine Kykladeninsel versetzt. Am ähnlichsten ist Naxos. Blickt man aber von oben auf den drei Kilometer langen hellen Sandstrand im Süden, den linker Hand die steilen, grünen Hänge der Berge von Itri begrenzen und den am Ende die dunkle Höhlung der Tiberius-Grotte im Vorgebirge des Monte Ciannito abschließt, so ist man doch wieder in einer ganz italienischen Umgebung.

In die Bergwand hat die Trasse der Panoramastraße eine tiefe, lange Narbe gerissen. Etwas oberhalb der Tiberius-Grotte deutet ein anderes dunkles Loch im Bergrücken den Tunneleingang an. Aber nicht diese verkehrstechnischen Eingriffe in die Landschaft machen den Eindruck des Italienischen aus, sondern eine gewisse Üppigkeit der Vegetation

S. 103 Palladion von Sperlonga.

Das Grottentriklinium von Sperlonga.

Blick aus der Tiberius-Grotte auf Sperlonga.

mit den ganz anders angeordneten Weingärten und Tomatenanpflanzungen im schmalen Raum zwischen Strand und Steilhang und auch die andere geomorphologische Gestalt der Landschaft. Aus dem Grün der Weinberge ragt ein gewaltiger grauer Kalkfelsenturm zu einem Drittel der Höhe des dahinterliegenden Bergstockes auf. Ein solcher Felsenturm hat dem Maler der esquilinischen Odyssee-Landschaften zum Vorbild seines Kundschafterbildes gedient.

Die Leute von Sperlonga wußten wohl, was sie taten, als sie – es war zufälligerweise der Tag, an dem auch der Verfasser sich vom Monte Circeo bei Terracina aus aufgemacht hatte, die mit einem Schlage bekanntgewordenen Skulpturenfunde zum erstenmal zu sehen – sich gegen die Staatsgewalt auflehnten und verhinderten, daß die bis dahin gefundenen Skulpturenfragmente zur wissenschaftlichen Bearbeitung und Restaurierung nach Rom abtransportiert wurden[117]. Sie hatten in aller Eile Gräben ausgehoben und Wälle gebaut, so daß die bereits mit Marmorteilen beladenen Wagen nicht abfahren konnten. Die Situation war sehr konfus, und es war nicht möglich, ein klares Bild zu gewinnen. Aber was man bei den grausam zerschlagenen Marmorfragmenten an plastischer Durchbildung der Oberfläche erkennen konnte, war von eindrucksvoller Arbeit und Vollendung. Hier hatten Meister den Meißel geführt und die Muskulatur von Armen, Beinen und Rümpfen durchgebildet, Gesichter mit erregten Zügen gestaltet, die Haare durcheinandergewirbelt – Bildhauer, die den Laokoon-Meistern an Fertigkeit und Gestaltungswillen nicht nachstanden. Besonders ein Kopf fiel auf, bei dem wirre Haare unter der konischen, oben abgerundeten Schifferkappe herausquollen. Das mußte Odysseus sein, der in diesem von poetischen Reminiszenzen erfüllten Landstrich leibhaftig vor Augen kam. Das abgeschlagene Haupt lag zwischen verstümmelten Marmorgliedmaßen, aber der Blick der geweiteten Augen, das von atemloser Anspannung fast aufgezehrte Gesicht erschienen so lebendig und intensiv, daß einem die Worte in den Sinn kamen, die der Dichter[118] Menelaos in den Mund legt, als er ihn zu Telemach von dessen Vater sagen läßt:

»Denn ich habe schon mancher Gesinnung und Tugend gelernet,
Hochberühmter Helden, und bin viel Länder durchwandert;
Aber ein solcher Mann kam mir noch nimmer vor Augen,
Gleich an erhabener Seele dem leidgeübten Odysseus!«

In der Höhle war der Boden zu zwei Dritteln ausgegraben. Hier fiel der Blick auf ein riesiges aus mehreren großen Stücken provisorisch zusammengesetztes Bein. Hier traf man auch den Ausgräber Giulio Jacopi, der durch die Zeitungsnotiz über die Inschrift mit der Signatur der Laokoon-Künstler in diesen Tagen das Interesse der Weltöffentlichkeit auf Sperlonga gelenkt hatte. Der Zufall, just zu diesem Zeitpunkt in der Nähe zu sein, erwies sich als günstig. Es waren noch keine Anstalten getroffen worden, Schaulustige abzuhalten. Trotz der Verwirrung, die durch den Aufstand der Bauern gegen den Abtransport der Marmorfragmente entstanden war, konnte man einige Worte mit dem angesehenen Archäologen wechseln. Er machte auf die Fragmente eines zweiten großen Beines aufmerksam, das durch eine kräftige Vierkantstütze mit dem anderen verbunden war. So ließ sich erkennen, daß das linke Bein der riesigen Figur gestreckt, das rechte gebeugt war. Giulio Jacopi erklärte seine Annahme, die Figur sei aufs rechte Knie niedergesunken mit abgestrecktem rechtem Bein und habe sich mit über dem Haupt erhobenen Händen gegen ein Untier zur Wehr gesetzt, von dem ein Schlangenleib und ein Löwenvorderkörper mit ausgebreiteten Pranken erhalten waren. Es müsse sich um Laokoon handeln, der von einem oder zwei Drachen angefallen werde.

Ich war verwirrt und versuchte, zu bedenken zu geben, daß in mythologischen griechischen Skulpturengruppen wie der Laokoon-Gruppe Menschen niemals riesig dargestellt werden, sondern in einer heroischen, leicht übermenschlichen Größe von sieben Fuß, also 2,00–2,10 m. Wegen der auffälligen Behaarung auf dem Widerrist des Fußes könne es sich aber kaum um einen Gott handeln. Ob man nicht an die Darstellung eines Giganten oder mythischen Riesen, Antaios, Alkyoneus oder am ehesten Polyphem denken müsse.

Giulio Jacopi war an diesem Tag verständlicherweise nicht zu Diskussionen aufgelegt. Er brach das Gespräch kurz ab, und ich merkte, daß ich in dieser prekären Situation, in der Anordnungen zu treffen, Erregung zu beschwichtigen und ein Konzept des weiteren Vorgehens zu entwikkeln waren, störte. Ich zog mich, nicht ohne noch einmal einen staunenden Blick über das Ausgrabungsgebiet geworfen zu haben, langsam zurück und beschloß, bei besserer Gelegenheit zurückzukehren.

Das sollte erst sieben Jahre später der Fall sein. Denn inzwischen wurde das Ausgrabungsgebiet hermetisch abgeriegelt, und Anstalten wurden getroffen, die Skulpturen an Ort und Stelle zu restaurieren und in einem eigens dafür zu errichtenden Museum auszustellen. Dieses Museum wurde am 26. 11. 1963 eröffnet. Ich betrat es in Begleitung zweier Kollegen, des Leiters der Fotoabteilung des Deutschen Archäologischen Instituts in Rom, Hellmut Sichtermann [119], und des christlichen Archäologen Jürgen Christern, der jetzt an der Universität Nijmegen lehrt, an jenem denkwürdigen 2. September des Jahres 1964. Denkwürdig war dieser Tag, weil der schwedische Archäologe Gösta Säflund an diesem Tag in Stockholm einen kurzen Bericht über seine Eindrücke im Museum von Sperlonga zum Druck gab, der am 3. 9. 1964 im Svenska Dagbladet veröffentlicht wurde und mit unseren Beobachtungen in Sperlonga weitgehend übereinstimmte. Zu dieser Zeit konnten wir allerdings von der in Stockholm erscheinenden Notiz nichts wissen. Es geschieht oft im Leben der Wissenschaft, daß auf der Hand liegende Entdeckungen an verschiedenen Orten und von mehreren Gelehrten unabhängig voneinander gleichzeitig gemacht werden. Und die Entdeckung, die in Sperlonga zu machen war, lag in der Tat auf der Hand.

Dort waren nämlich in dem Museum, das zu diesem Zweck unter einer überlegten Ausnutzung der Hanglage mit ganz verschieden hohen Räumen erbaut worden war, die Skulpturenfragmente aus der Tiberius-Grotte in so verwirrender Weise angeordnet, daß wir bald uns kopfschüttelnd anschauten, bald wieder auf diese theatralische Aufstellung eines wahrhaft riesigen Skulpturenschatzes blickten. Wir kannten keine einzige Ausgrabung neuerer Zeit, wo auf so engem Raum eine solche Fülle von Marmorplastiken, die zudem noch von hervorragender Qualität waren, zutage gekommen wäre.

Im ersten Saale waren zahlreiche dekorative Kleinplastiken aufgestellt, und in der Mitte stand zu unserer größten Überraschung eine fragmentarisch erhaltene Gruppe, die wir sofort als eine Wiederholung der bekannten Pasquino-Gruppe [120] identifizierten, von der sich andere Repliken am Palazzo Braschi in Rom, im Vatikan, in Florenz im Palazzo Pitti befinden und ebendort die berühmteste als Zentrum der großartigen Gruppenkompositionen in der Loggia dei Lanzi. Es handelt sich um eine in römischen Kopien überlieferte hellenistische Statuengruppe, die an Ruhm der Laokoon-Gruppe kaum nachsteht. Wie Homer es in der Ilias beschreibt, steht Menelaos wild umherblickend da und hat den Leichnam des Achilleus-Freundes Patroklos, dessen Kopf und Arme leblos herabhängen, über das gebeugte linke Bein emporgehoben, um ihn über die Schulter zu legen und aus der Schlacht zu tragen.

Zwei Merkwürdigkeiten zeigte allerdings die immer noch fragmentarische Rekonstruktion dieser Gruppe in Sperlonga. Der Körper des Menelaos war auffällig klein im Vergleich zu dem gewaltigen Kopf und dem Schildarm. Auch wirkte er auf den ersten Blick in Bewegung und Kleidung ganz anders als bei den bisher bekannten Repliken.

Die zweite Merkwürdigkeit war die, daß der linke Fuß des Patroklos in eigenartiger Weise mit nachschleifender Ferse am Boden lag, so als sei die Achillesferse zerschnitten. Vorerst registrierten wir diese Merkwürdigkeiten nur, von denen die eine sich als Fehler der Rekonstruktion, die andere als ein wichtiges Indiz für die ikonologische Interpretation der Plastik erweisen sollte.

Wir gingen neugierig, ja atemlos staunend weiter. Im zweiten Saal war ein Schiffsheck zu sehen, an das sich ein nach vorne niedergestürzter Schiffer mit verzweifeltem Gesichtsausdruck anklammert. Der linke Arm umschlingt die hochgebogenen Spanten des Hinterstevens, während der rechte haltsuchend nach oben gestreckt ist. Dahinter waren auf einem mit drapierten Tüchern als Schiffsrumpf angedeuteten Podest in bunter Mischung Fragmente von in die Luft peitschenden Fischschwänzen angeordnet, in deren Windungen Menschenleiber hängen, die auf die grausamste Weise von löwenköpfigen Hunden angefallen werden. Diese schlagen den Unglücklichen die Reißzähne und Pranken ins Fleisch, beißen sie in Köpfe, Schultern und Schenkel. Die Arme der Menschen, in rasendem Schmerz hochgeworfen, greifen ins Leere, eine Figur fliegt durch die Luft, vielleicht ursprünglich von der riesigen Hand, die auf einem besonderen Podest lag, bei den Haaren ergriffen.

Es mußte sich, wie auch die Beischriften bestätigten, um eine riesige Skylla-Gruppe handeln, deren Fragmente hier zusammenhanglos, aber expressiv von durchaus empfindsamer Hand angeordnet waren. Auch in ihrem fragmentarischen Zustand verfehlte die ungeheuer grausame und erschreckende Darstellung ihre Wirkung auf den Betrachter nicht. Aber selbst dem ungeübten Auge konnte nicht entgehen, daß diese Anordnung der Teile die ursprüngliche, ungemein kühne und komplexe Gruppenkomposition vollkommen verfehlte. Was hier in die Länge auseinandergezogen war, mußte konzentriert, dicht um den Unterkörper der

Skylla, angeordnet werden, die nicht auf, sondern neben dem Schiff ihren Platz hatte. Von Oberkörper und Armen der Skylla schienen außer ihrer rechten Hand keine Fragmente vorhanden zu sein.

Später erfuhren wir durch den frühesten archäologisch-wissenschaftlichen Bericht über die Höhle des Tiberius von Di Tucci aus dem Jahre 1880[121], daß der Oberkörper der Skylla schon damals als ein barbarisch zerschlagener Marmorstumpf aus dem Boden der Grotte geragt habe, ohne daß man genauer untersucht hätte, um was es sich handelte. Man wußte damals jedenfalls nicht, daß in der Marmorplastik im Zentrum der Grotte eine Skylla dargestellt war. Leider schien auch bei den neuen Grabungen nicht eindeutig beobachtet worden zu sein, wo und wie die Gruppe in der Grotte aufgestellt war. Denn der Vorschlag in den Beischriften, in einem kleinen Führer[122] des neueröffneten Museums und in einer kurz zuvor erschienenen bilderreichen Publikation[123], die Gruppe auf einem links am Eingang der Höhe aus dem Felsen gehauenen Schiff anzuordnen, erwies sich bei näherer Betrachtung als vollkommen unbegründet, ja als eigentlich unmöglich.

Die Rätsel vermehrten sich noch, als wir vor den prachtvollen Odysseus-Kopf traten, der schon fünf Jahre zuvor Aufmerksamkeit erregt hatte. Er war nun mit einem kräftigen Männerarm verbunden, der mit nerviger Hand ein Palladion, das heißt das Götterbild der Pallas Athene von Troja umklammert. Allerdings paßten die beiden Teile nicht Bruch auf Bruch aneinander, und für ein empfindliches Auge schienen die Bewegung von Kopf und Armen auseinanderzuklaffen. Bei antiken und besonders hellenistischen Plastiken mit ihrer tordierten Haltung bewegt sich ein Arm nie, ohne daß die Bewegung aus den Schultern ausstrahlt, und nie dreht sich der Kopf, ohne daß der Arm von der Bewegung mitgezogen wird. Die Bewegung ist eine Gebärde des ganzen Körpers. Hier wirkten Kopf und Arm wie erstarrt, festgehalten durch die falsche Bewegung des anderen Teiles. So konnten diese beiden Teile nicht zusammengehören.

Die größte Überraschung erwartete uns im dritten Saal, den man von oben über eine an der Wand entlang geführte Treppe betrat. In Augenhöhe schwebten unter der Decke des Saales an großen Eisenankern zwei riesige Unterarme mit schlaff geöffneten Händen, die offenbar trotz ihrer Bewegungslosigkeit ein mit ausgebreiteten Pranken auf sie losfliegendes Ungetüm abwehren sollten. Dieses Ungetüm aber hatte eine fatale Ähnlichkeit mit den Hundeprotomen der Skylla-Gruppe.

Unter diesem Arrangement hing an einem anderen kräftigen Eisenanker das riesige linke Bein, das schon an der Ausgrabungsstelle aufgefallen war. Es war nun durch die vierkantige Verstrebung mit dem Frag-

Erster Aufstellungsversuch der sogenannten Pasquino-Gruppe in Sperlonga. Mit den Fragmenten von Kopf und Arm eines Kriegers, der einen Gefallenen (Beine und linke Hand erhalten) aus der Schlacht trägt, ist der im Verhältnis zu kleine Körper des Odysseus aus der Polyphem-Gruppe verbunden, dessen Kopf mit dem Palladion einer anderen Gruppe zusammengestellt ist. Zustand 1963.

Vorläufige Aufstellung von Fragmenten der Skylla-Gruppe von Sperlonga. Zustand 1963.

ment des rechten Beines verbunden, und man erkannte sofort, daß der Ausgräber seine schon damals geäußerte Vorstellung verwirklicht hatte. Es sah so aus, als sei der Riese auf sein rechtes Knie niedergesunken und wehre sich mit über dem Haupt erhobenen Händen gegen ein Untier, das in unvorstellbarer Weise aus dem Ansatz eines dicken Schlangen- oder Fischschwanzes hervorwachsen sollte, welcher an der Basis der ganzen merkwürdigen Gruppe ansaß. Rund um diese phantastische Zusammenfügung, die in der Mitte des sechseckigen Saales durch die ganze Raumhöhe nach oben stieß, standen drei weitgehend erhaltene, lebhaft bewegte Figuren, von denen allerdings nur eine noch ihren Kopf besaß. Der Mann blickte voll abgründigen Entsetzens auf das Schauspiel, streckte die Rechte wie abwehrend aus und ließ mit der Linken einen faltigen Ledersack sinken, dessen unteres Ende abgebrochen war.

Von den beiden anderen war der eine nackt wie der schon Erwähnte und schien mit beiden Händen einen Felsbrocken oder Balken hochzustemmen, dessen abgerundetes Ende er noch in der Rechten hielt. Der andere in allen Körperformen weicher Gebildete hatte ein Mäntelchen über den Rücken geworfen, in das er auch den linken Arm gewunden hatte, und in der linken Hand hielt er einen Gegenstand, der sich später als das Heft eines zum Ziehen bereitgehaltenen Schwertes erweisen sollte. Vorläufig waren wir ratlos, als wir den Beischriften entnahmen, daß diese immerhin auch über 2 m großen Männerfiguren die Kinder Laokoons seien, die erschrocken dem Angriff des Drachen zuschauen.

Uns wurde sofort klar, daß auch diese Anordnung nicht das Richtige treffen konnte.

Nachdem ich mir an Ort und Stelle ein Bild zu machen versucht hatte, wie die Bewegung der einzelnen Glieder sich sinnvoller zu einem Ganzen fügen könnte, und zu der Schlußfolgerung gekommen war, daß es sich bei den Skulpturen um mehrere Gruppen aus dem Odysseus-Mythos und bei der größten um eine Darstellung der Blendung des Riesen Polyphem handeln müsse, diskutierte ich meine Hypothesen mit den Kollegen und setzte mich noch am gleichen Abend hin, um einen kurzen Aufsatz[124] zu schreiben, dem ich die folgenden Zeilen entnehme:

»Versucht man, sich anhand der Fragmente den ursprünglichen Aufbau der Polyphem-Gruppe zu vergegenwärtigen mit dem auf einem Felsensitz halb sitzenden, halb liegenden Riesen, der das linke Bein ausstreckt, das rechte angezogen und unter den linken Oberschenkel geschlagen hat und die Hände schlaff herabhängen läßt; weiter die auf felsigem, ansteigendem Gelände um ihn herum aufgestellten Figuren der Griechen und des Odysseus, die den Kyklopen trunken gemacht haben und ihm nun die Keule ins Auge stoßen, so wird einem die erstaunliche

Ähnlichkeit zu dem Relief mit der Blendung Polyphems in Catania nicht entgehen. Der Riese liegt dort so auf einem Felsensitz hingestreckt, daß man die Haltung der Beine unmittelbar mit der des Kolosses von Sperlonga vergleichen kann. Vor allem wird durch diesen Vergleich verständlich, warum dessen rechter Unterschenkel auf der Höhe des Knöchels mit dem linken Oberschenkel durch eine Stütze verbunden ist. Der rechte Fuß des Riesen war auf dem felsigen Untergrund höher aufgesetzt, während das linke Bein, lang ausgestreckt, tiefer herabhing. Auch die lockere, von Rausch und Schlaf gelöste Haltung der Arme erklärt sich, wenn man das Relief zu Rate zieht. Der rechte Arm lag quer über dem Leib; auf seiner Unterseite ist der Ansatz noch erhalten. Die Hand hat sich geöffnet, der Becher, den Odysseus dem Riesen gereicht hatte, ist ihr entfallen; der linke Arm hing schlaff über den Felsen herab. Aber nicht nur der Riese, sondern noch manche andere Einzelheit des Reliefs stimmt mit der Gruppe in Sperlonga in so erstaunlichem Maße überein, daß man nicht umhin kann, das Relief für eine Nachbildung der Gruppe zu halten.«

Inzwischen war zu erfahren, daß auch ein bedeutender norwegischer Kollege, Professor Hans Peter L'Orange[125], sich mit den Skulpturen von Sperlonga befasse, und so beschloß ich, ihm gleich von meinen Beobachtungen zu berichten. Ich zeigte ihm auch ein altes Foto des Reliefs von Catania, auf dem nach meiner Vorstellung die ganze Gruppe mit der Darstellung der Blendung Polyphems von einem antiken Bildhauer, der noch Kenntnis von dem Original hatte, wiederholt worden war. Der Gelehrte hörte aufmerksam zu, und durch seine Vermittlung erhielt ich dann die Nummer des Svenska Dagbladet vom 3. 9. 1964, in der Gösta Säflund die Entdeckung eines nicht im Museum von Sperlonga ausgestellten, sondern im Museumsmagazin aufbewahrten rechten Männerarmes bekannt machte, der in der gleichen Weise wie der vom Rücken gesehene Gefährte des Odysseus auf dem Relief von Catania ein Stück des Pfahles umklammert, mit dem Polyphem geblendet wird.

Dieses Armfragment und eine alte Zeichnung des Reliefs von Catania, welche J. Houel 1784, also noch vor der Ergänzung desselben, angefertigt hatte, waren in der Zeitung nebeneinander abgebildet, so daß sofort der Eindruck entstand, Gösta Säflund habe die gleichen Beobachtungen im Museum von Sperlonga gemacht und der in der vorhergehenden Nacht geschriebene Aufsatz sei überflüssig. In der weiteren Diskussion mit Hans Peter L'Orange stellte sich aber heraus, daß es so einfach nicht war.

Die Vorstellungen Gösta Säflunds und des Verfassers über das Verhältnis des Reliefs von Catania zur Polyphem-Gruppe von Sperlonga gingen erheblich auseinander[126]. Welche Hypothesen über die Zuweisungen der einzelnen Fragmente an die Polyphem-Gruppe oder an andere Gruppen die größere Wahrscheinlichkeit für sich hatten, konnte nur durch eine gründliche und sachliche Diskussion in den dafür vorgesehenen Publikationsorganen geklärt werden. So wurde der Aufsatz denn veröffentlicht, und es begann eine ungemein spannende wissenschaftliche Auseinandersetzung, die auch heute, ein Vierteljahrhundert nach der Entdeckung der Skulpturen von Sperlonga, noch nicht abgeschlossen ist und, wie sich abzeichnet, auch schwerlich jemals abgeschlossen werden kann.

Es geht allerdings auch um nichts Geringeres als um die Datierung und damit um die geschichtliche Einordnung des nach den Worten eines der bedeutendsten Teilnehmers an dieser Diskussion, Peter Heinrich von Blanckenhagen[127], »wohl berühmtesten Stücks antiker Skulptur«, der Laokoon-Gruppe im Vatikan.

An dieser Stelle wird es den Leser interessieren, wer denn die anderen Teilnehmer an dieser, zum Teil mit großer Heftigkeit, dann aber wieder mit Gelassenheit und nicht selten auch mit einer gewissen Oberflächlichkeit geführten Diskussion kennenzulernen.

Einige besonders wichtige Persönlichkeiten, die sich um die Lösung des schwierigen kulturgeschichtlichen Problems bemüht haben, sind schon begegnet.

Es ist merkwürdig, daß der Ausgräber von Sperlonga, der den für alle Zeiten grundlegenden ersten Bericht[128] darüber vorgelegt hat, Giulio Jacopi, später nicht mehr in die Diskussion eingegriffen hat. Giulio Jacopi war nicht der Entdecker von Sperlonga.

Nachdem schon Rossini in seinem 1839 erschienenen Stich[129] die romantische Schönheit des Blicks aus der Höhle von Sperlonga auf die antiken Reste der Tiberius-Villa und auf das Vorgebirge mit dem reizvollen Fischerdörfchen bekannt gemacht hatte, war unseres Wissens der erste Archäologe, der die Höhle betreten hat, Pacifico di Tucci, der im Auftrag G. Fiorellis, des berühmten Ausgräbers von Pompeji, im Jahre 1880 nach Sperlonga gesandt worden war. Er berichtete[130], im Zentrum der Grotte einen Haufen barbarisch zerschlagener Marmorsplitter gesehen zu haben. Diese müssen zum halb aus der Verschüttung aufragenden Oberkörper Skyllas gehört haben, von dem später keine Fragmente mehr gefunden wurden. Zwar zeigte man dem Archäologen G. Patroni[131], der achtzehn Jahre danach Sperlonga besuchte, den Kopf und die linke Hand einer großen Figur, in denen einige Wissenschaftler[132] jetzt verschollene Teile der Skylla-Gruppe erkennen wollen; doch ist dies eher unwahrscheinlich, weil die Finder der Fragmente Patroni berichteten,

Erste Aufstellung der Skulpturen von Sperlonga als Laokoon-Gruppe. Zustand 1963.

Details aus der obenstehenden Abbildung. Um aus den Fragmenten eine Laokoon-Gruppe zu machen, wurden die Arme an Stangen frei aufgehängt, als ob sich der aufs rechte Knie gesunkene Mann gegen ein Untier zur Wehr setzte.

Diese Gegenüberstellung zeigt die beiden Versionen der Anordnung wesentlicher Fragmente aufgrund der Deutung als Laokoon oder als Polyphem.

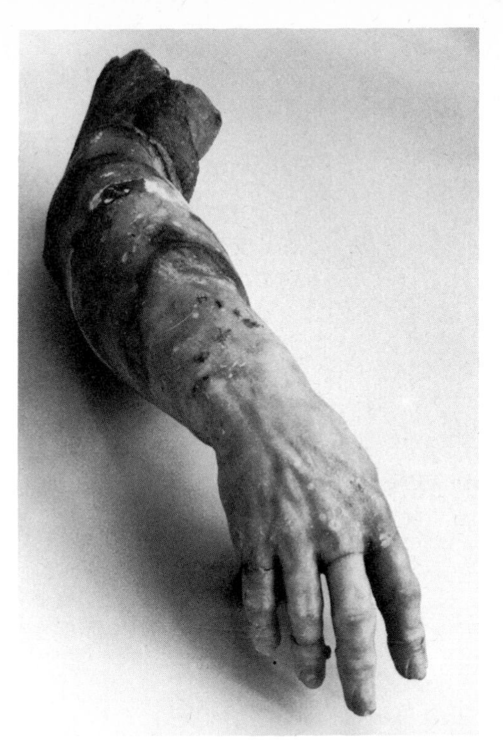

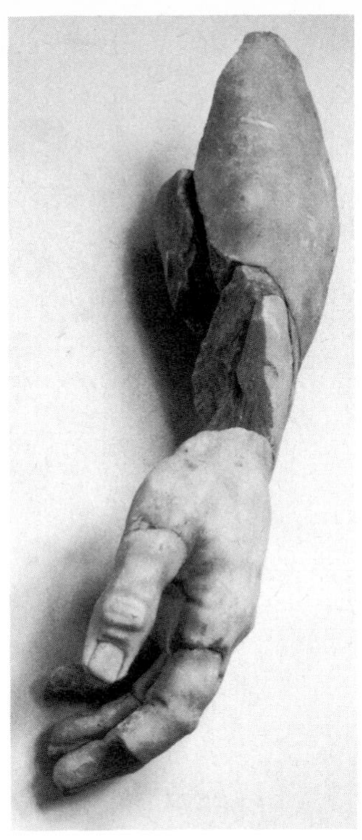

Die entspannte Muskulatur der Arme und Hände zeigt, daß die Arme nicht nach oben gereckt sind, sondern locker herabhängen. Die Stütze an der Ferse läßt erkennen, wie die Beine (Bild links unten) richtig aufgestellt werden müssen.

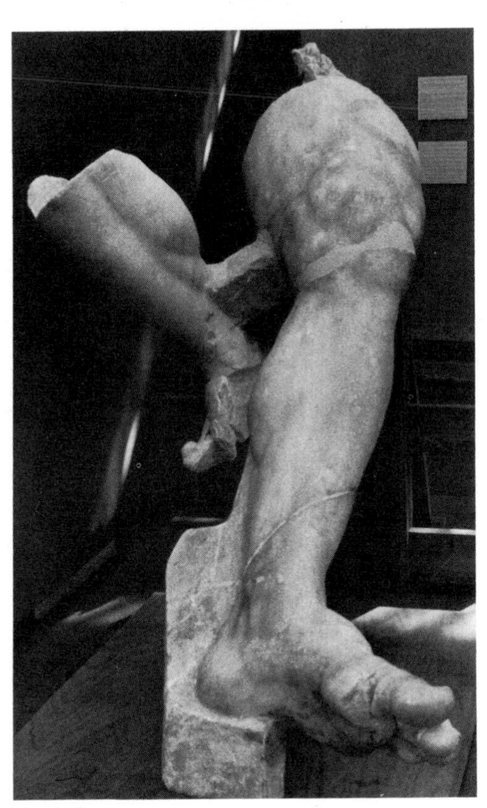

Auf dem Relief von Catania ist die gleiche Komposition wiederholt, die man aus den Fragmenten von Sperlonga erschließen kann.

sie hätten die Statue, von der die Fragmente stammten, für einen Herkules gehalten.

Sperlonga lag verkehrsmäßig so ungünstig, daß erst zwei Generationen später wieder von einer Beschäftigung mit der Topographie dieses im Altertum berühmten Ortes die Rede ist. 1956 unternimmt das Institut für Bauforschung an der Universität Rom unter Leitung des Architekturprofessors F. Fasolo[133] eine Bauaufnahme der römischen Villenreste an der Küste bei Sperlonga. Damals wird auch der erste Plan der zu dieser Zeit noch unberührten Tiberius-Höhle gezeichnet.

Doch diese baugeschichtlich interessanten Studien hatten noch keine archäologischen Ausgrabungen ausgelöst. Es war, wie bei manchen anderen spektakulären Entdeckungen der Archäologie, einem Außenseiter, dem Straßenbaumeister Enrico Bellante, vorbehalten, als erster in der Tiberius-Höhle den Spaten anzusetzen.

Ich muß gestehen, daß dieser ungewöhnliche Mann unter allen Persönlichkeiten, denen ich im Zusammenhang mit Sperlonga begegnet bin, einen besonders tiefen Eindruck auf mich gemacht hat. Ich habe ihn erst vierzehn Jahre nach dem ersten denkwürdigen Besuch in Sperlonga kennengelernt, denn er hatte schon einige Tage zuvor die im wahrsten Sinne des Wortes sagenumwobene Grabungsstelle endgültig verlassen. Er hatte dort in nur vierzehntägiger Arbeit zwischen dem 11. und dem 25. September 1957 mehr Skulpturen gefunden als je ein anderer Archäologe im ganzen 20. Jahrhundert. Nur bei den großen Ausgrabungen des 19. Jahrhunderts in Delphi, Olympia, Pergamon waren solche Mengen von Skulpturen angefallen. Dieser saloppe Ausdruck kommt einem in den Mund, denkt man daran, wie mit archäologisch ungeübten Arbeitern die Verschüttung des Höhlenbodens mehr oder weniger planlos abgeräumt wird und dabei ein mit Steinen eingefaßtes kreisrundes Becken zutage kommt, das fast bis zum Rand mit kleinen und großen Marmorbruchstücken von hervorragender Bildhauerarbeit angefüllt ist.

Bei allem Bedauern darüber, daß diese Ausgrabung, die eine der bedeutendsten des ganzen Jahrhunderts hätte sein können, nicht mit jener Akribie durchgeführt wurde, welche die Wissenschaft heute verlangen muß, kann man nicht umhin, die Methode zu bewundern, mit der Enrico Bellante die Ausgrabungsergebnisse festgehalten hat. Und das besonders im Vergleich zum letzten Drittel der Ausgrabungen, das nicht mehr von ihm, sondern von der Archäologischen Soprintendenz ausgeführt wurde.

Damals zeigte sich, daß ein Straßenbaumeister ein im Sinne Vitruvs rundum ausgebildeter Mann sein muß. Seine Aufgabe war nicht oder zumindest nicht in erster Linie, eine kurze Verbindung zwischen großen

Zentren herzustellen, denn diese Aufgabe war bereits durch den Bau der Autostrada del Sole von Rom nach Neapel gelöst, die die seit 312 v. Chr. diesem Zweck dienende Via Appia entlastete, sondern es ging darum, eine Panoramastraße zu schaffen, welche die landschaftlichen und kulturellen Schönheiten des Küstengebirges zwischen Terracina und Gaeta dem Tourismus erschloß.

Enrico Bellante war Humanist. Er hatte seinen Strabon gelesen, der die Schönheit und Pracht der römischen Villen am Golf zwischen Terracina und Formia gerühmt hatte[134]. Hier führte die Via Flacca entlang, ein nur durch Saumtiere und Sänftenträger begehbarer, aber gut ausgebauter Weg entlang der Küstenlinie mit ihren Steilabfällen, tief einschneidenden Bachschluchten und immer wieder damit abwechselnden halbmondförmigen Sandstränden. Der moderne Straßenbaumeister, der diesen antiken Weg durch eine neue Asphaltstraße ersetzen sollte, hatte auch Tacitus und Sueton gelesen, die zur Erklärung einer politisch überaus wichtigen Entscheidung des Kaisers Tiberius übereinstimmend, aber offenbar auf verschiedenen Quellen fußend, von einem Steinschlag in der kaiserlichen Villa von Sperlonga berichteten, bei dem Kaiser Tiberius im Jahre 26 n. Chr. beinahe ums Leben gekommen wäre.

Enrico Bellante folgerte mit Recht, daß etwas von der Pracht dieses kaiserlichen Praetoriums noch erhalten sein müsse, auch wenn die Höhle damals zum Teil eingestürzt war. Er erbat sich von der Soprintendenza archeologica in Rom die Erlaubnis zu einer Versuchsgrabung.

Es ist höchst bedauerlich, daß Enrico Bellante niemals selbst über seine archäologische Unternehmung geschrieben hat, sondern daß alles, was der Wissenschaft darüber bekannt geworden ist, aus den wenigen Unterredungen stammt, die er mit Baldo Conticello und dem Verfasser darüber geführt hat, und aus dem überaus wichtigen Material, das er für die Publikation der mythologischen Skulpturengruppen von Sperlonga[135] zur Verfügung gestellt hat. Dabei handelt es sich vor allem um die Fundpläne der wichtigsten Skulpturenfragmente, die in den ersten vierzehn Tagen der Ausgrabung freigelegt wurden. Enrico Bellante war archäologisch ein Autodidakt, aber ihm stand eine Vermessungstechnik zu Gebote, von der Archäologen nur träumen können. So hat er das kreisrunde Becken, in das bei der Zerstörung der Höhlenausstattung die Marmorfragmente geworfen worden waren, vom Mittelpunkt aus in 105 Radien zerlegt, die von konzentrischen Kreisen im Abstand von 50 cm geschnitten werden, und hatte so das Ausgrabungsgebiet in ein Raster eingeteilt, durch das man unter Berücksichtigung der Höhe innerhalb des 1,50 m tiefen Beckens die Position eines jeden zutage kommenden Fragmentes genau festhalten konnte. Im Zentrum des Beckens, wo, wie sich später herausstellte, ursprünglich die Gruppe von Skylla und dem Schiff des Odysseus ihren Platz gehabt hatte, wurde ein Theodolit aufgestellt, dessen Position durch vier mit roter Farbe markierte charakteristische Punkte an den Höhlenwänden, vier sogenannte *Riferimenti,* genau fixiert war. Sobald nun bei den Ausgrabungen ein Skulpturenfragment aus dem Sand und Schlamm der Verschüttung auftauchte, wurde ein Zettelchen mit einer Nummer daraufgeklebt, und unter der gleichen Nummer wurden die mit dem Theodoliten exakt vermessene Länge, Höhe und Breite in ein fortlaufendes Grabungstagebuch eingetragen. Auf diese Weise waren schon Tausende von Fragmenten geborgen worden, als der Ausgräber zu Füßen des Standortes des Theodolits auf eine zerbrochene Marmorplatte mit einer mehrere Zeilen umfassenden griechischen Inschrift stieß. Er rief sofort den Soprintendenten in Rom an und berichtete von seinem Fund.

Es ist bezeichnend für die ältere Schule der Altertumswissenschaft, daß eine Inschrift noch größeres Interesse erweckt als die prächtigsten Skulpturenfunde. In der Tat besitzt eine Inschrift eine andere Art von Evidenz als ein nur aufgrund seines Stiles zu beurteilendes Kunstwerk. Die Skulpturen von Sperlonga mögen der Laokoon-Gruppe im Vatikan so ähnlich sehen wie ein Zwilling dem anderen, niemand hätte ohne die Inschrift gewagt, sie mit den gleichen Bildhauern unmittelbar zu verbinden. So aber schien die Sensation perfekt. Giulio Jacopi begab sich sofort an den Ort der Ausgrabung und erkannte, als er die Namen der Laokoon-Künstler las, mit einem Schlage die außerordentliche Bedeutung dieser Funde.

Wir wissen nicht, was sich zwischen dem zuständigen Leiter der Antikenbehörde und dem Straßenbauingenieur abgespielt hat, der zwar als Laie, aber doch mit erstaunlicher Hingabe und Genauigkeit auf seine eigenen Kosten den größten Teil der Skulpturen von Sperlonga ausgegraben hatte. Tatsache ist, daß von nun an die Soprintendenz die Ausgrabung übernahm und daß Enrico Bellante den Ort verließ und alle Unterlagen seiner Ausgrabungen mitnahm, sei es, daß man ihn nicht um deren Überlassung gebeten oder diese nicht für nötig befunden hatte, sei es, daß ihm die Art und Weise, wie ihm die Grabungskonzession entzogen wurde, nicht zusagte. Jedenfalls ist er erst vierzehn Jahre später auf Einladung des neuen Direktors des Nationalmuseums von Sperlonga, Baldo Conticello, an den Ort zurückgekehrt. Der Verfasser war bei diesem denkwürdigen Zusammentreffen zugegen und hat ebenso die Offenheit bewundert, mit der Enrico Bellante alle wissenschaftlich interessierenden Fakten seiner Ausgrabung mitteilte sowie wertvolle Fotos und vor allem die entscheidend wichtigen Fundpläne und -notizen zur Verfügung stellte und wie absolut zurückhaltend er in allen das Verhältnis zur Soprintendenza betreffenden Fragen war.

Giulio Jacopi, eine starke und begabte Persönlichkeit, hat sich durch die rasche Veröffentlichung der Ausgrabungsergebnisse und durch seine tatkräftigen Bemühungen, die Fundstücke der Öffentlichkeit möglichst bald zugänglich zu machen, entscheidende Verdienste erworben. Für ihn war das Museum von Sperlonga nach seinen eigenen Worten »nicht ein Endpunkt, sondern ein Ausgangspunkt künftiger Forschungen und Schlußfolgerungen über alle Fragen, die bei den bis dahin unternommenen Forschungen offengeblieben waren«.[136] Daß er sich durch die rasche Zugänglichmachung der Funde der Kritik aussetzen würde, hat er in Kauf genommen. Man darf nun, im Abstand von fast einer Generation, sagen, daß er in Sperlonga das Opfer teils einer idealistischen altertumswissenschaftlichen Ausbildung geworden ist, für die eine Schriftquelle wichtiger war als ein archäologisches Zeugnis, teils aber auch der Organisation der italienischen Antikenverwaltung in viel zu großen Einheiten mit alleiniger Verantwortlichkeit und Weisungsbefugnis des Soprintendenten. Das archäologisch ungemein reiche Gebiet von Rom und Latium mit Ausnahme des Forum Romanums, Ostias und des südlichen Etruskerlandes unterstand seiner Aufsicht. Dieses riesige Gebiet war für die Arbeitskraft eines einzigen Mannes, der die ganze Verantwortung dafür zu tragen hatte, einfach zu groß.

Da es nicht möglich gewesen war, die Skulpturenfragmente nach Rom zu bringen, konnte er die Durchführung seiner Rekonstruktionsanweisungen nicht ständig am Ort verfolgen, wie das in einem so komplexen Fall wie Sperlonga notwendig gewesen wäre. So ist die verwirrende Rekonstruktion der Skulpturengruppen von Sperlonga wohl als das Werk eines phantasievollen, aber nicht von wissenschaftlichen Kriterien kontrollierten Restaurators anzusehen; also eher die ästhetisch nicht ungekonnte Präsentation eines in disparatem Zustand vorgefundenen fragmentarischen Materials als ein sorgfältig begründeter Rekonstruktionsversuch. Vor allem brauchte bei dieser Art Rekonstruktion die Laokoon-These, die in aller Welt Schlagzeilen gemacht hatte, nicht widerrufen zu werden.

Dies blieb der wissenschaftlichen Kritik vorbehalten, die eine lebhafte, zum Teil in der Tagespresse geführte Diskussion hervorrief, an welcher sich außer anderen vor allem Baldo Conticello, der Nachfolger von G. Jacopi als Direktor des Nationalmuseums von Sperlonga, H. P. L'Orange, der Urheber der Bezeichnung »Die Odyssee in Marmor von Sperlonga«[137], Helga von Heintze[138], Hellmut Sichtermann[139], Gösta Säflund[140], Karl Kérenyi[141], Peter Heinrich von Blanckenhagen[142],

H. Lauter[143] und Roland Hampe[144] beteiligten. Hans Riemann[145] hat die Forschungsergebnisse dieser Archäologen kritisch gesichtet und dargelegt, wieviel noch zu tun bleibt.

Während die meisten Beiträge zu den verwickelten Problemen von Sperlonga deren Lösung in kleineren oder größeren Schritten förderten, hatte Roland Hampe[146] durch den ebenso verblüffenden wie verwirrenden Vorschlag, die Ausstattung der Höhle von Sperlonga sei weniger von Homer als vielmehr von Vergil angeregt, für eine erhebliche Anheizung der Diskussion gesorgt.

Anlaß dazu war die Erwähnung Vergils in einer offenbar an der Höhlenwand angebrachten Inschrifttafel, deren gedrechselte Verse ein gewisser Faustinus Felix verfaßt hatte[147]. Zunächst schien diese Tafel, die eine Art von Beschreibung des Eindrucks enthält, den ein Besucher der Grotte haben konnte, recht einfach zu deuten. Sie besagt, *daß Vergil, wenn er die Höhle hätte sehen können und die Listen des Ithakers, das mit glühendem Pfahl geraubte Augenlicht des Halbwilden, der von Wein und Schlaf trunken ist, voller Bewunderung gewesen wäre. Nach der Betrachtung der Höhlen und lebendigen Seen, der kyklopischen Felsen, Skyllas grausamer Wut und des im Strudel zerschlagenen Schiffsheckes, hätte er von dannen gehend zugegeben, daß man im Epos dies alles so lebendig nicht hätte darstellen können wie die Hand der Künstler, die nur die Natur übertrifft.*

Den in den beiden letzten Versen als Verfasser oder Dedikanten der Inschrift erwähnten Faustinus glaubte man als den gleichnamigen von Martial erwähnten Freund des Kaisers Domitian identifizieren zu können, was zu verschiedenen inzwischen als grundlos erwiesenen Hypothesen führte[148]. Genauere philologische und epigraphische Untersuchungen hatten nämlich ergeben, daß die Inschrift wohl erst in der Spätantike angebracht worden war. Da man in Sperlonga auch den Bildniskopf eines Tetrarchen[149], das heißt eines der drei Mitregenten des Kaisers Diokletian aus der Zeit um 300 n. Chr., gefunden hat und die Höhle damals noch in Benutzung gewesen ist, liefert diese Inschrift, so interessant sie als literarisches Zeugnis auch sein mag, nicht mehr als den Beweis, daß die homerischen Skulpturengruppen zu dieser Zeit noch bewundert wurden, also beim Steinschlag unter Tiberius jedenfalls nicht zerstört worden waren. Alle anderen Schlußfolgerungen hingegen gehören der Wissenschaftsgeschichte an. Sie brauchen hier nicht erörtert zu werden, zeigen aber, wie lebhaft die außerordentlichen Entdeckungen von Sperlonga und die Konsequenzen, die sich aus ihnen für die Kunst- und Kulturgeschichte der frühen Kaiserzeit und des Hellenismus abzeichneten, die Gemüter beschäftigten.

IX

DIE REKONSTRUKTION DER POLYPHEM-GRUPPE

S.121 Rekonstruktionsversuch der Polyphem-Gruppe.

DER von einem gewissen Punkt an unfruchtbaren wissenschaftlichen Diskussion konnte man am Ende nur durch den Versuch einer im einzelnen begründeten Rekonstruktion der Skulpturengruppen von Sperlonga entkommen. Aber dies war leichter gesagt als getan. Denn es gab keine erprobte Methode, nach der man eine Skulpturengruppe von dieser Größenordnung unter wissenschaftlichen Gesichtspunkten rekonstruieren konnte.

Bildhauer früherer Generationen hatten zwar, meist im Auftrag der Besitzer, beschädigte antike Skulpturen oft mit großem Aufwand und nicht geringem Geschick ergänzt. Aber gerade an diesen Skulpturen hatte die moderne ästhetische Kritik zu Recht festgestellt, daß schon der geringste Eingriff in die künstlerische Substanz eines alten Werkes ganz gleich welcher Epoche unzulässig ist. In den Museen war geradezu eine Manie der Entrestaurierung eingetreten, bei der man auch vor den Rekonstruktionsbemühungen so bedeutender Bildhauer wie Vernini und Thorwaldsen nicht haltmachte. Es war also von vornherein undenkbar, die Originale selbst zu ergänzen oder sie auch nur zu Versuchen heranzuziehen, in denen die möglichen Positionen der Fragmente erprobt werden sollten. Die Marmortorsen waren viel zu schwer und die Oberfläche der außerordentlich fein bearbeiteten Fragmente viel zu leicht verletzlich, als daß man mit diesen selbst hätte arbeiten können.

Bernhard Schweitzer[150] hatte in den dreißiger Jahren in der Nachfolge Studnickas und anderer die sogenannte Pasquino-Gruppe, von der auch in Sperlonga eine Replik in Fragmenten gefunden wurde, durch den Bildhauer Fr. Hackebeil in Gips ergänzen lassen. Er hatte dabei zwar das Kunstwerk nicht wiederhergestellt, aber er hatte während der langjährigen Arbeit an diesem Projekt so viele Erkenntnisse über künstlerisches Wesen und Aussage der berühmten Skulpturengruppe zutage gefördert, daß dies allein den Aufwand schon gelohnt hat. Er konnte sich bei seiner Arbeit der in den verschiedenen Gipsformereien käuflichen Gipsabgüsse der Repliken dieser Skulpturengruppe bedienen.

Von den Skulpturen von Sperlonga existierten jedoch keine Formen, aus denen man Abgüsse hätte machen können, und in der Zwischenzeit war die Gipsformerei nahezu unerschwinglich geworden. Alle Skulpturen von Sperlonga nach der alten Methode der Ton- oder Gipsstückform abformen zu lassen, hätte Summen verschlungen, die nicht zur Verfügung standen. Nur den Kopf des Odysseus haben wir von dem großen Meister der Gipsformerei, Luigi Mercatali, abformen lassen, weil jede andere denkbare Technik für die dünnen Stege der frei herausgearbeiteten Haare womöglich hätte gefährlich werden können. Aber schon aus dem Aufwand an Können und Zeit für diesen einen Kopf wurde klar,

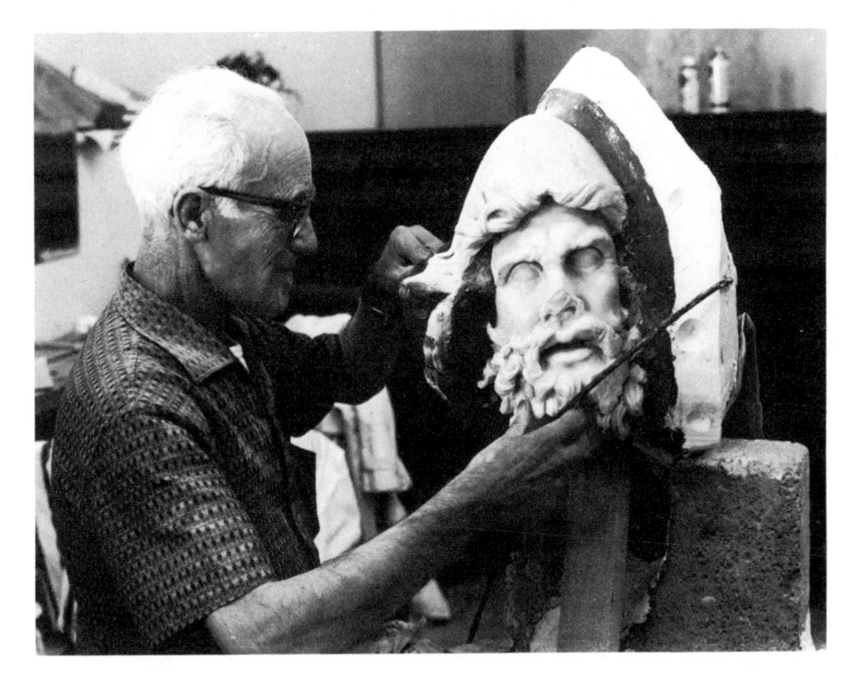

Luigi Mercatali beim Anfertigen einer Ton-Stückform.

daß diese Methode für die einmalige Aufgabe in Sperlonga nicht mehr anwendbar war.

Es kommt noch hinzu, daß Gipsabgüsse zwar wesentlich leichter als Marmorskulpturen sind, daß sie aber doch schwer beweglich und vor allem außerordentlich zerbrechlich sind. Bei den zahllosen Stellungen, die man erproben mußte, um die möglicherweise richtige herauszufinden, war der Gedanke, dies mit Gipsabgüssen tun zu müssen, nicht gerade einladend. Es gab inzwischen auch schon Versuche, Kunststoffabgüsse herzustellen, doch existierte noch kein anwendungsreifes Verfahren, so große Skulpturen wie diejenigen von Sperlonga mit einem vertretbaren Kostenaufwand ohne Gefahr für die Originale abzuformen.

Auf Anregung des angesehenen Restaurators Rolf Wihr, der damals am Landesmuseum in Trier wirkte, gelang es uns, mit Unterstützung der Glasfaserindustrie im Ruhrgebiet, ein neues Verfahren zum Abformen antiker Marmorskulpturen mittels glasfaserverstärktem Kunststoff zu entwickeln, das alle Anforderungen erfüllte, die von der Seite der Wissenschaft zu stellen waren[151].

Für die Matrizen wird glasfaserverstärkter Kautschuklatex verwendet, der die Marmoroberfläche nicht angreift oder verfärbt und außerdem selbsttrennend wirkt. Die Abgüsse werden mit glasfaserverstärktem Kunstharz (Epoxid) hergestellt, das durch Zusätze von Pigmenten ein der Marmoroberfläche ähnliches Aussehen erhält.

Zur Herstellung glasfaserverstärkter Kautschukformen werden die Figuren durch Stege aus Ton in Abschnitte eingeteilt. Die Tonstege werden auf einer Seite geglättet und mittels einer Drahtschlinge mit Kuhlen versehen, die später auf der einen Seite des Kragens der Formschalen als Buckel, auf der anderen Seite wieder als Kuhlen erscheinen. Diese gewährleisten ein sicheres Aufeinanderpassen der Formen.

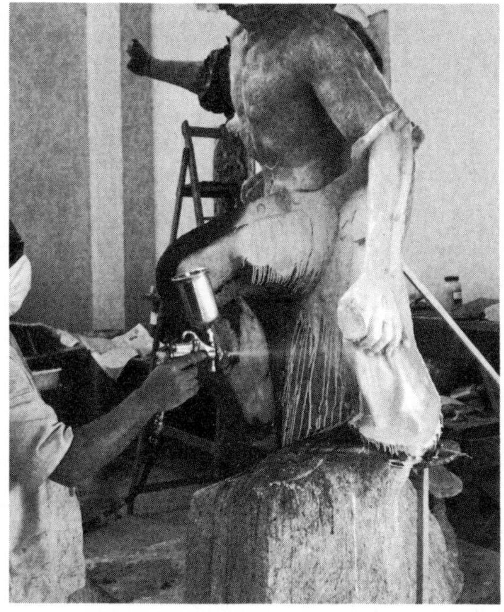

Die Abschnitte der Figuren werden nach und nach mit Kautschuklatex eingesprüht oder eingepinselt. Zuvor müssen die angrenzenden Kragen der Formschalen mit Schellack isoliert werden.

Ein neues Verfahren zur Abformung von Großplastiken in glasfaserverstärktem Kunststoff.

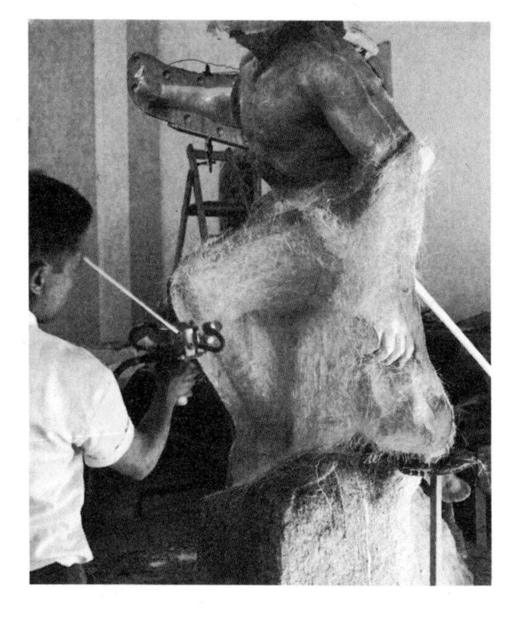

Sobald die erste Feinschicht des Kautschuk angetrocknet ist und keine Klebewirkung mehr zeigt, wird eine zweite Schicht aufgesprüht, auf die in noch feuchtem Zustand Glasfasern aufgewirbelt werden. Sie stehen entweder bereits in der gewünschten Schnittlänge zur Verfügung oder können mit Hilfe einer Spezialdruckluftpistole mit Schneidkopf auch an Ort und Stelle aus Endlosfaser in beliebiger Länge geschnitten werden.

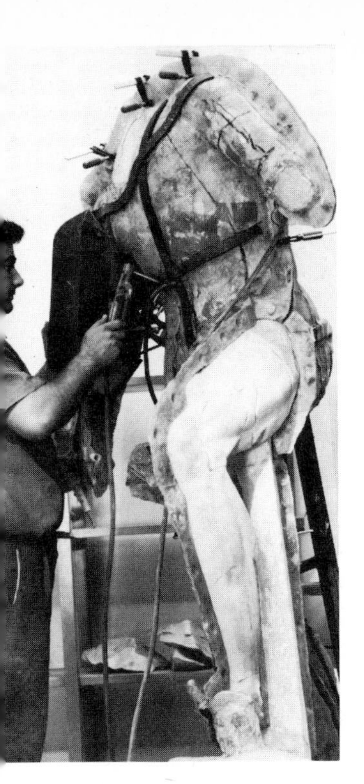

Um bei großen Formen Verwindungen zu vermeiden, ist es zweckmäßig, sie von außen durch eine Art Eisenkorsett zu versteifen, das mit kautschukgetränkten Glasgewebelappen auf den Formhälften befestigt wird. Die so erhaltenen Formschalen sind elastisch; sie können gut von Unterschneidungen abgezogen werden und kehren dabei stets wieder in ihre ursprüngliche Gestalt zurück.

Die erste Glasfaserschicht wird mit einem aus Schaumstoff geschnittenen Schwamm fest angedrückt und muß zunächst gut durchvulkanisieren, bevor in rascher Folge weitere drei bis vier Schichten Kautschuklatex aufgesprüht werden. Wenn die Form nach etwa 24 Stunden auf der einen Seite vollkommen durchvulkanisiert ist, können die Tonstege abgenommen werden. Der auf die Stege aufgebrachte glasfaserverstärkte Kautschuk bleibt wie ein Kragen um die Figur stehen. Dieser Kragen wird auf der Innenseite durch ein Trennmittel isoliert, und anschließend wird in entsprechender Weise die andere Formschale hergestellt.

Die sorgfältig mit Trennmittel behandelten Formschalen werden sodann mit pigmentiertem Epoxidharz ausgestrichen. Bevor die erste Schicht völlig ausgehärtet ist, werden die Formschalen exakt aufeinandergepaßt, um zu verhindern, daß an den Nähten Spalten, leichte Versetzungen oder Stufen entstehen. Zu diesem Zweck empfiehlt es sich, die Formschalen aufeinander zu schrauben und in der Knickfurche mit Leimzwingen fest aufeinanderzupressen. Ist die erste Feinschicht ausgehärtet, können sich die Formen nicht mehr verziehen. Die Schalen werden dann wieder auseinandergenommen mit 3 bis 4 Schichten Glasfaser und Epoxidharz und mit einer Wanddicke von 3 bis 5 mm auslaminiert. Zur Erhöhung der Festigkeit wird mindestens eine durchgehende Schicht Glasfasermatten eingelegt.

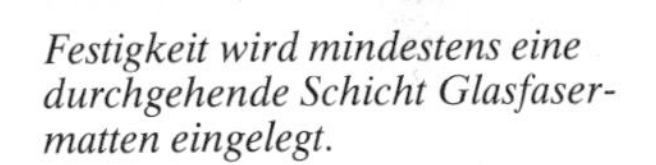

Nach Abhärtung des Laminats in den Formschalen werden diese wieder aufeinandergepreßt. Sodann werden die Nähte von innen mit Epoxid vergossen. Wo dies durch Öffnungen von außen möglich ist, werden die Formschalen mit epoxidgetränkten Glasfaserlappen auf der Innenseite aneinandergeheftet. Schließlich werden die Kautschukformen abgenommen, eventuelle Gußnähte sorgfältig und ohne Verletzen der Oberfläche abgefeilt und der Abguß ist fertig.

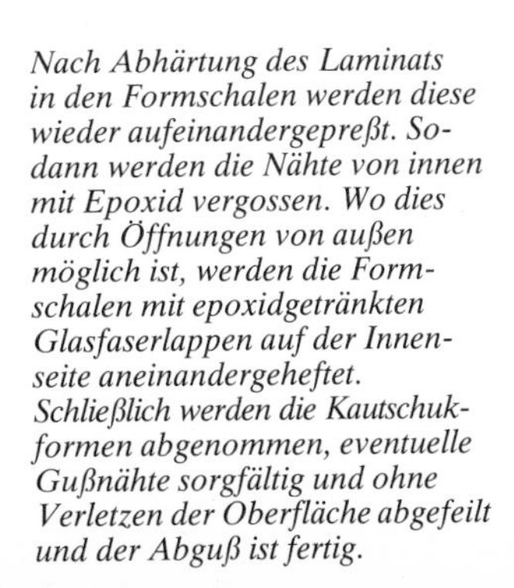

Epoxid-Abgüsse sind formgenau, unzerbrechlich und um 99% leichter als die Marmorskulpturen.

Die so erstellten Abgüsse besitzen eine Fülle von Vorteilen gegenüber aus Ton- oder Gipsstückformen gewonnenen Gipsabgüssen. Das Abformverfahren ist einfacher, sehr viel weniger zeitraubend und wegen der Reduzierung der Nähte auch exakter. Es erfordert keine spezielle Ausbildung und kann überall von jedermann ausgeübt werden. Die Abgüsse sind leicht, unzerbrechlich und einfach zu pflegen. Da sich das Material mit Schneid- und Feilgeräten bearbeiten läßt, außerdem nachträglich aufgebrachtes Epoxid mit der Unterlage fest abbindet, eignet es sich auch ausgezeichnet für Restaurierungsarbeiten, wie sie bei den Skulpturengruppen von Sperlonga erforderlich sind.

Die Polyphem-Gruppe von Sperlonga war als erste zur Rekonstruktion ausgewählt worden, weil von ihr die meisten Fragmente vorhanden sind und weil man dank der Übereinstimmung mit der Darstellung auf dem Relief von Catania auch einen festen Anhaltspunkt für die Gruppierung der Figuren besitzt.

Für die Skylla-Gruppe, die überdies in viel kleinere Fragmente zerbrochen ist und zunächst eine jahrelange, noch immer nicht abgeschlossene Arbeit der Zusammensetzung erfordert hätte, gibt es einen vergleichbaren Anhaltspunkt nicht.

Die Pasquino-Gruppe war schon durch Bernhard Schweitzer mit Hilfe anderer Repliken rekonstruiert worden, nur in wenigen Punkten hätte diese treffende Rekonstruktion durch einen neuen Versuch verbessert werden können[152].

Die Palladionraub-Gruppe schließlich ist soweit erhalten und durch eine Wiederholung auf einem kleinasiatischen Sarkophagrelief auch so gut kenntlich, daß ein Ergänzungsversuch die Mühe kaum gelohnt hätte, zumal das Wichtigste, das Motiv des Diomedes, dessen Körper verloren ist, schlechterdings nicht rekonstruierbar ist.

Die Polyphem-Gruppe indessen, von der zwar auch nur etwa 70 Prozent in Fragmenten erhalten sind, versprach reichen wissenschaftlichen Gewinn, weil von allen Figuren genügend Teile und vor allem, bis auf die Arme des Odysseus, sämtliche Gelenkstellen vorhanden sind, so daß man hoffen konnte, die Bewegungen wenigstens annähernd zu treffen.

Allerdings sind nach Lichtenberg die kleinen Abweichungen von der Wahrheit schwerer wiegend als die großen, und diese Tatsache muß jeder erfahren, der sich an die letztlich unlösbare Arbeit macht, ein zerstörtes Kunstwerk wiederherzustellen. Überall dort, wo man mit der eigenen Phantasie das Werk des alten Meisters zu ergänzen versuchen muß, stößt man auf das Paradox, daß man sich, je näher man der Vollendung kommt, desto weiter vom Kunstwerk entfernt. Solange die Phantasie noch freies Spiel hat und hier und da zurechtrücken kann, mag es angehen. Sobald das Auge aber durch die Entscheidung für eine ganz bestimmte Ergänzung festgelegt wird, kann sich das Gefühl eines unerlaubten Eingriffs in die Autonomie des Kunstwerkes bis zur Unerträglichkeit steigern. Man versteht dann diejenigen, die ein antikes Kunstwerk weder von Michelangelo, noch von Bernini, noch von Thorwaldsen, ganz zu schweigen von einem modernen, in der abstrakten Kunst geübten Bildhauer ergänzt sehen wollen.

Allen, die so denken, und der Verfasser zählt sich selbst dazu, sei bewußt gemacht, daß der Ergänzungsversuch der Polyphem-Gruppe von Sperlonga nicht an den Originalfragmenten, sondern mit Hilfe von Abgüssen in glasfaserverstärktem Kunststoff erfolgte und daß es nicht die Absicht war, das Kunstwerk zurückzugewinnen, das entweder im kleinsten Rest noch spürbar vorhanden oder durch die Zerschlagung unwiederbringlich verloren ist.

Es geht vielmehr darum, die Kompositionsabsichten des oder der Schöpfer dieser vielfigurigen Gruppe, soweit dies möglich ist, herauszufinden und diese Schöpfung in einen historischen Zusammenhang einzuordnen, nicht sie einer rein ästhetischen Betrachtung preiszugeben. Diese muß in jedem Fall unbefriedigend bleiben. In dieser Beziehung leistet ein einziges wohlerhaltenes Originalfragment mehr. Wenn man aber die zu einem Trümmerhaufen zusammengetragenen Abgüsse der erhaltenen und nicht mehr weiter zu größeren Teilen aneinanderzupassenden Fragmente sieht, dann wird einsichtig, daß man durch die Bemühung um eine Rekonstruktion weiter vorstoßen kann zum Wesen dieses Kunstwerkes. Dann kann man es nicht einfach so liegen lassen und sich mit einer inneren Schau begnügen, auch wenn einem im Lauf der Arbeit immer wieder Zweifel wegen der Unmöglichkeit der Aufgabe kommen.

Der größte Gewinn allerdings ist es, den Weg der Rekonstruktion mitzugehen, die Überlegungen nachzuvollziehen, die sich aus der Betrachtung der Fragmente ergeben, die Argumente abzuwägen, die den Problemen gegenüber ins Feld geführt werden.

Da ist zunächst die Tatsache, daß es einen Punkt gibt, auf den die ganze in der Gruppe dargestellte Aktion sich konzentriert, nämlich das eine Auge des Riesen. In dieses Auge soll der Pfahl stoßen, der in gerader Linie die Positionen des Odysseus und der beiden Gefährten, die den Pfahl heranschleppen, weitgehend festlegt.

Auf das eine Auge des Riesen ist aber zweifellos auch der Blick des Gefährten mit dem Weinschlauch gerichtet, denn nur, wenn die Blendung gelingt, kann er gerettet werden. Fliehend wendet er noch die Augen zurück um zu sehen, ob die glühende Spitze des Pfahles ihr Ziel trifft. In gewissem Sinne ist also auch diese Figur durch eine Beziehung auf das Auge des Riesen festgelegt. In diesem Fall allerdings nur durch eine Blickverbindung, die den fliehenden Gefährten jedoch wie an einem Radius, dessen Mittelpunkt das Auge des Riesen ist, auf einen Kreisbogen um diesen bannt.

Man müßte also eigentlich bei einem Rekonstruktionsversuch vom Auge des Riesen ausgehen.

Unglücklicherweise ist der Kopf des Riesen fast ganz zerstört, glücklicherweise aber doch nicht so vollständig, daß man die Position des Auges nicht eindeutig bestimmen könnte. Ein scheibenförmiges Fragment hat den vorderen Teil des Halses und ein Stück des Mundes und der Nase erhalten, und auf der Nasenwurzel ist eine Rille zu sehen, wo kein Mensch mit zwei Augen eine Rille hat, wohl aber ein Kyklop, bei dem hier der untere Lidrand des einen im Sattel zwischen Nase und Stirn liegenden Auges sitzt.

Ein eindrucksvoller und gut erhaltener antiker Polyphem-Kopf in Boston[153] kann eine Vorstellung davon geben, wie man die Fragmente in Sperlonga zu ergänzen hat.

Bruchstück vom Kopf Polyphems, 4–26 n. Chr. Erkennbar sind die Halsmuskulatur und über dem abgebrochenen Kinn die Zähne zwischen den halb geöffneten Lippen, der herabhängende Schnurrbart, die Nasenlöcher und der Lidrand des einen Auges auf der Nasenwurzel.

(rechts oben)
Rekonstruktionsversuch des Polyphem-Kopfes von Sperlonga von H. Schroeteler zur Angabe der Position des nebenstehenden Fragmentes.

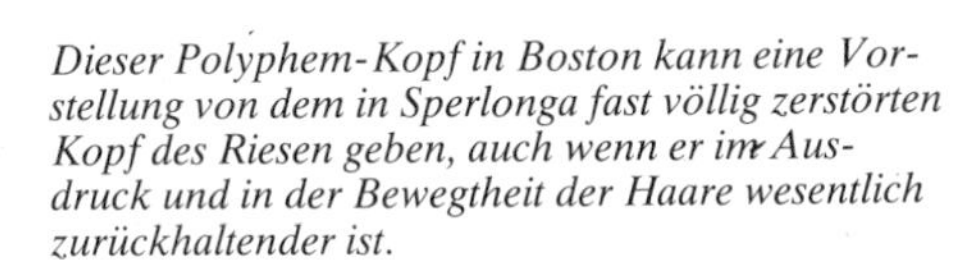

Dieser Polyphem-Kopf in Boston kann eine Vorstellung von dem in Sperlonga fast völlig zerstörten Kopf des Riesen geben, auch wenn er im Ausdruck und in der Bewegtheit der Haare wesentlich zurückhaltender ist.

Das Auge des Riesen ist also der Bezugspunkt, auf den die Aktion innerhalb der Komposition sich richtet. Eigentümlicherweise kommt das im Relief von Catania nicht heraus. Der Riese liegt hier mit nach hinten gesunkenem Kopf so schräg auf seinem Felsenbett, daß der Pfahl über ihn hinweggehen müßte. Deswegen packt Odysseus ihn bei den Haaren, offenbar in der Absicht, ihm den Kopf hochzureißen, damit das Auge in die Stoßrichtung des Pfahles kommt. Etwas Ähnliches ist bei der plastischen Gruppe nicht möglich, denn der Riese ist viel zu groß. Odysseus kann von seinem festgelegten Platz aus den Kopf des Riesen mit der linken Hand schwerlich erreichen, und dieser ist auch viel zu massig, als daß er ihn mit einer Hand hochreißen könnte. Der Reliefsteinmetz der Sarkophagnebenseite von Catania hat den Riesen im Verhältnis zu den Menschenfiguren gegenüber der plastischen Gruppe um mehr als ein Drittel verkleinert, er ist im Relief also nicht wie in der Gruppe doppelt so groß wie die Menschen, sondern nur um ein Viertel größer als diese. Die Abweichung von dem auf jeden Fall andersartigen Motiv in der plastischen Gruppe bleibt gleichwohl seltsam.

Eine besondere Schwierigkeit, für die es bisher keine befriedigende Lösung gibt, ist noch die folgende. Die Halsnickermuskeln am Kopffragment Polyphems in Sperlonga sprechen eindeutig dagegen, daß der Kopf des Riesen, wie Roland Hampe in seiner Rekonstruktion vorschlägt[154], nach vorn geneigt war. Der Kopf muß mehr oder weniger in der gleichen Schräge wie der Oberkörper gelegen haben. Wie das künstlerisch und anatomisch mit den gegebenen Fragmenten zu lösen ist, konnte bisher nicht wirklich befriedigend geklärt werden.

Bei zwei verwandten Skulpturen, und zwar beim sogenannten Barberinischen Faun in München[155] und beim Laokoon im Vatikan[156], haben die Bildhauer allerdings so gewaltsame, barocke Bewegungen der Hals- und Schultermuskulatur gestaltet, daß man nicht leicht von selbst auf derartige Motive gekommen wäre und ein solches Hochschieben der Schulter, zwischen der zum Hals hin eine tiefe, kantig ausgearbeitete Schlucht entsteht, oder eine solche zum Bersten gespannte Muskulatur darzustellen gewagt hätte. Auf jeden Fall sei zugegeben, daß in bezug auf die Haltung von Oberkörper und Kopf des Riesen der Rekonstruktionsversuch noch Verbesserungen zuläßt. Diese können allerdings nur intuitive Lösungen sein, denn die einer rekonstruierenden Logik zugänglichen Lösungen wurden in vielen Versuchen erprobt. Ein besser befriedigendes Ergebnis wurde dabei nicht erzielt. Zwei von anderen gemachte Versuche waren ebensowenig erfolgreich. Der eine ist nur zeichnerisch und setzt sich souverän über die plastischen Gegebenheiten der Fragmente hinweg[157].

Den anderen Versuch hat unter Anleitung von Baldo Conticello der sensible und befähigte Bildhauer Vittorio Moriello[158] unternommen, dem auch entscheidende Entdeckungen bei der Rekonstruktion der Skylla-Gruppe verdankt werden. Dieser Versuch ist, was die anatomische Wahrscheinlichkeit angeht, durchaus überzeugend. Aber er bietet keine einsichtige Möglichkeit, den Polyphem in eine sinnvolle Gruppenaktion zu integrieren. Wenn man den Pfahl, den die Gefährten mit Aufbietung aller Kräfte heranschleppen und den Odysseus hinter der glühenden Spitze umgreift und lenkt, nach den eindeutigen Kriterien der Fragmente in Sperlonga in gerader Linie ergänzt – und etwas anderes ist nicht vorstellbar –, dann kann er bei der Rekonstruktion von Vittorio Moriello das Auge des Riesen nicht treffen. Moriello hat deshalb die Ergänzung der ganzen Gruppe, die mit einer von uns zur Verfügung gestellten zweiten Serie von Abgüssen erfolgt ist, offen lassen müssen.

Es geht hier, wie man leicht verstehen wird, nicht um Kritik oder gar Polemik. Diese beiden nach wissenschaftlichen Kriterien erfolgten Rekonstruktionsversuche haben das Ziel, sich gegenseitig zu ergänzen und dabei die Schwierigkeiten des ganzen Problems anschaulich zu machen.

Im Verlauf dieser Arbeiten wurde jedenfalls klar, daß es eine einfache, unbezweifelbare Lösung des Rekonstruktionsproblems, besonders was die Haltung von Kopf und Oberkörper des Riesen angeht, nicht gab. Vor allem schien auf dem Wege einer isolierten Ergänzung der einzelnen Figuren und insbesondere des Polyphem, der dann als Ganzes in die Gruppe hätte integriert werden können, kein Weiterkommen möglich. Die Richtung des Pfahles läßt sich nämlich aufgrund eindeutiger Indizien so genau festlegen, daß hier nur ganz geringe Abweichungen möglich sind. Da es bis zum Beweis des Gegenteils als Voraussetzung für eine gelungene Rekonstruktion gelten muß, daß anschaulich wird, wie der Pfahl das Auge trifft, muß man eher mit einer gewaltsamen künstlerischen Lösung im Sinne einer eben noch vertretbaren anatomischen Extremlage rechnen als mit einer anatomisch glatten, kompositionell aber unbefriedigenden Lösung.

Unser Rekonstruktionsversuch ging deshalb von der Stellung der beiden Gefährten und von der Richtung des Pfahles aus, den sie halten. Diese Stellung läßt sich dank des Erhaltungszustandes der Figuren eindeutig fixieren und durch eine Reihe von Beobachtungen am Aufstellungsort der Gruppe genau kontrollieren und bestätigen. Diese Beobachtungen wurden allerdings erst möglich, nachdem die Rekonstruktion der Gruppe bereits ziemlich weit fortgeschritten war. Da sich hier wieder zeigt, daß man auf viele wichtige Beobachtungen erst im Verlauf eines Rekonstruktionsversuches stoßen kann, sei der bei der Rekonstruktion

Die Gefährten am Pfahlende. Detail der Gruppe, aufgenommen während der Rekonstruktionsarbeiten.

verfolgte Weg in seinen wesentlichen Schritten nachgezeichnet. Die Richtung des Pfahles, durch den die Haltung der Figuren festgelegt ist, kann aufgrund der Indizien bestimmt werden, welche die beiden Gefährten am Pfahlende bieten. Man darf davon ausgehen, daß die Stützen unter den Oberschenkeln der Gefährten senkrecht stehen sollen. Die beiden Stützen auf der Leistenbeuge und auf dem Oberschenkel des ersten Gefährten geben durch ihren idealen Schnittpunkt die Höhe an, in der die abgebrochene Linke dieses Mannes den Pfahl umgriff. Die so gewonnene Richtung, die sich durch Entlangvisieren an dem Stumpf des Pfahles in seiner Rechten bestätigen läßt, wird durch die Rekonstruktion des zweiten Gefährten eindeutig gesichert. Das Stück des Pfahles in dessen rechter Hand, die ihrerseits durch eine Stütze fest mit dem Oberschenkel verbunden ist, fluchtet mit dem Stumpf des Pfahles, wenn man dieses rechte Bein auf dem ansteigenden Gelände so aufstellt, daß das linke Bein in Höhe des Glutäus ansetzen kann und sich dabei parallel zum rechten, auf der gleichen Ebene stehenden Bein des Gefährten am Pfahlende verhält. Die Beine der Gefährten, von denen jeweils das eine

Das Relief (S. 115 in unergänztem Zustand) gibt die gleiche hellenistische Gruppenschöpfung wieder, die in der Gruppe von Sperlonga kopiert wurde. Es bietet wichtige Anhaltspunkte für die Rekonstruktion.

Die abgeformten Fragmente der Polyphem-Gruppe von Sperlonga.

Erste Zusammenstellung der fragmentierten Polyphem-Gruppe. Die leichten, unzerbrechlichen Kunststoffabgüsse sind auf Stangen montiert, die in Röhren laufen und Gelenke besitzen, so daß man sie in der Höhe und seitlich verstellen und alle denkbaren Positionen erproben kann.

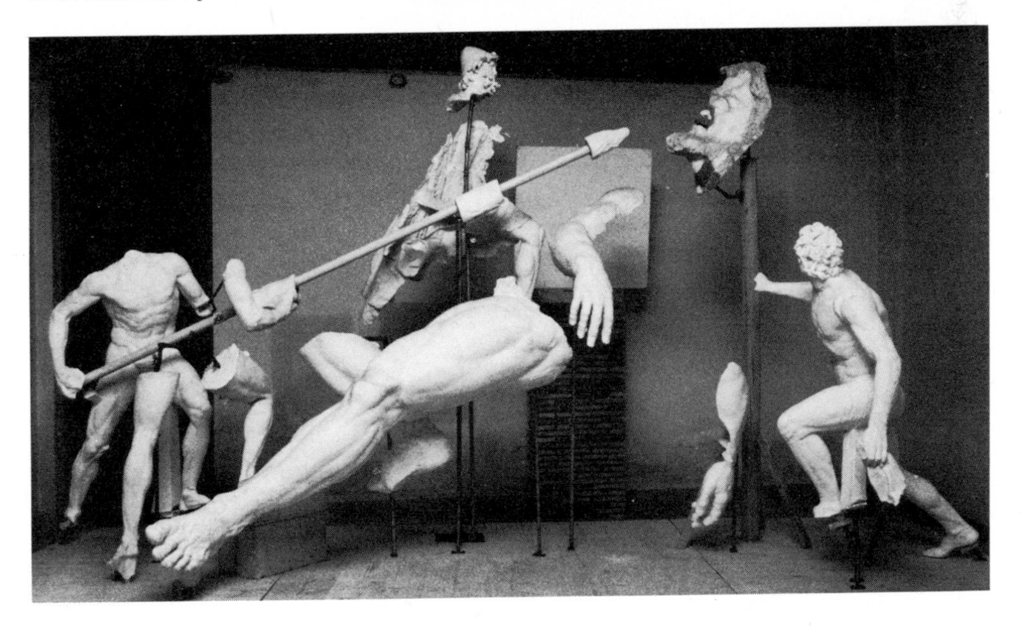

Die beiden in Sperlonga verlorenen Köpfe der Gefährten am Pfahlende konnten in der Rekonstruktion mit gfK-Abgüssen von antiken Wiederholungen, jetzt in Berlin (links, im 2. Weltkrieg zerstört) und im Vatikan (rechts), ersetzt werden, die zusammen mit einer Kopfreplik des Weinschlauchträgers, jetzt London, Britisches Museum, in der Villa Hadriana gefunden wurden.

gestreckt und das andere mit verschiedenem Beugungswinkel auf verschieden hohen Geländestufen aufgestellt ist, bilden dann eine Art räumliches Parallelogramm, welches in sich fest verstrebt ist. Als Probe aufs Exempel kann schließlich die Tatsache gelten, daß bei dieser Aufstellung die Schnittflächen des Pfahlstückes senkrecht stehen. Das ist notwendig, um die beiden Figuren, die jede mitsamt dem Stück Pfahl in den Händen aus einem einzigen Stück Marmor gehauen waren, sicher zusammenfügen zu können.

So bestätigt sich die Rekonstruktion der Gruppe am Pfahlende. Sie wirkt auch unmittelbar überzeugend, besonders wenn man diese beiden Gefährten mit den zwar nicht im Original, wohl aber in antiken Wiederholungen bekannten Köpfen ergänzt. Für die Rekonstruktion des Rumpfes des vom Rücken gesehenen Gefährten wurde übrigens ein Abguß des anderen Gefährten verwendet und dem nur wenig anderen Bewegungsmotiv angepaßt, das man aus der Haltung von Armen und Beinen erschließen kann.

Die kunstgeschichtliche Würdigung der interessanten, plastisch erfaßten Gruppierung der Gefährten am Pfahlende soll im Zusammenhang mit der Gesamtgruppe erfolgen. Zunächst gilt es, den Pfahl weiter nach oben bis zur Spitze zu verfolgen. Außer dieser Spitze ist nur noch ein weiteres 45 cm langes Stück erhalten, bei dem die Schnittflächen senkrecht zur Zylinderachse verlaufen. Das heißt, daß dieses Stück nicht mit lotrecht verlaufenden Schnittflächen, sondern keilförmig eingepaßt

Wie die gleiche Zahl und Anordnung der Locken bei ganz verschiedener handwerklicher Ausformung zeigen, ist der mit den beiden Köpfen S. 134 zusammen in der Villa Hadriana gefundene Kopf rechts (jetzt in London, Britisches Museum) eine exakte, maßgleiche Replik des Weinschlauchträgers in Sperlonga (links).

war. Bei einem einzelnen Abschnitt war dies auch nicht nötig, da er angestückt werden konnte. Nur wenn vier starre Pfahlstücke paarweise ineinander geschoben werden sollten, waren senkrechte Schnittflächen angebracht.

Das weitere erhaltene Pfahlstück beweist immerhin soviel, daß der ganze Pfahl nicht aus einem einzigen Marmorblock gehauen, sondern aus mehreren Abschnitten zusammengestückelt war und auch weiter oben noch Unterstützungen gehabt haben muß. Eine könnte auf dem rechten Knie des Riesen, über das der Pfahl hinwegläuft, angesessen haben. Erhalten ist davon nichts. Eine andere Stütze muß unter den ausgestreckten Händen des Odysseus gestanden haben. Denn diese frei vorragenden Marmormassen, die noch beschwert wurden durch die ans obere Ende des Pfahles gesteckte Spitze, können sich unmöglich selbst getragen haben. Wie diese Stützen ausgesehen haben könnten, läßt sich vorläufig nur vermuten, da es noch nicht gelungen ist, anpassende Stücke zu finden. Es gibt aber die Fragmente eines virtuos aus dem Marmor gehauenen, auf einer eigenen Plinthe aufwachsenden dürren Bäumchens mit verästelten Zweigen. Man könnte sich vorstellen, daß dieses Geäst am Felsensitz des Riesen aufwuchs und das vordere Ende des Pfahles hinter der Spitze mitsamt den Händen und Armen des Odysseus unterstützte. Diese wären dann mit dem Geäst aus einem Block Marmor gehauen gewesen und könnten etwa in Höhe des Ellenbogengelenkes an die Oberarme des Odysseus angestückt gewesen sein.

Damit ist schon einiges über die Haltung der dritten Figur am Pfahl, nämlich des Odysseus, gesagt. Bei der Ergänzung seines Oberkörpers kann man nicht von der Darstellung des Reliefs in Catania ausgehen, das nur die Gruppe der Gefährten am Pfahlende ziemlich genau wiedergibt. Odysseus greift hier mit der linken Hand ins Haar an der Schläfe des Riesen, um ihm den Kopf hochzureißen, was in der plastischen Gruppe wegen der anderen Größenverhältnisse nicht möglich ist.

Auch die Haltung des rechten Armes ist in Sperlonga anders als in Catania. Hier geht der Arm nach Ausweis der vor der Ergänzung angefertigten Zeichnung Houels schräg nach unten. In Sperlonga ist aber die rechte Schulter des Odysseus erhalten, und aus den Resten geht eindeutig hervor, daß Odysseus auch den rechten Arm nach rechts vorstreckte. Er muß demnach ganz ähnlich bewegt gewesen sein wie der Odysseus von Baiae, der mit beiden Armen dem Riesen den Becher entgegenstreckt. In der Tat gibt es eine enge Übereinstimmung auch in der Gewandung der beiden Figuren. Beim Odysseus von Sperlonga ist zwar nur der Unterkörper erhalten, und die Gewanddrapierung hinterm Nacken ist nur in Ansätzen erkennbar, ein Vergleich der Reste beider Statuen macht aber deutlich, daß Odysseus den auf der linken Schulter geknüpften, von der rechten Schulter herabgefallenen *Chiton heteromaschalos* trägt, der so genannt wird, weil er eine Schulter freiläßt und dadurch die Bewegungsfreiheit des rechten Armes gewährleistet. Über dieses Untergewand hat er ein auf der rechten Schulter mittels einer runden Spange zusammengehaltenes Manteltuch geworfen. Um bei seiner Aktion, sei es den Becher zu reichen oder den Pfahl zu lenken, nicht durch den aus schwerem Wollstoff bestehenden Mantel behindert zu werden, hat er ihn über beide Schultern zurückgeschlagen, so daß die ganze Masse des Stoffes am Rücken herabfällt und bei der Figur in Sperlonga in der heftigen Ausfallstellung, mit der Odysseus dem Voranstoßen des Pfahles folgt, nach hinten schlägt. Eine Marmorstütze auf der rechten Wade des Odysseus hält den frei aus dem Marmor gearbeiteten Mantelzipfel.

Die Marmorfigur des Odysseus, deren Zugehörigkeit zur Polyphem-Gruppe als erster Hans Lauter[159] erkannt hat, stand entsprechend der schräg ansteigenden Linie des Pfahles etwa einen Meter höher als die beiden Gefährten am Pfahlende. Leider ist die Basis der Figur verloren, die mit ihrer weiten Schrittstellung von einer kräftigen im Ansatz unter dem kurzen Gewand erhaltenen Stütze getragen wurde. Es kann aber keinem Zweifel unterliegen, daß diese Basis mit ihrer Stütze oben auf der Mauer stand, durch welche die Abfangmauer der Terrasse hinter der Polyphem-Gruppe verblendet wurde.

X

DER FRUCHTBARE AUGENBLICK

S. 137 Der Weinschlauchträger von Sperlonga.

ES gilt nun, einen Blick auf den Grundriß der Anlagen in der südöstlichen Nebengrotte der Höhle von Sperlonga[160] zu werfen, um die Aufstellung der riesigen aus vielen Teilen bestehenden Marmorgruppe an dieser Stelle besser zu verstehen. In einen Plan wurden die verschiedenen Niveauhöhen eingetragen[161], welche die einzelnen Mauern und Ebenen erreichen. Die vermutliche Aufstellungsfläche der Polyphem-Gruppe, die auf einem ca. 1 m hohen bühnenartigen Podium vor der Terrasse im hinteren Teil der Nebengrotte stand, wurde dabei als Nullebene bezeichnet.

Als sich nach zahlreichen Messungen und einer genauen Beobachtung des verschiedenartigen Mauerwerks in den einzelnen Teilen der Anlage sowie bei einer Vervollständigung der unzusammenhängenden Niveaus nach und nach die ursprüngliche Form des Podiums herauskristallisierte, wurde es möglich, sich den Ablauf der Arbeiten vorzustellen, die zur Aufstellung der Marmorgruppe erforderlich waren. Zunächst war in den leicht ansteigenden Felsboden der Nebenhöhle ein Kanal gegraben worden, der zur Ableitung des im feuchten Felsen, besonders in den Wintermonaten, reichlich sich sammelnden Wassers diente. Sodann wurde der Boden des Vorraums dieser Nebengrotte geebnet und der Kanal abgedeckt. Am rechten Rand ließ man eine Rampe zum Aufstieg in den hinteren Teil der Höhle stehen. Diesen hinteren Teil, in dessen Innerstem man eine rechteckige Nische wohl für ein Ruhelager aus dem Felsen schlug, gestaltete man als eine mit Marmorplatten belegte Terrasse. Der Terrassenboden neigt sich leicht zu einem Gully in der Mitte, durch welches das Tropfwasser in den tief in den Berg getriebenen Dränagekanal abfließen konnte. Um mit der Terrassenanschüttung das mäßig ansteigende Niveau der Nebenhöhle ausgleichen zu können, mußte man eine Stützmauer errichten, die den Schub der Aufschüttungsmassen abfangen sollte. Diese Stützmauer wurde in Form von zwei stark gekrümmten, sich gegen den Druck stemmenden Halbkreisen errichtet und an einer großen Konglomeratmasse auf dem Podium verankert. Diese Konglomeratmasse ist nichts anderes als der aus *opus caementicium* aufgemauerte Felsensitz, auf dem die Figur Polyphems nach hinten gesunken ist.

Das bedeutet, daß man zuerst das etwa 1 m hohe Podium ebenfalls aus einer Masse von Bruchsteinen, Kieseln und Puzzolanmörtel aufgemauert hat. Sodann wurde über dem Podium ein großes Holzgerüst errichtet, das man oben mit drei die Höhle überspannenden Holzbalken verstrebte. Die Balkenlöcher, je drei auf beiden Seiten, in die man die Enden der vierkantigen Stämme steckte, sind noch unter der Grottendecke rechts und links zu sehen. Diese Balken hielten das Holzgerüst für den Flaschenzug, mit dem die gewaltige Masse der marmornen Polyphem-Figur an ihre Stelle gehoben wurde.

Offenbar war der 3,50 m messende Koloß aus einem enormen Marmorquader geschlagen worden, den man mit Hilfe von zwei vierkantigen Hartholzstützen in der schrägen Lage aufgestellt hat, welche der Schmiege des mit ausgestrecktem linkem und angezogenem rechtem Bein auf seinem Felsensitz zurückgesunkenen Riesen entsprach. In dem Konglomeratblock auf dem Podium sind nämlich die vierkantigen Hohlräume von zwei parallel aufgestellten schräg nach unten bis zur Auflagefläche des Podiums reichenden Holzpflöcken erhalten. Das organische Material ist in der feuchten Höhle verrottet, aber der Abdruck der Holzoberfläche mit den dichten Jahresringen, die auf hartes Eibenholz schließen lassen, sind noch zu erkennen. Die Mittellinie zwischen den beiden Stützen gibt die Achse an, in der die Figur ausgestreckt war. Man hat die Marmorfigur also mit beiden im Rücken steckenden Holzstützen an Ort und Stelle transportiert und auf dem vorbereiteten Podium aufgestellt. Sodann hat man um die Holzpflöcke herum unter der Figur das Felsenbett aufgemauert, auf dem sie zu ruhen scheint, während in Wahrheit die festen und, solange die Höhle trocken gehalten wurde, auch haltbaren Holzstützen die Figur an ihrer Stelle hielten.

Mit dem durch das Tonnengewicht der Marmorfigur noch beschwerten Konglomeratblock war nun ein fester Halt gewonnen, an dem man die Stützmauer für die Terrassenaufschüttung verankern konnte. Um die Aufschüttungsmasse nach oben zu schaffen, bediente man sich einerseits der Rampe, über die man den hinteren Teil der Höhle erreichen konnte. Andererseits legte man aber auch in der rechten Halbrundnische der Stützmauer ein Treppchen an, über das man zur Mauer hinaufsteigen konnte, um die Körbe mit der Auffüllmasse auszuleeren.

Sobald die Terrasse aufgeschüttet war, konnte man daran gehen, auch die übrigen Figuren der Gruppe aufzustellen. Zuvor aber mußte man vor die Stützmauer mit ihren Halbrundnischen, in deren rechter das Arbeitstreppchen angelegt war, eine Blendmauer setzen. Diese ruht nicht wie die Stützmauer auf dem gewachsenen Felsen, sondern auf dem erst nachher errichteten bühnenartigen Podium, das durch unachtsame Ausgrabung weitgehend abgetragen wurde. Die Blendmauer hängt daher jetzt über eine große Strecke in der Luft. Ihr unterer Rand gibt aber das Niveau der Auflagefläche des Podiums an, auf dem nicht nur der linke, von einer brückenförmigen Stütze getragene Fuß Polyphems, sondern auf dem auch die drei Gefährten des Odysseus stehen. Dieser selbst wurde, wie schon gesagt, oben auf der Blendmauer aufgestellt, und zwar dort, wo diese Blendmauer an den Konglomeratsitz des Riesen stößt.

Plan der südlichen Nebenhö der Tiberius-Grotte von Spe longa mit Angabe der Nivea Unterschiede.

Senkrechte Projektion der Polyphem-Gruppe. Man erkennt das Podium, auf dem zunächst die Polyphemstatue aufgestellt wurde. An dem Konglomeratbett, auf dem er ruht, wurde die Stützmauer der Terrasse verankert und vor diese eine Blendmauer mit zwei Ausbuchtungen gesetzt, in welche die Gefährten am Pfahlende passen. Auf der Mauer steht Odysseus. Der fliehende Gefährte mit dem Weinschlauch findet rechts auf dem Podium Platz.

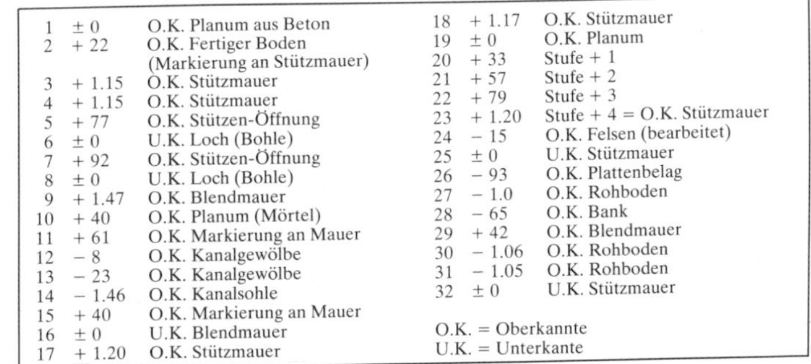

1	± 0	O.K. Planum aus Beton	18	+ 1.17	O.K. Stützmauer
2	+ 22	O.K. Fertiger Boden (Markierung an Stützmauer)	19	± 0	O.K. Planum
3	+ 1.15	O.K. Stützmauer	20	+ 33	Stufe + 1
4	+ 1.15	O.K. Stützmauer	21	+ 57	Stufe + 2
5	+ 77	O.K. Stützen-Öffnung	22	+ 79	Stufe + 3
6	± 0	U.K. Loch (Bohle)	23	+ 1.20	Stufe + 4 = O.K. Stützmauer
7	+ 92	O.K. Stützen-Öffnung	24	− 15	O.K. Felsen (bearbeitet)
8	± 0	U.K. Loch (Bohle)	25	± 0	U.K. Stützmauer
9	+ 1.47	O.K. Blendmauer	26	− 93	O.K. Plattenbelag
10	+ 40	O.K. Planum (Mörtel)	27	− 1.0	O.K. Rohboden
11	+ 61	O.K. Markierung an Mauer	28	− 65	O.K. Bank
12	− 8	O.K. Kanalgewölbe	29	+ 42	O.K. Blendmauer
13	− 23	O.K. Kanalgewölbe	30	− 1.06	O.K. Rohboden
14	− 1.46	O.K. Kanalsohle	31	− 1.05	O.K. Rohboden
15	+ 40	O.K. Markierung an Mauer	32	± 0	U.K. Stützmauer
16	± 0	U.K. Blendmauer			
17	+ 1.20	O.K. Stützmauer			

O.K. = Oberkante
U.K. = Unterkante

Durchdenkt man den Arbeitsvorgang bei der Aufstellung der Polyphem-Gruppe, so erkennt man, daß die Podiumsanlage den Grundriß der ganzen Gruppe in großen Zügen bewahrt hat und damit eine Bestätigung für die Richtigkeit der plastischen Rekonstruktion im Maßstab 1 : 1 liefert. Zumindest die Lage des Riesen und die Punkte, an denen die drei Figuren am Pfahl standen, sind durch den Konglomeratblock mit den beiden Vierkantlöchern und durch die Blendmauer eindeutig festgelegt. Insbesondere wird die Rekonstruktion der beiden am Pfahlende gruppierten Gefährten nachdrücklich bestätigt. Die Blendmauer weist nämlich zwei flache Ausbuchtungen auf, die auch in dem Holzpodest der rekonstruierten Gruppe exakt nachgebildet wurden und die den beiden hier stehenden Figuren Raum geben sollen. Man konnte daher, von der Höhe der Terrasse aus, auch die Figuren auf der zum Grotteninneren gewandten Rückseite der Gruppe ungehindert betrachten.

Hier zeigt sich schon, daß die Künstler, welche die Marmorgruppe in der südöstlichen Nebengrotte der Tiberius-Höhle von Sperlonga aufgestellt haben, eine bestimmte Regieabsicht verfolgten. Die Gruppe bietet nämlich nicht nur von der Mittelachse ihrer Breitenentwicklung aus ein eindrucksvolles Bild, sondern man kann und soll sie von allen Seiten umschreiten und betrachten, um sie in ihrem unerschöpflichen Reichtum an Bewegungen und Blickpunkten zu betrachten und zu erleben. Diese Erkenntnis war die größte Überraschung der langjährigen Bemühungen um die Rekonstruktion der Gruppe, und ohne den Versuch einer wie auch immer problematischen Wiederherstellung derselben wäre es zu dieser entscheidenden Erkenntnis möglicherweise nicht gekommen[162].

Leider läßt sich diese Erkenntnis an Fotografien, auch wenn sie unter den großzügigen Aufstellungsbedingungen in den Kunstsammlungen der Ruhr-Universität Bochum gemacht wurden, nur schwer nachvollziehen. Man kann sie im Grunde nur vor der plastischen Gruppe selbst erfahren. Denn diese Gruppe ist so groß, daß sie aus dem Abstand, aus dem man sie in der Tiberius-Höhle sehen konnte, von einem einäugigen Objektiv nicht richtig erfaßt werden kann. Nur die beweglichen menschlichen Augen können sie umgreifen. Will man die Gruppe aus dem in der Grotte am Rande des runden Beckens eben noch möglichen Abstand von 6 m als ganze fotografisch aufnehmen, dann muß man sich eines Weitwinkelobjektives bedienen, das die plastischen Werte verzerrt. Wählt man hingegen einen Abstand, aus dem die Gruppe mit einem Normalobjektiv vollständig auf den Film gebannt werden kann, dann steht man theoretisch schon im Wasser, und die Perspektive verändert sich so, daß die vorderen Glieder der Figuren in der Gruppe sich vor die hinteren schieben und dadurch der Eindruck empfindlich gestört wird.

Auch in der Museumsaufstellung der rekonstruierten Gruppe kann man nachvollziehen, daß die wesentlichen Punkte, von denen aus man die vielansichtige Polyphem-Gruppe betrachten sollte, durch die Aufstellungsregie vorgegeben sind: Auf der Treppe zur Terrasse hinter der Polyphem-Gruppe blickt man zusammen mit dem Weinschlauchträger über dessen Rücken zum Polyphem nach oben und erlebt den Augenblick unmittelbar vor der Blendung.

Man kann daher die Wirkung der Gruppe in ihrer räumlichen Entfaltung nur in Detailaufnahmen aus den wesentlichen, durch die Ausgestaltung der Grotte bestimmten Blickpunkten und durch Weitwinkelaufnahmen wiederzugeben versuchen, die der Betrachter in Gedanken zu entzerren sich bemühen muß.

Dieses vorausgeschickt, kann nun der Versuch gemacht werden, durch eine Interpretation des Grundrisses und der Ausstattung der Tiberius-Grotte von Sperlonga die Regieabsicht der gestaltenden Künstler zu eruieren. Die Höhle lag als ganze wie ein zu einem Panoramabild erstarrtes Naturtheater vor den Blicken der Tafelnden auf der Trikliniumsinsel. Von hier aus konnte man die in einer realen Entfernung von rund vierzig Metern aufgestellte Polyphem-Gruppe im Hintergrund der Höhle nur im Umriß erkennen. Die Feinheiten der Arbeit und der Kompositionsabsichten lassen sich nur erfassen, wenn man nahe an die Gruppe herantritt.

Man muß sich nun klarmachen, daß es nicht möglich ist, sich der Gruppe in der Achse ihrer Hauptansicht zu nähern, es sei denn, man wollte durch das runde Becken auf sie zuwaten. Der Betrachter wird also durch die Regieanweisung der Künstler, welche die Aufstellung der Polyphem-Gruppe besorgten, dazu gezwungen, in einem seitlich ausweichenden Bogen auf die im Hintergrund als Blickpunkt aufgebaute Gruppe zuzuschreiten.

Geht man auf der Meerseite um das Becken herum, so sieht man die Gruppe zuerst über die Schultern des mit dem leeren Weinschlauch davonstürzenden Gefährten. Geht man auf der Landseite um das Becken herum, so sieht man diese großartige, mit stockendem Atem davonstiebende Gestalt in voller Breitenentfaltung. In der Tat sind diese beiden Blickwinkel besonders eindrucksvolle Ansichten der erstaunlichen Figur, und bevor man wußte, daß die Polyphem-Gruppe von Sperlonga nicht schlechthin zu den sogenannten einansichtigen Gruppen der späthellenistischen Kunst zu rechnen ist, gab es einen erbitterten wissenschaftlichen Streit[163] darüber, ob die Ansicht dieser Figur von der Flanke oder von der Front her ihre Hauptansicht sei. Nun stellt sich heraus, daß beide Ansichten gleichwertig sind, daß es aber noch weitere und darunter wenigstens eine besonders bedeutungsvolle Ansicht dieser Figur gibt, nämlich diejenige, in der sie mit dem Kopf im Profil und mit zum Polyphem zurückgewandten Gesicht auf den Betrachter, der mitten vor der Gruppe steht, zuzustürzen scheint.

Die drei genannten Ansichten dieser Figur sind durch die latente Regieanweisung hervorgehoben, die in der besonderen Form der Aufstellung enthalten ist.

Rekonstruktionsversuch der Polyphem-Gruppe in gfK-Abgüssen und Gipsergänzung. Die Position des fliehenden Gefährten mit dem Weinschlauch ist nur nach ästhetischen Kriterien zu finden. Man kann ihn auf einem Halbkreis verschieben, dessen Radius seine Blickverbindung mit dem Kopf des Riesen ist.

Die Ansicht von der linken Flanke her, bei der man die prachtvolle, kreisende Komposition der um den Hinterkopf gestuften Locken sehen und die Tiefenentwicklung der Figur an den sich hintereinander staffelnden Umrißlinien des linken Armes, der Schulterblätter, des Kopfes und der rechten gegen den Riesen ausgestreckten Hand ablesen kann, bietet sich am besten dar, wenn man auf den Stufen der Rampe innehält, die auf die Terrasse hinter der Gruppe hinaufführt. An dieser Stelle wird der Blick über die schräg ansteigende Schulterlinie zu dem Blickpunkt nach oben geleitet, wo in der nächsten Sekunde der glühende Pfahl das Auge des Riesen durchstoßen wird. Hier hat man das unwiderstehliche Erlebnis, daß man sich selbst mit diesem flüchtenden Mann identifizieren muß, der seine Pflicht schon getan hat und sich nun durch einen gewaltigen Satz vor der Wut des im nächsten Augenblick geblendeten Riesen in Sicherheit zu bringen versucht. Man hat die Sensation, mit dieser Figur zu verschmelzen und mit ihr gemeinsam diesen entscheidenden Augenblick des Rettungsversuches zu erleben.

Will man dann vor die Mitte der Gruppe treten, so wird man in einem leichten Kreisbogen, der dem Beckenrand entspricht, an der Gruppe entlanggeführt und hat dabei das merkwürdige Erlebnis, daß die Figuren (und nicht man selbst) sich zu bewegen scheinen. Man muß, während man am Podium vorbeischreitet, die Augen hin- und herwandern lassen, um die Gruppe nicht nur ausschnitthaft zu sehen, und diese relative Bewegung scheint die Figuren selbst in Bewegung zu setzen.

Hält man dann an einem Punkt in der Mitte der Gruppe inne, von wo aus man nur mit einer Kopfbewegung die ganze Gruppe von links nach rechts und von rechts nach links ablesen kann, dann erfährt man, daß der flüchtende Mann mit dem geleerten Weinschlauch zum Stimmungsträger des ganzen Geschehens wird.

Alle anderen Figuren sind eingespannt in die Aktion der Blendung. Der Riese liegt regungslos da. In seiner Haltung kann man die vorhergehende Phase des Blendungsvorgangs wiedererkennen, als er noch, wie in den Gruppen von Ephesos und Baiae oder auf den Mosaiken im Goldenen Haus des Kaisers Nero und in der Villa von Piazza Armerina, auf seinem Felsensitz saß, die Hand nach dem Becher ausstreckte und einen Becher nach dem anderen hinunterstürzte, wobei er Odysseus in das wichtige Gespräch über dessen Namen verwickelte. In ähnlicher Haltung, in der Odysseus nun den Pfahl durch seine Hände gleiten läßt, um ihn ins Auge des Riesen zu lenken, hatte er diesem zuvor den Becher hingehalten. Das Bewegungsmotiv des einen Becher reichenden Odysseus von Baiae ist jedenfalls dem Odysseus der Blendungsgruppe von Sperlonga so ähnlich, daß er der Rekonstruktion des in Sperlonga verlo-

Vor der Polyphem-Gruppe stehend, muß man die Augen hin- und herwenden, um die Gruppe ganz zu erfassen. Die starre Kamera kann sie aus dem gegebenen Höchstabstand von 6 m nur mit einem Weitwinkelobjektiv einfangen.

renen Oberkörpers zugrunde gelegt werden konnte. Das heißt, in der Komposition der Blendungsgruppe von Sperlonga ist die erste Phase der Rettungstat noch erkennbar, wie sie in den Weinreichungs-Gruppen von Ephesos usw. gestaltet ist. Man kann sich leicht vorstellen, wie der sitzende Riese, nachdem er den dritten Becher geleert hat, trunken zusammensinkt und auf seinem Felsensitz nach vorne rutscht, wie seinen erschlaffenden Händen der Becher entrollt, die Arme herabfallen, der Kopf auf die Schultern sinkt und das eine Auge auf der Nasenwurzel sich schließt.

In diesem Augenblick schleppen zwei vom Los bestimmte Gefährten den Pfahl mit Aufbietung aller Kräfte heran und stoßen zu. Odysseus läßt den Pfahl gleichsam durch die Öse seiner Hände laufen und lenkt die glühende Spitze in ihr Ziel. Die Gefährten legen ihr Körpergewicht schräg und spannen alle Muskel im Stoß, den niemand mehr aufhalten kann. Da eilt die Phantasie weiter. Man glaubt zu sehen, wie die glühende Pfahlspitze das Auge durchschlägt, wie der Riese aufspringt, blutüberströmt den Pfahl aus dem Auge reißt und blind in der Höhle umhertappt, um die Griechen zu erwischen. Die aber stieben davon in den innersten Winkel der Höhle, so wie der Gefährte mit dem Weinschlauch eine Sekunde zuvor davonstürzte, als er seinen Teil der Rettungstat geleistet hatte.

Bei der Betrachtung der Gruppe wird klar, daß durch die Gestalt des flüchtenden Weinschlauchträgers eine neue Dimension in die Gruppenkomposition hineingekommen ist. Diese Gruppenkomposition stimmt in den wesentlichen Grundzügen noch mit der Darstellung der frühgriechischen Vasen, vor allem mit der Scherbe von Argos [164] überein. Gewiß gibt es dort noch nicht solche Subtilitäten wie das Durchschimmern der vorhergehenden Phase in der gegenwärtig vor Augen geführten. Aber das Grundschema, das man unter Berufung auf den Odysseus-Text auch ganz anders hätte gestalten können, ist doch erstaunlich ähnlich. Das aber, was die Neuartigkeit der Komposition von Sperlonga am auffälligsten bestimmt, ist die Hinzufügung des Weinschlauchträgers. Die neue Dimension, die dadurch in die Gruppe hineinkommt, ist die Zeit.

Im Gegensatz zur archaischen Komposition der Amphora von Eleusis, wo der Riese noch sitzt und den Becher noch hält, obwohl er schon geblendet wird, vollzieht sich in Sperlonga alles, was in der Polyphem-Gruppe dargestellt ist, in dem für die Darstellung ausgewählten Augenblick. Woran liegt es, daß dieser Augenblick nicht so wirkt wie die in einer Blitzlichtaufnahme geronnene Durchgangsphase einer filmisch ablaufenden Bewegung, sondern daß er das ganze Geschehen in dem für die Vorstellung gewählten Augenblick verdichtet? Die Antwort auf diese Frage hat G. E. Lessing in seinem berühmten Essay über den Laokoon oder über die Grenzen der Malerei und der Poesie, das heißt über den Unterschied zwischen der Darstellung eines Themas in der Literatur und in der Bildenden Kunst, vorweggenommen. Er erklärt, da »der Künstler von der immer veränderlichen Natur nie mehr als einen einzigen Augenblick brauche«, daß dann, »wenn sein Werk gemacht, nicht bloß erblickt, sondern betrachtet zu werden«, gewiß sei, »daß jener einzige Augenblick... nicht fruchtbar genug gewählt werden kann. Dasjenige aber nur allein ist fruchtbar, was der Einbildungskraft freies Spiel läßt. Je mehr wir sehen, desto mehr müssen wir hinzudenken können. Je mehr wir dazudenken, desto mehr müssen wir zu sehen glauben.«

Es war also die Wahl des fruchtbaren Augenblicks, wie die Schöpfer der Laokoon-Gruppe ihn für ihr Thema gefunden hatten, welche auch die Polyphem-Gruppe von Sperlonga zu einem Werk macht, »nicht bloß erblickt, sondern betrachtet zu werden«. Man kann im einzelnen zeigen, wie der Schöpfer dieser Gruppe die Phantasie des Betrachters anregt, vor dem inneren Auge Vergangenheit, Gegenwart und Zukunft mit Handlung zu erfüllen, wenn er nur gewillt ist, die Gruppe ausgiebig zu betrachten, sie zu umschreiten und vom Ganzen auch zum Einzelnen vorzudringen, um dann wieder die Gesamtgruppe mit den Augen zu umgreifen.

Die ganze Gruppenkomposition ist in überaus kunstvoller Weise trotz des unerhörten Realismus des grausigen Geschehens in eine geradezu mit Zirkel und Lineal nachzuzeichnende, geometrisch konstruierte Konfiguration gebracht. Diese ist nicht etwa das Ergebnis einer willent-

Der Weinschlauchträger bietet sich von dem Blickpunkt aus, welcher der Sitzbank in der Grotte links (s. Plan S. 140) entspricht, in der Breiten-, die Blendungsgruppe in der Tiefenentwicklung dar. Man identifiziert sich hier mit den Männern, die den Pfahl zustoßen.

lichen Rekonstruktionsabsicht, sondern sie leuchtete nach vollendeter Rekonstruktion plötzlich hervor, obwohl der Rekonstruktionsversuch auf ganz anderen, davon unabhängigen Kriterien beruhte. So ist das Aufscheinen dieser Konfiguration, die aus dem gestellten Bild ein Kunstwerk macht, in gewisser Weise als eine Bestätigung des Rekonstruktionsergebnisses zu werten.

Die Gruppe scheint von einem genauen Halbkreis eingefaßt zu werden, der durch den herabhängenden rechten Arm des Gefährten, der das Pfahlende umklammert, und über seinen Kopf zum höchsten Punkt der Komposition, der Kegelmütze des Odysseus, nach oben steigt, um dann über das Haupt des Riesen parallel zu seinem herabhängenden Arm in den gebogenen linken Arm des Weinschlauchträgers zu münden und im schlaff nachschleifenden Tierbalg wieder die Grundlinie zu erreichen. In

In der Originalaufstellung konnte man hier, von der Höhe der Terrasse aus, Odysseus und seinen beiden Gefährten ins Gesicht sehen und die ungeheure Anspannung der Rettungstat erleben.

Rückansicht der rekonstruierten Polyphem-Gruppe. Wegen des schräg noch oben geführten Pfahles steht Odysseus auf einem Niveau, dessen Höhe derjenigen der Blendmauer auf dem Podium entspricht.

diesen über den Gruppenumriß geschlagenen Kreisbogen ist über dem Durchmesser, der als Grundlinie dient, eine Pyramide eingestellt, deren Spitze der Kegel des Pilos auf dem Haupt des Odysseus bildet. Odysseus wird damit zum Lenker des Ganzen. Von ihm geht die Kraft aus, die Polyphem überwindet.

Es ist offenbar die Bändigung der dramatischen, wie ein lebendes Bild mit hohem Realitätsanspruch gestalteten Gruppe durch eine stereometrische Raumstruktur und eine einfache, geometrisch konstruierte Konturlinie, welche die künstlerische Wirkung des Ganzen bedingt.

Auch die Ansicht von hinten, die man – allerdings im Gegenlicht – von der Höhe der Terrasse in der Nebengrotte herab betrachten konnte, ist keineswegs vernachlässigt. Da der Weinschlauchträger in dieser Ansicht verdeckt ist, erscheint die Gruppe hier in ein Parallelogramm eingespannt, in dem die Kraftanstrengung deutlich herauskommt.

Die Bildhauerarbeit ist von überragender Qualität, die auch aus aller Nähe bewundert werden will. Zu diesem Zweck erlaubt es die Aufstel-

Der Kopf des Odysseus von Sperlonga ist die eindrucksvollste plastische Gestaltung des vom Dichter der Odyssee entworfenen Menschenbildes, das als Prototyp des europäischen Menschen gilt.

lungsregie nicht nur, sondern sie veranlaßt den Besucher geradezu, auch über die Rampe am rechten Rand auf die Terrasse hinaufzusteigen und ganz nah selbst an den hochaufgestellten Odysseus heranzutreten und ihm ins Antlitz zu sehen.

In diesem Kopf ist dem Bildhauer die eindrucksvollste Darstellung der Odysseus-Gestalt gelungen, die wir kennen. In das wirre, verwilderte Haar ist eine Filzkappe gedrückt, die konische, oben abgerundete Schiffermütze, die die Griechen *Pilos* nannten. Ursprünglich war sie das Unterfutter für den kegelförmigen Helm homerischer Zeit, der eine ähnliche Gestalt hatte. Das erinnert daran, daß Odysseus zum Urbild des Seefahrers nicht etwa als Kaufmann, sondern als Krieger wurde. Dargestellt ist er hier in der entscheidenden Tat, die ihm die Feindschaft des Poseidon zuziehen sollte. Daß diese Rettungstat ein Schlüsselerlebnis für das Verständnis der vom Dichter für seine Zeit so neuartig konzipierten Persönlichkeit des Odysseus ist, wurde zu Anfang dieses Buches auseinandergesetzt. Das muß auch der Schöpfer des Menschenbildes empfunden haben, das dem Betrachter in dem gewaltigen Haupt des Odysseus von Sperlonga vor Augen gestellt wird. Es ist die spezifische Abwandlung eines Typus, der zum ersten Male in den Giganten des Pergamonaltares[165] zu Beginn des 2. Jahrhunderts v. Chr. Gestalt gewann.

Erst das Zusammenwirken genauer anatomischer Detailbeobachtung, welche die weiche, von Falten zerfurchte und zerknitterte Haut des alternden Mannes und die aufgewühlten, strähnigen Haare naturalistisch nachzuahmen versteht, mit einem alle Formen pathetisch übersteigernden Expressionismus ermöglicht diese charakteristische, aber kunstgeschichtlich nicht leicht zu bestimmende Gestaltungsweise.

Das expressive Element, das auch die psychologische Situation zu erfassen sucht, liegt hier in der Bildung der übergroßen Augen und in der Formung der in atemloser Spannung offenstehenden Lippen. Kühnheit, Entsetzen, verzehrende Intensität mischen sich in diesem Gesicht. Der Schädel scheint wie aus einer plastischen Masse geformt. Das Dach der Stirn schiebt sich mit extrem durchgearbeiteten Brauenbögen über die tief in den Höhlen liegenden Augen, die unnatürlich geweitet sind. Der obere Lidrand ist beim rechten Auge steiler nach oben gerundet als beim linken, und auch die unteren Lidränder sind asymmetrisch gebildet, verlaufen aber eher waagerecht. Diese expressive Steigerung einer natürlichen Augenbildung ist die einzige auffällige künstlerische Freiheit gegenüber dem Naturvorbild, die sich der Schöpfer dieses Kopfes erlaubt hat. Weniger auffällig, aber ebenfalls kunstvoll ausgebildet sind auch die vollen Lippen, bei denen man eher von einer absichtlichen Stilisierung im Sinn des Klassischen als von einer Nachahmung des Naturvorbildes sprechen möchte. Auch die Haare, die bei oberflächlicher Betrachtung so natürlich wild wirken, erweisen sich bei genauerem Hinschauen als eine mit Ausdrucksgehalt aufgeladene Stilform.

Man hat angesichts der Stilformen des Pergamonaltares von einem »schöpferischen Weiterphantasieren über die Natur hinaus« [166] gesprochen. Das trifft mit einer bestimmten und noch genauer zu beschreibenden Veränderung auch auf die Formen der Polyphem-Gruppe von Sperlonga zu, die ohne die Vorform des Pergamonaltares undenkbar sind, diese aber in spezifischer Weise weiterführen. Die das Haupt wie Flammen umzüngelnden Haare, die nach den Seiten auseinanderschlagen und die in kurzen eingerollten Flocken übereinanderdrängenden Barthaare sind weicher als die schlangenartig die Gigantenhäupter des Pergamonaltares umwindenden, von Bohrrillen durchfurchten Strähnen.

Diese Weichheit aller Formen beobachtet man auch bei einer anderen, seit jeher mit den Giganten des Pergamonaltares verglichenen und doch immer wieder von ihnen abgesetzten Skulptur, nämlich der berühmten Laokoon-Gruppe im Vatikanischen Museum. Zuletzt hat noch Werner Fuchs in seinem Standardwerk über die Skulptur der Griechen [167] alle Versuche, dieses Werk in das 2. Jahrhundert, ja sogar vor den großen Gigantenfries von Pergamon zu datieren, zurückgewiesen: »Daß dies nicht möglich ist, kann der Vergleich des Laokoon-Kopfes mit dem des Athena-Gegners Alkyoneus vom Ostfries des Pergamonaltares zeigen. Während beim Alkyoneus der Ausdruck des Schmerzes in der Substanz des Antlitzes verankert, gleichsam Wesenszug der Form geworden ist, ohne aber die feste Struktur des Kopfes aufzulösen, besteht der Kopf des Laokoon nur noch aus einer von außen aufgelegten Haut mit aufgetragenen Zuckungen, Höhlungen, Verzerrungen und wird so zur impressionistischen Schmerz-Grimasse, die keinen plastischen Kern mehr besitzt. Wieviel Distanz zwischen diesen Werken besteht, kann jeder Detailvergleich beweisen. Der Laokoon bleibt so das letzte bedeutende Werk der griechischen Kunst in römischer Zeit (um 50 v. Chr.), ein griechisches noch, aber doch das letzte.«

Seit der Entdeckung der Skulpturen von Sperlonga steht die Laokoon-Gruppe nicht mehr allein wie ein erratischer Block in der römischen Kunst, sei es der spätrepublikanischen oder sei es der frühkaiserzeitlichen Epoche. Vielmehr erweisen sich die vier in der Tiberius-Grotte gefundenen großplastischen Marmorgruppen durch technische Details und durch ein gemeinsames ikonologisches Programm als Erzeugnisse des gleichen Bildhauerateliers und sind auch durch den einen oder anderen Zug der Meißeltechnik und Oberflächenbearbeitung mit der Laokoon-Gruppe verbunden.

XI

ORIGINAL UND KOPIE

S. 155 Gefährte des Odysseus in den Fängen Skyllas.

UNTRENNBAR ist die Skylla-Gruppe mit der Laokoon-Gruppe verbunden, denn am Schiff des Odysseus ist die Signatur von drei Künstlern aus Rhodos angebracht. Sie tragen die Namen der gleichen aus Rhodos stammenden Künstler Athanadoros, Hagesandros und Polydoros, von denen Plinius[168] berichtet, daß sie auch die Laokoon-Gruppe gemacht haben. Aus der Übereinstimmung von fünf Elementen, drei Namen, Herkunftsangabe und unmittelbar vergleichbarer Bildhauerarbeit geht unmißverständlich hervor, daß zumindest die Skylla-Gruppe von den Laokoon-Meistern aus dem Stein gehauen wurde.

Diese erstaunlichste unter den vier mythologischen Gruppen von Sperlonga ist leider bei weitem nicht so vollständig erhalten wie die Polyphem-Gruppe, und auch die Bemühungen um ihre Rekonstruktion sind noch nicht so weit gediehen wie die der anderen Gruppen. Dies liegt auch daran, daß es im Fall der Skylla-Gruppe keine exakte Nachbildung gibt, wie sie für die Polyphem-Gruppe im Relief von Catania, für die Palladionraub-Gruppe im Sarkophagrelief von Megiste in Athen[169] oder gar wie im Fall der Menelaos-Patroklos-Gruppe in maßgleichen Repliken nicht nur einzelner Teile, sondern der ganzen Gruppe vorliegen. Bei der Skylla-Gruppe scheint nur eine Prägung[170] auf Einlaßmarken für den Circus aus spätantiker Zeit, den nach ihrem Randschlag Kontorniat-Medaillons genannten Bronzechips von der Mitte des 4. Jahrhunderts eine gewisse Vorstellung vom ursprünglichen Aussehen der Gruppe zu geben.

Danach und nach den bisher der Skylla-Gruppe zugewiesenen und in einem beachtlichen Rekonstruktionsversuch von Baldo Conticello und Vittorio Moriello[171] zusammengefügten Fragmenten läßt sich über die Skylla-Gruppe von Sperlonga folgendes aussagen: Sie stand in der Mitte des runden Beckens in der Tiberius-Höhle auf einem kubischen *opus caementicium*-Sockel, dessen Auflagefläche den Wasserspiegel nicht überragte. Das Schiff des Odysseus, von dem nur das Heck mit dem hochgebogenen Aphlaston dargestellt ist, einer Verzierung, in der die nach oben gekrümmten Spanten des Schiffrumpfes zusammengefaßt werden, scheint durch die Fluten dicht am Felsen der Skylla vorbeizugleiten. Am Aphlaston klammert sich mit der Rechten ein Schiffer im kurzen die eine Schulter freilassenden Chiton fest. Mit haltsuchend nach hinten gestreckter Hand ist er auf den Heckzierat gestürzt, so daß seine Unterschenkel in die Luft schlagen. Es ist nicht klar, ob Skylla ihn am Schopf gepackt hält, wie es die Darstellung auf den Kontorniat-Medaillons zeigt. Bisher ist es jedenfalls nicht gelungen, die riesige, fleischige Rechte Skyllas, die eine Schädelkalotte so von der Seite umgreift, daß zwischen Daumen und Zeigefinger ein Streifen der Stirn unter dem

Haaransatz sichtbar wird, mit dem zur Anstückung vorbereiteten Kopf des Schiffers zu verbinden.[172]

Auf dem Deck des Schiffes ist noch Platz für mindestens eine weitere Figur, und auch das Fragment eines in Ausfallstellung wiedergegebenen Oberschenkelpaares mit charakteristisch geschlitztem Chitonrand[173], das unter den noch nicht sicher zugewiesenen Marmorsplittern lag, läßt darauf schließen, daß auf dem Deck Odysseus dargestellt war, wie er trotz Kirkes Warnung das Untier mit geschwungenem Speer angreift. So zeigen ihn auch die Kontorniat-Medaillons. Vom Unterkörper der Skylla sind die Fragmente von Hundeköpfen löwenartigen Aussehens und zwei lange, in die Luft schlagende Fischschwänze erhalten. Aus diesen Resten geht hervor, daß Skylla hier ähnlich gebildet war wie die in den Maßen allerdings wesentlich kleinere Gruppe aus der Villa Hadriana.[174] Abgesehen von der Größe und abgesehen von der Tatsache, daß in Sperlonga auch das Schiff des Odysseus dargestellt ist, zeichnet diese Gruppe sich durch eine besonders heftige Auf- und Abwärtsbewegung der Hundeleiber aus, die nach allen Seiten auseinanderfahren, sich nach oben zum Schiff und nach unten zu kopfüber ins Meer stürzenden Griechen recken und nach ihnen schnappen. Zwei der Gefährten sind von den schlangenartigen Fischschwänzen Skyllas umschlungen. Dem einen schlägt einer der Hunde die Reißzähne in den Oberschenkel, den Schädel des anderen zermalmt ein Hund mit furchtbarem Biß. Der Grieche, der die Hundeschnauze wegreißen will, wirft einen Arm in seiner Todesnot in die Luft. Sein schmerzverzerrtes Gesicht ist gefesselt zwischen dem in die Luft peitschenden Fischschwanz und dem linken Arm, mit dem er nach dem zubeißenden Untier an seinem Kopf greift. Solche Schreckensbilder müssen dem Dichter[175] vor Augen gestanden haben, als er seinen Helden in die Worte ausbrechen ließ, dies sei das Jammervollste, das er je mit Augen gesehen.

Die Skylla-Gruppe ist nicht nur die erstaunlichste der vier Gruppen in Sperlonga, sondern die erstaunlichste von allen antiken Gruppenschöpfungen. Ein solches Unter- und Übereinanderstürzen durch die Luft fliegender Männer, kreuz und quer dazwischenfahrender Hundevorderkörper, und der aus diesem Getümmel emporragende Riesenleib eines wilden Weibes, das die Gefährten aus dem vorbeigleitenden Schiff reißt und den Hunden zum Fraß hinwirft, dagegen wirkt auch die Entsetzen erregende Skylla-Gruppe aus der Villa Hadriana zahm und selbst die Polyphem-Gruppe gebändigt, ja sogar die Laokoon-Gruppe, die sich mit den geringelten Schlangenleibern noch am ehesten vergleichen läßt, hat nicht diese Virtuosität der tief aus dem Marmor gehöhlten bizarren Formen und aufgewühlten Motive.

Auf diesem nur in einer Zeichnung überlieferten Kontorniat-Medaillon, das um die Mitte des 4. Jahrhunderts n. Chr. geprägt wurde, ist eine Skylla-Gruppe von ähnlicher Komposition wie diejenige von Sperlonga dargestellt.

Der Steuermann des Odysseus ist nach vorn auf das Heck gestürzt und klammert sich verzweifelt an die Spanten, als ein Hund von unten herauf nach ihm schnappt. Am Ruderkasten die Marmorplatte mit der Inschrift der Laokoon-Künstler.
Die Virtuosität der Marmorarbeit ist bewundernswert, aber die starke vierkantige Stütze unter dem ausgestreckten Arm des Mannes ist ein Indiz dafür, daß diese Figur nicht für eine Ausarbeitung in Marmor, sondern in Bronze konzipiert ist.

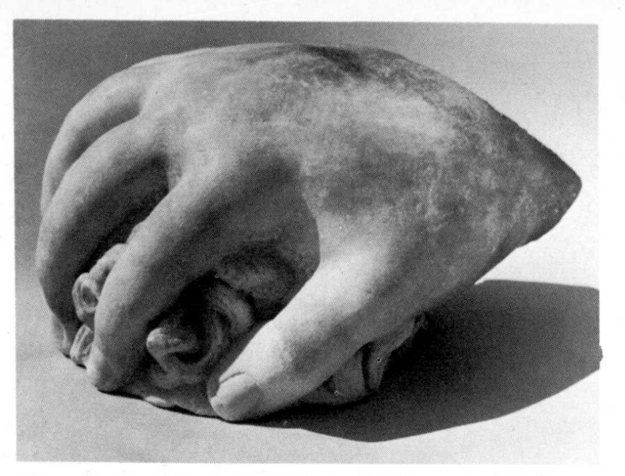

Die unförmige Hand der Skylla in Sperlonga ergreift einen Griechen bei den Haaren. Zwischen Daumen und Zeigefinger erkennt man den Ansatz der Stirn des Mannes.

Die Züge dieses zu Tode erschrockenen Gesichtes sind der Leidensmaske des Laokoon nah verwandt.

Es unterliegt aber keinem Zweifel, daß diese Marmorfiguren von denselben Hammer und Meißel führenden Händen aus dem Stein geschlagen wurden, die nach Plinius auch die Laokoon-Gruppe gemeißelt haben. In allen Details kann man die gleiche Handschrift ausmachen. Und doch sind auch Unterschiede festzustellen, die das Problem der Laokoon-Gruppe, das durch die Signatur von Sperlonga einer Lösung so nahe gerückt schien, erneut kompliziert haben.

Eine Lösungsmöglichkeit bietet nun die von verschiedenen Autoren übereinstimmend überlieferte Nachricht[176], daß auf dem Mittelpodest der berühmten Wagenrennbahn von Konstantinopel, dem Hippodrom, dessen langgestreckte Form noch den Atmeidan (Pferdeplatz) zwischen Hagia Sophia und der Blauen Sultan-Ahmet-Moschee in Istanbul bestimmt, in byzantinischer Zeit eine Bronzegruppe der Skylla stand, deren Beschreibung genau der aus den Fragmenten in Sperlonga erschlossenen Gruppenkomposition entspricht. Sollte es sich in Sperlonga um eine von den rhodischen Bildhauern im Gemeinschaftsatelier geschaffene Marmorkopie dieser berühmten Bronzeskulptur handeln, die später wie der delphische Dreifuß von Plataiai oder die Bronzepferde von San Marco zur Verschönerung der neuen Hauptstadt nach Byzanz gebracht worden war? Eine solche Vermutung, die alle bisher festgestellten Widersprüche auflösen würde, läßt sich vorläufig nicht eindeutig beweisen. Es lassen sich aber zahlreiche Indizien zusammentragen, die in die gleiche Richtung führen.

Besonders klar liegen die Verhältnisse bei der unter dem Namen »Pasquino-Gruppe« in zehn maßgleichen Wiederholungen[177] überlieferten Gruppe, in der ein mit Helm und Schild gewappneter Held im Kriegerchiton den Leichnam eines nackten Gefallenen aufhebt, um ihn vom Schlachtfeld zu tragen. Diese Gruppe hatte, längst vor der Entdekkung der Replik von Sperlonga, Bernhard Schweitzer[178] in Leipzig mit der Hilfe des Konservators Fr. Hackebeil in Gips rekonstruiert, wobei er sich der Abgüsse der wesentlichen damals bekannten Wiederholungen in Rom und Florenz bediente. Diese Rekonstruktion wird auch durch die Funde von Sperlonga als richtig bestätigt.

Bernhard Schweitzer kam zu dem allgemein akzeptierten Ergebnis, daß es sich bei den bekannten Wiederholungen um römische Marmorkopien der fortgeschrittenen Kaiserzeit handelt, die auf ein berühmtes griechisches Bronzeoriginal zurückgehen. Umstritten ist nur noch die genaue Datierung des Originals, dessen Zuweisung an die pergamenische Kunstschule aber so gut wie sicher scheint. Was die Datierung des Originals betrifft, so geht es im Grund nur noch darum[179], ob das Werk schon im dritten Jahrhundert v. Chr., das heißt vor dem großen Altar von Pergamon, oder erst nachher, also im zweiten Viertel des 2. Jahrhunderts v. Chr., entstanden ist, was wir aus verschiedenen Gründen und im Anschluß an Textinterpretationen, die Bernhard Schweitzer noch nicht bekannt sein konnten, für wahrscheinlich halten möchten.

Überträgt man die Ergebnisse der Forschungen von Bernhard Schweitzer auf die in Sperlonga neu bekanntgewordene Replik der sogenannten Pasquino-Gruppe, so muß man auch sie für eine Marmorkopie nach einem hellenistischen Bronzeoriginal halten. Da die Replik von Sperlonga aber wenigstens hundert Jahre älter ist als alle anderen bekannten Wiederholungen, muß man sich immerhin die Frage vorlegen, ob sie nicht trotz aller anderen Überlegungen selbst das Original sein kann. Die Marmorarbeit ist von einer solchen Frische und Qualität, wie man sie von römerzeitlichen Kopien gewöhnlich nicht kennt. Es gibt aber ein untrügliches Indiz[180] dafür, daß die Skulptur gleichwohl nicht das Original sein kann. Anders als bei allen anderen Wiederholungen schleift der linke Fuß des Leichnams in so unnatürlicher Weise nach, wie es nur denkbar ist, wenn die Achillessehne durchschnitten ist.

Diese Tatsache beweist einmal, daß die anderen Repliken, welche übereinstimmend das Motiv der von der Sehne gehaltenen und daher vom Boden abgehobenen Ferse in anatomisch richtiger Weise zeigen, nicht auf die Skulptur von Sperlonga mit ihrer spezifischen Abwandlung zurückgehen können. Zum anderen führt die charakteristische Verletzung der Achillessehne zu der Frage, ob die Bildhauer mit dieser absichtlichen Abwandlung etwa ein Indiz schaffen wollten, daß in dem Leichnam nicht, wie beim Original und den anderen Repliken, Patroklos, sondern vielmehr Achill mit durchschossener Ferse zu erkennen sei, dessen Leichnam dann natürlich nicht Menelaos, sondern eben der auch in allen übrigen Gruppen von Sperlonga vergegenwärtigte Odysseus vom Schlachtfeld trägt.

Vorläufige Aufstellung der Fragmente der Skylla-Gruppe von Sperlonga. Das Untier reißt die Gefährten des Odysseus aus dem Schiff und wirft sie den Hunden, die aus ihrem Unterleib wachsen, zum Fraß hin. Die Fischschwänze, in denen ihr Leib hinten endet, umschlingen die Unglücklichen und fesseln sie.

Ergänzungszeichnung des Fragmentes von Vittorio Moriello.

Eingeklemmt in die Windungen eines Fischschwanzes der Skylla versucht ein Gefährte den Hundekopf fortzureißen, der ihm in den Schädel beißt.

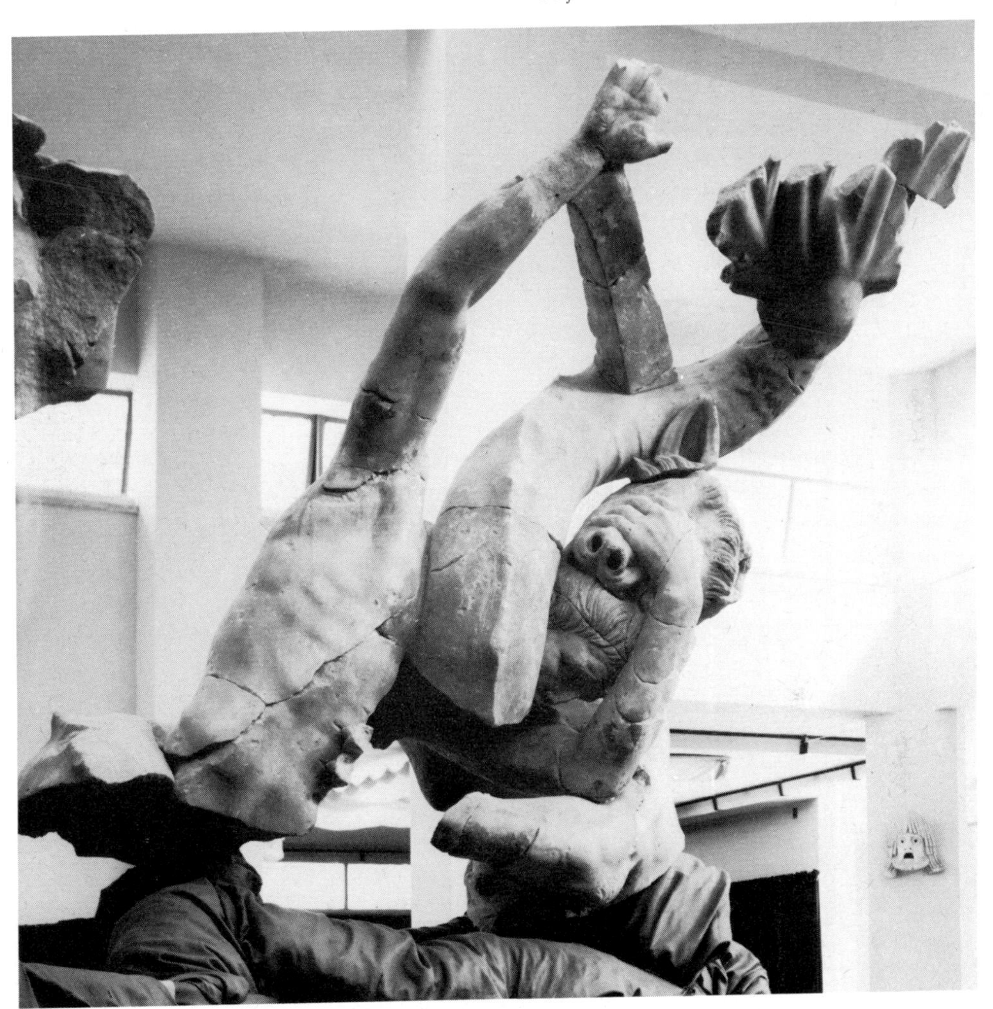

Antike Wiederholung der Pasquino-Gruppe, bei der die Achillessehne des Leichnams nicht durchtrennt ist.

Gipsrekonstruktion der sogenannten Pasquino-Gruppe von Bernhard Schweitzer.

Bei den nachschleifenden Beinen des Leichnams aus der sogenannten Pasquino-Gruppe von Sperlonga liegt die linke Ferse schlaff am Boden, als sei die Achillessehne durchschnitten, ein Zeichen, daß hier nicht Patroklos, sondern Achill gemeint ist.

Bronzerelief der Tensa Capitolina, in dem der Typus der Menelaos-Patroklos-Gruppe zur Darstellung des Odysseus mit dem Leichnam Achills verwendet ist.

Diese Frage ist keinesfalls abwegig, wie eine schulmäßig betriebene Archäologie meinen könnte. Denn das gleiche Gruppenschema ist auch in den Bronzereliefs eines kostbaren römischen Wagenbeschlages, der sogenannten Tensa Capitolina [181], verwendet. In den dort ausgewählten Szenen aus der Geschichte des Achill soll diese Gruppenkomposition die Bergung seines Leichnams durch Aias und Odysseus wiedergeben. Da nicht eindeutig festzustellen war, wer von den beiden Helden größere Verdienste um die Rettung des Leichnams des stärksten der Griechen hatte, kam es zu dem berühmten Streit um die Waffen des Achill, in dem Aias unterlag, in Wahnsinn verfiel und sich selbst tötete.[182] Odysseus war auf jeden Fall an der Rettung des Leichnams [183] aktiv beteiligt. Diese aus dem Mythos bekannte und von Ovid kurz zuvor in der 13. Metamorphose ins Gedächtnis gerufene Tatsache könnte diejenigen, die das Ausstattungsprogramm von Sperlonga zu entwerfen hatten, dazu bewogen haben, Odysseus als Retter der Leiche Achills darzustellen. Da es hierfür kein Vorbild gab, haben sie offenbar auf eine verwandte Darstellung zurückgegriffen, in der ein nach der Tradition Odysseus ähnlicher Held, Menelaos, den Achill-Freund Patroklos vom Schlachtfeld trägt, und sie haben dieser Gruppe durch eine prägnante und unmißverständliche Abwandlung, nämlich die durchgetrennte Achillessehne, die neue Bedeutung gegeben. Möglicherweise war die Umdeutung von Patroklos auf Achill und damit die von Menelaos auf Odysseus noch durch eine weitergehende Abwandlung kenntlich gemacht.

Leider sind keine Reste vom Oberkörper des Leichnams in Sperlonga gefunden worden. Es fällt aber auf, daß der obere Teil der Oberschenkel eigentümlich rauh belassen wurde, als ob ihm die letzte Glättung fehlte, und vor allem, daß auch die Inguinalfalte nicht exakt ausgebildet ist. Dieser Teil des Körpers scheint nicht auf Ansicht ausgearbeitet zu sein. Das ist nur zu erklären, wenn der Leichnam nicht nackt, sondern gewappnet war. Da auch der große Schild des über dem Leichnam stehenden Kriegers aus Bronze hinzugefügt war, wäre denkbar, daß man den Marmorleib des Leichnams in Sperlonga mit der Zutat eines Bronzepanzers umkleidet hat, unter dem das kurze Waffenröckchen, ebenfalls aus Bronze hervorkam und den oberen Teil der Oberschenkel mit der Scham bedeckte.

Patroklos wurde von Hektor seiner Waffen beraubt[184], sein Leichnam müßte nackt sein. Achill hingegen wird in voller Waffenrüstung vom Schlachtfeld getragen. Durch die Zutat einer Wappnung konnte man alle Zweifel an der Umdeutung ausschalten. Kunstgeschichtlich nicht weniger wichtig als die Folgerung, daß die Gruppe in Sperlonga eine Variante des Originals ist, dürfte die folgende Beobachtung sein: Die Gesichtsformen des Menelaos der Pasquino-Gruppe sind denen des Kopfes aus der Sammlung Polignac, den man dem Gefährten am Pfahlende in der Polyphem-Gruppe zuweisen muß, so nah verwandt, daß ein enger stilistischer Zusammenhang zwischen den beiden Gruppenschöpfungen vorauszusetzen ist. Nicht nur der charakteristische Verlauf der Falten auf der Stirne, nicht nur die Gestaltung der Augenpartie, die Bildung von Schnurrbart und Mund und die Strähnenform der Haare sind nahezu identisch. Auch die ganze Struktur des Kopfes, der in der Gesichtsmitte vorgebaut wirkt und sich oberhalb der Schläfen verschmälert, ist ebenso gleichartig wie der erregte Gesichtsausdruck der beiden Männer, die gleichwohl altersmäßig deutlich voneinander unterschieden sind.

Angesichts dieser Gleichartigkeit der Stilformen, die auch die römischen Kopien bewahrt haben, möchte man gern von der gleichen Handschrift sprechen. Das bedeutet, daß man den Schöpfer der Pasquino-Gruppe zumindest in der gleichen Kunstschule suchen muß wie den oder die Schöpfer der Polyphem-Gruppe, wenn sie nicht gar identisch waren. In der Tat offenbart auch ein Vergleich des Gruppenaufbaus der Polyphem- und der Pasquino-Gruppe eine Fülle von Gemeinsamkeiten, von denen hier der pyramidale Aufbau, die Bedeutung des Parallelismus der Glieder, die kurvig herabhängenden Arme und die bewußt gestaltete Gegensätzlichkeit von zum Bersten gespannten und erschlafften Körpern hervorgehoben seien. Sollte der Geist, aus dem diese beiden gewaltigen Gruppen hervorgingen, nicht derselbe sein, so gehört er jedenfalls in den gleichen engsten Kreis, den man mit dem pergamenisch-rhodischen Kunstkreis der Nachaltarzeit gleichsetzen muß. Eine Neuschöpfung der frühen Kaiserzeit im alten (pergamenischen) Stil kann die Pasquino-Gruppe keinesfalls sein, da sich die Neuheit der Umbildung in der zwar inhaltlich entscheidenden, sachlich aber geringfügigen Abänderung der Achillesferse erschöpft. Ein Zeitalter, das zu solchen Kunstgriffen Zuflucht nimmt, ist schwerlich in der Lage, Gruppenkompositionen zu schaffen, die den kunstgeschichtlichen Höhepunkt dieser Gattung bedeuten. Durch die Zuweisung früherer Schöpfungen an diese Zeit würde man den Blick auf die eigentlichen und unbestrittenen Leistungen der frühkaiserlichen Kunst verstellen.

Die Nebeneinanderstellung der Kopfrepliken des Menelaos aus der Pasquino-Gruppe und des Gefährten am Pfahlende aus der Polyphem-Gruppe läßt so enge Übereinstimmungen erkennen, daß man von der gleichen Handschrift sprechen muß. Die Originale der beiden Gruppen wurden offenbar vom selben hellenistischen Künstler geschaffen.

Durch diese Beobachtungen werden jedenfalls zwei für die Beurteilung der Tiberius-Grotte und ihrer Figurenausstattung bedeutungsvolle Fakten klargestellt:

Erstens kann die auf so prägnante und charakteristische Weise abgewandelte Gruppe der Rettung eines Leichnams nicht das Original der berühmten »Pasquino-Gruppe« sein, und zweitens, das ikonologische Ausstattungsprogramm von Sperlonga ist in den großen, mythologischen Figurengruppen einheitlich auf die Gestalt des Odysseus ausgerichtet.

Das wird auch durch die Betrachtung der Palladionraub-Gruppe, der vierten und letzten der großen Gruppen, bestätigt, deren Aufstellungsort in der Grotte durch die Fundlage ihrer Fragmente[185] bestimmt werden kann und die deshalb auch ein entscheidendes Indiz für die Bestimmung des Ortes liefert, an dem die Odysseus-Achill-Gruppe im Typus der Pasquino-Gruppe aufgestellt war. Von den Elementen der zuletzt genannten Gruppe ist der genaue Fundort in den Ausgrabungsberichten leider nicht verzeichnet. Diese Elemente, nämlich der behelmte Kopf des Kriegers, sein Schildarm, die nachschleifenden Beine des Gefallenen und dessen linke Hand wurden aber erst in der zweiten Phase der Ausgrabungen[186] gefunden, die unter der Leitung von Giulio Jacopi nach der Verabschiedung von Enrico Bellante ausgeführt wurde. Zu Beginn dieser Phase war nur noch das Gebiet um den nördlichen Zwickel der Beckenanlage unausgegraben.[187] Also die Stelle linker Hand, wo das runde Becken in der Höhle in das rechteckige Becken vor der Höhle übergeht. Die Fragmente der Odysseus-Achill-Gruppe im Typus der Pasquino-Gruppe müssen deshalb vor dem in das Becken auf der Nordseite hineinragenden Zwickel gefunden worden sein.

Kopf des Diomedes.

Linker Arm des Diomedes mit dem Palladion.

Dieser Ausschnitt des Reliefs einer kleinasiatischen Ostothek der Zeit um 160 n. Chr. aus Megiste gibt die gleiche Gruppe von Diomedes und Odysseus beim Raub des Palladions wieder, die auch in Sperlonga kopiert wurde.

Körper des Odysseus.

Auf diesem dreieckigen Teil des Beckenrandes blieben die Reste eines Postamentes erhalten, das wie das große Podium der Polyphem-Gruppe und wie der kubische Sockel der Skylla-Gruppe aus Konglomeratmauerwerk unter Verwendung großer, in Sperlonga selbst, im Bachbette neben der Villa, vorhandener Kieselsteine aufgemauert war. Die Reste eines gleichartigen Sockels finden sich auch auf dem südlichen Zwickel, das heißt rechter Hand, wenn man zur Grotte blickt. Diese beiden Sockel waren offenbar die mit der Gesamtanlage der Grottenausstattung zugleich errichteten Postamente für die Odysseus-Achill-Gruppe links und die Palladionraub-Gruppe rechts am Höhleneingang.

Während die Polyphem- und die Skylla-Gruppe in einer fast natürlich wirkenden Umgebung, also in einer den Realitätsgehalt erhöhenden Weise dergestalt angeordnet waren, daß man in den Aufstellungsorten die Polyphem-Höhle selbst oder den im Meer gelegenen Skylla-Felsen erkennen zu können glaubte, an dem entlang das Schiff des Odysseus durch die Fluten gleitet, haben die beiden anderen Gruppen aufgrund ihrer Aufstellungsform eher Denkmalcharakter. Mit ihnen sollen offenbar die Reminiszenzen an die großen Leistungen des Odysseus vor Troja in die Gegenwart der schwersten Abenteuer des Odysseus und seiner Gefährten auf der Heimkehr von Troja hereingeholt werden. In dieser Weise läßt der Dichter[188] selbst Odysseus bei der Bedrohung durch Skylla die Gefährten daran erinnern, wie sein Mannesmut sie aus der weit größeren Gefahr in der Höhle Polyphems errettet habe. Die Erinnerung an bestandene Abenteuer ist also für Odysseus nicht Anlaß zu Angst, Furcht und Verzagen, sondern diese Erinnerung feuert ihn an und gibt ihm auch in der neuen Gefahr Mut und Kraft zum Durchhalten.

Die Palladionraub-Gruppe zeigt Odysseus nicht wie die anderen Gruppen in eindeutig heldischer Weise, sondern sie bringt einen Grundzug seines Wesens zur Geltung, der ein notwendiges Komplement der neuartigen Denkweise dieses Mannes darstellt: seine Verschlagenheit.

Leider sind von dieser Gruppe, von der man sich nach der verhältnismäßig genauen Wiederholung im Relief eines kleinasiatischen Beinkastens des mittleren zweiten Jahrhunderts n. Chr. in Athen[189] eine Vorstellung machen kann, nur einige, wenn auch sehr wesentliche Fragmente vorhanden: Vom Diomedes sind der prachtvoll gelockte Kopf und der linke Arm erhalten, der das Götterbild der Pallas Athene von Troja, kurz Palladion genannt, mit nerviger Hand umklammert hält. Vom Odysseus wurden alle Teile des Körpers bis auf die rechte Hand gefunden und wieder zusammengesetzt. Nur der Kopf fehlt, und das ist besonders bedauerlich, weil man ihn gerne mit dem kühnen Odysseus der

Das Palladion von Sperlonga ist ein archaistisches Werk von eigenartigem Reiz. Es zeigt das hohe Können der Bildhauer von Sperlonga, welche die von verschiedenen Stellen zusammengeholten Vorbilder in ihren Marmorkopien durch überaus sensible Oberflächengestaltung zu vereinheitlichen vermochten.

Polyphem-Gruppe verglichen hätte, um zu sehen, wie der Schöpfer der Gruppe die Psychologie dieser anderen Seite des Odysseus gestaltet hat.

Aus der kleinen Wiederholung in der Reliefnachbildung der mittleren Kaiserzeit geht das nicht hervor. Beim Vergleich der Fragmente mit diesem Relief kann man nur das Motiv des Diomedes, die Gebärde der rechten Hand des Odysseus, seine Kopfwendung und den Zusammenhang der ganzen Gruppe erschließen. Danach scheinen die beiden Helden in heftiger Bewegung auseinanderzufahren und sich dabei wütend anzublicken. Diomedes trägt das blanke Schwert in der Rechten. Er war offenbar im Ausschreiten nach links begriffen, als ihn etwas aufschreckte, so daß er den Kopf leidenschaftlich zurückwirft. Odysseus, der ihm folgte, prallt zurück. Ihre Augen bohren sich ineinander. Odysseus greift sich mit einer Bewegung, die Unschlüssigkeit andeutet, in den Bart. Mit der Linken trägt er das ins Mäntelchen gewickelte und darin verborgene Schwert in der Weise, daß er es jederzeit ziehen kann. Er umgreift die Scheide mit der Linken und legt dabei Zeige- und Mittelfinger so über das Heft des Schwertes, daß es nicht von selbst aus der Scheide gleiten kann, daß er aber den vorragenden Griff sofort mit der Rechten fassen kann.

Der sprechenden Szene liegt folgende Mythenepisode[190] zugrunde: Einer Weissagung zufolge konnten die Griechen Troja nicht erobern, solange die Stadt unter dem Schutz des uralten Götterbildes stand. Deshalb wurden Odysseus und Diomedes wie in einem nächtlichen Kommandounternehmen ausgesandt, das hölzerne Idol zu rauben. Odysseus, der ältere, half dem jüngeren Gefährten über die Stadtmauer, indem er mit den zusammengesteckten Händen eine Stufe bildete. So gelangte Diomedes als erster zum Tempel und nahm das Palladion von seinem Postament. Odysseus konnte diesen Erfolg des Gefährten nicht so leicht verwinden. Auf der Heimkehr ergriff ihn der Neid, und er überlegte, ob er Diomedes hinterrücks erschlagen und das Palladion an sich nehmen solle, um es ins Lager der Griechen zu bringen, denen er erzählen könne, Diomedes sei bei dem Unterfangen umgekommen, nur er, Odysseus, habe sich mit dem Palladion retten können. Während er, noch unschlüssig, über diesen Verrat nachsinnt und dabei mit verlegener Geste seinen Bart zwirbelt, verbirgt er schon die Mordwaffe in seinem Gewande. Doch Diomedes, der vom Erfolg beflügelt, vorausschreitet, sieht das Schwert des Odysseus im Mondlicht blinken. Er erkennt die feige Absicht seines Kameraden, wendet sich blitzschnell um und zwingt ihn mit blanker Klinge vor sich her ins Lager der Griechen zurück.

In echt griechischer Weise, die den Helden nicht nur strahlend sieht, sondern auch seine menschliche Anfälligkeit erkennt, ist hier die verzehrende Kraft des unbändigen Ehrgeizes reflektiert, der Odysseus zwar nicht zum Mord am Kameraden treibt, der aber doch den Gedanken in ihm aufsteigen läßt.

Diese Episode wird nicht in der Odyssee berichtet. Sie würde zu dem dort entworfenen Bild des göttlichen Dulders nicht passen. Sie stammt vielmehr aus einer späteren Mythenvariante, in welcher der eher ränkesüchtig geschilderte Odysseus des Kyklos nachwirkt. Aber für das Gesamtbild, das die Antike sich von Odysseus machte, ist sie doch wichtig. Noch Seneca[191] erinnert an das stoische Ideal, das Odysseus verkörpert, da er nicht nur alle äußeren Schrecknisse, sondern auch die inneren niederen Wünsche überwindet. Daß solche Wünsche in ihm aufkeimen, wird in der Palladionraub-Gruppe anschaulich gemacht, deren künstlerische Bedeutung erst durch die Funde von Sperlonga offenbar wurde.

Der Kopf des Diomedes in der heftigen Wendung, welche die scharfe Falte an der linken Schulter hervorruft, sein wildgelocktes Haupthaar und die jugendlich glatten Wangen, an denen sich erster Bartflaum zeigt, das Grübchen im Kinn, das so ähnlich in dem zarten Mädchengesicht Athenas wiederkehrt, weiter der muskulöse Arm, der mit den straff gespannten Sehnen auf dem Handrücken das Götterbild so fest umschließt, daß niemand es ihm entreißen kann, das alles ist eine bildhauerische Arbeit von hohem Rang.

In eigentümlichem Gegensatz zu der leidenschaftlichen Bewegtheit des jungen Helden mit den schönen Gesichtszügen und den flammenden Augen steht die zierliche Starre des archaistischen Götterbildes. Die sorgfältig drapierten Haare, die unter dem Helmrand hervorquellen, die mandelförmigen Augen, in denen die Iris gemalt ist[192], und der ornamental gekräuselte Mund beleben das füllige Oval des Antlitzes nur wenig. In stiller Unberührtheit schwingt die Göttin die Lanze und streckt schützend die Linke aus. Nur die Augen scheinen zu leben und gleichmütig den Streit der Menschen zu beobachten. Der dünne Chiton und das archaische schräge Mäntelchen, mit dem das hölzerne Bild bekleidet ist, werden von der nervigen Hand des Mannes zusammengedrückt. Das trägt zu dem Eindruck einer unerhörten Lebendigkeit der Skulptur bei, zu der die starre Haltung des Götterbildes kontrastiert. Dieser Kontrast wird in einer überspitzten Raffiniertheit ausgekostet.

Gegensätzlich aufgebaut ist auch die Figur des Odysseus, auf dessen in schräger Haltung festgehaltenem Körper man sich nach dem Vorbild des Sarkophagreliefs einen senkrecht sitzenden, nach seiner rechten Seite gewendeten Kopf vorstellen muß. Erst dann wird die ganze innere Widersprüchlichkeit der Bewegung erkennbar. Auch hier hat der Künstler den fruchtbaren Augenblick der ganzen Geschichte getroffen, der

der Einbildungskraft freies Spiel läßt. Odysseus, der eben noch in fast schleichendem Gang hinter dem Gefährten herschritt, fährt im selben Augenblick zurück. In diesem Zwiespalt der Gefühle wird die Muskulatur des Bauches über dem linken Darmbeinstachel durch eine plötzliche Drehung des Oberkörpers fast krampfhaft verzogen. Bei der ruckartig verschiedenen Bewegung von Ober- und Unterkörper droht die Figur beinahe auseinanderzubrechen. Man muß diese von divergierenden Motiven beherrschte Skulptur lange betrachten, um des ganzen Reichtums der plastischen Gestaltung inne zu werden.

Es fällt schwer, in dieser hervorragenden bildhauerischen Arbeit nicht eine originale Schöpfung, sondern eine Kopie zu erkennen. Und doch führt kein Weg an dieser Erkenntnis vorbei. Es existieren nämlich zwei von P. Bol[193] als solche erkannte maßgleiche und ebenfalls vorzüglich erhaltene Wiederholungen dieser Odysseusfigur, die, in einem wesentlichen Punkt übereinstimmend, dem gemeinsamen Vorbild näherstehen und somit die Möglichkeit ausschließen, in der Skulptur von Sperlonga das Original zu erkennen.

Diese eindeutige Tatsache soll hier im Vergleich zwischen dem Odysseus der Palladion-Gruppe von Sperlonga mit seiner Replik aus der Via Margutta, Rom[194], dargelegt werden. Man erkennt zunächst an allen Einzelheiten der Körperbildung und der Gewanddrapierung, daß der Torso aus der Via Margutta die gleiche Figur wiedergibt wie der Odysseus von Sperlonga. Zugleich wird man auf einen entscheidenden Unterschied aufmerksam. Der Odysseus von Sperlonga hat sein auf der rechten Schulter geknüpftes Mäntelchen um den linken Arm gewickelt, damit er das Schwert darin verbergen kann. Zugleich läßt er das Mäntelchen aber auch über den Rücken herabfallen, so daß ihm der Saum gegen die Kniekehlen schlägt. Das ist bei diesem Chlaina genannten Kleidungsstück unmöglich. Entweder wickelt man es um den Arm oder man läßt es locker herabfallen, beides zugleich ist nicht durchführbar. Nun ist ein Künstler natürlich kein Schneider, und künstlerische Freiheiten, die mit der natürlichen Logik einer Gewanddrapierung ihr Spiel treiben, sind ihm nicht verwehrt. In diesem Fall aber muß man feststellen, daß das über den Rücken in so unlogischer Weise herabfallende Gewandstück, das auf der Schulter nirgendwo befestigt scheint, in einem ganz anderen, wesentlich flaueren Stil gegeben ist als das mit seinen straff gespannten Schrägfalten kraftvoll gestaltete Tuch auf der Vorderseite der Figur. Völlig einheitlich wirkt demgegenüber die Gestaltung dieses Gewandstücks in seiner konsequenten Drapierung beim Torso aus der Via Margutta. Dies muß die originale Version der plastischen Schöpfung sein, während das Bildhaueratelier, dem die Ausstattung der Grotte von

Ein Vergleich der beiden Repliken des Odysseus aus der Palladionraub-Gruppe zeigt die unlogische Drapierung des Mäntelchens bei der Skulptur aus Sperlonga, die deshalb nicht das Original, sondern nur eine abgewandelte Kopie des gleichen hellenistischen Bronzevorbildes sein kann, auf das auch die exaktere Kopie im Museo Nazionale Romano (aus der Via Margutta) zurückgeht.

Sperlonga oblag, vor dem Problem stand, der schlanken Odysseusgestalt, die dem massigen Krieger der sogenannten Pasquino-Gruppe auf der anderen Seite als Pendant dienen sollte, durch den hinten herabfallenden Mantel Relief und größeres Gewicht zu geben.

Für die Beurteilung des Figurenschmucks der Tiberius-Grotte sind diese Feststellungen von größter Bedeutung. Sie bestätigen die bisher gewonnenen Ergebnisse über die Einheitlichkeit der Skulpturenausstattung dieses Naturtheaters.

Hinzu kommt noch, daß die drei Repliken der Odysseus-Gestalt untrügliche Indizien für die andernfalls so schwer zu beweisende Annahme bieten, hinter den Skulpturen von Sperlonga stünden hellenistische Bronzeoriginale. Bei allen drei überlieferten Repliken ist nämlich der Ansatz einer abgebrochenen Marmorstütze auf der rechten Brustseite erhalten, mit deren Hilfe der frei aus dem gleichen Block gehauene rechte Unterarm gehalten wurde. Dieser Puntello sitzt nun bei den drei Torsen eigentümlicherweise nicht an der gleichen Stelle. Vielmehr findet er sich bei der Figur in Sperlonga auf der rechten Brustwarze, beim Torso aus der Via Margutta unter der rechten Brustwarze und beim hier nicht abgebildeten Torso im Palazzo Mattei[195] neben der rechten Brustwarze. Das läßt darauf schließen, daß das Vorbild an dieser Stelle keine Stütze besessen hat. Denn sonst wäre nicht zu erklären, warum die Körper in allem übrigen so genau und maßgleich, das heißt doch wohl, mit der mechanischen Dreipunktmethode, kopiert wurden und nur in diesem untergeordneten Detail voneinander abweichen. Hätte das Vorbild eine Stütze von der Brust zum Arm besessen, wäre es viel einfacher gewesen, diese genau an der Stelle, wo sie ansaß, mitzukopieren. Nur weil keine Stütze vorhanden war, mußten die Kopisten eine solche anbringen, und jeder wählte dafür die ihm am günstigsten erscheinende Stelle. Wenn das Vorbild aber an dieser Stelle keine Stütze gehabt hat, dann muß es aus Bronze gewesen sein, die im Gegensatz zum spröden Marmor keine Verstrebung herausragender Glieder nötig hatte.

Damit kommt man auch bei der vierten Gruppe in Sperlonga zum gleichen Ergebnis, wenn auch auf einem ganz anderen Wege und mit unabhängigen Indizien. Alle Skulpturengruppen von Sperlonga sind nach hellenistischen Bronzewerken geschaffene Marmorkopien[196], und alle stellen die Odysseus-Gestalt in den Mittelpunkt.

Die Frage ist nur, wann diese Marmorkopien geschaffen und von wem sie in Auftrag gegeben wurden. Es liegt zwar nahe, bei diesem mit dem Namen des Kaisers Tiberius verbundenen Grottentriklinium an eben diesen Kaiser als Auftraggeber zu denken, aber selbstverständlich ist das nicht.

XII

ODYSSEUS ALS VORBILD

Tiberius in Sperlonga

S. 177 Porträtkopf des Tiberius als Kronprinz, Kunstsammlungen der Ruhr-Universität, Bochum.

GROTTA DI TIBERIO wird die Höhle von Sperlonga genannt, weil Tacitus und Sueton übereinstimmend berichten, Kaiser Tiberius sei im Jahre 26 n. Chr. in dieser Villa, das heißt, wie wir erst jetzt wissen, angesichts der in den vorhergehenden Kapitel beschriebenen Marmorpracht, in einer Katastrophe, die für sein weiteres Leben entscheidend war, nur knapp dem Tode entronnen.

Tacitus[197] berichtet: »Man war auf dem Landgut namens Spelunca, das zwischen dem Meer bei Amunclae und den Bergen von Fondi liegt, und speiste in einer natürlichen Felsgrotte. Da fielen am Eingang plötzlich Felsstücke herab und erschlugen einige Diener. Alles geriet in Furcht; die Tischgäste flohen. Sejanus dagegen beugte sich knieend über den Kaiser und schützte ihn mit seinem eigenen Haupt und Händen gegen die herabfallenden Steine. In dieser Stellung fanden ihn die Soldaten, die zur Hilfe herbeieilten. Seitdem stand er noch größer da. Mochten seine Ratschläge noch so verderblich sein, als selbstloser Freund fand er Vertrauen und Gehör.«

Bei Sueton[198] liest sich der gleiche Sachverhalt folgendermaßen: »Allein nachdem er seine beiden Söhne, den Germanicus in Syrien, den Drusus in Rom, durch den Tod verloren hatte, zog er sich nach Kampanien in die Einsamkeit zurück, und fast allgemein glaubte und sagte man bestimmt, daß er nicht mehr nach Rom zurückkehren und auch wohl bald sterben werde. Beides traf halb und halb ein. Denn in der Tat kam er nie mehr nach Rom zurück, und wenige Tage nach seiner Abreise, als er bei Terracina auf einem Landhause, das die Grotte heißt, zu Nacht speiste, stürzten mehrere gewaltige Blöcke zufällig von dem überhängenden Felsen nieder, wodurch viele Gäste und Diener erschlagen wurden, während er selbst wider Verhoffen unbeschädigt davonkam.«

Es ist klar, daß weder Tacitus, der diese Zeilen etwa 75–80 Jahre nach dem Ereignis niederschrieb, noch Sueton, dessen Kaisergeschichte erst etwa 90 Jahre danach entstand, ein unmittelbares Interesse an der Villa hatten, die sie jedoch als *Praetorium,* das heißt Kaiserlichen Landsitz[199] bezeichnen. Den beiden Historikern ging es darum zu erklären, wieso Tiberius ein so blindes Vertrauen in seinen Gardepräfekten Sejan gewinnen konnte. Dieser hatte beim Steinschlag in Sperlonga sein Leben aufs Spiel gesetzt, um das des Kaisers zu retten. Einen größeren Loyalitätsbeweis konnte der Kaiser nicht erwarten. Das herausgestellt zu haben mußte den Autoren der Kaisergeschichte genügen.

Nach der Ausgrabung der Höhlenvilla von Sperlonga, das heißt, nachdem man heute eine genauere Vorstellung von der Größe und Bedeutung dieses *Praetoriums* besitzt als Tacitus und Sueton, die die Villa so gut wie sicher nicht persönlich in Augenschein genommen haben, gewinnt deren summarischer Bericht jedoch eine ganz neue Wichtigkeit. Denn diese Villa war nicht eine von vielen, sondern sie war ein bis dahin einzigartiges Werk, in das gewaltige Geldsummen investiert worden sein mußten und das auch neben den späteren Kaiservillen in Capri, Baiae, Anzio, Castel Gandolfo und Tivoli an Großartigkeit bestehen kann. Die Frage ist, wer die Geldmittel, die zur Anlage eines solchen Komplexes notwendig waren, zur Verfügung hatte, und weiter, wer die rhodischen Künstler, welche die Skylla-Gruppe signiert und wahrscheinlich das ganze mythologische Bildprogramm ausgearbeitet haben, beauftragt haben könnte.

Denken könnte man etwa an einen der großen republikanischen Senatoren und Feldherrn, die im ersten Jahrhundert v. Chr. bei ihren Feldzügen im Osten unermeßliche Reichtümer erworben hatten, zum Beispiel an Lucullus. Er soll nicht weit vom Monte Circeo eine Villa besessen haben.[200] In der Tat gibt es in der Villa von Sperlonga einen republikanischen Kern, wie der Baustil, die Verwendung bestimmter Baumaterialien und der charakteristische Fußbodenbelag mancher Räume beweisen.[201] Diese ältesten Bauteile in der Villa von Sperlonga haben jedoch keinerlei erkennbaren Zusammenhang mit der Ausstattung der Grotte, bei der zum Beispiel an der Rampe zur Terrasse hinter der Polyphem-Gruppe Kalksteinretikulat, ein erst seit tiberianischer Zeit in Gebrauch gekommenes Netzmauerwerk[202] Verwendung fand.

Bisher ist auch keine einzige republikanische Villa mit einer so prunkvollen Ausstattung bekannt geworden. Einen derartigen Luxus konnte sich wohl doch nur ein Kaiser nachaugusteischer Zeit leisten.

In diesem Zusammenhang ist es interessant, einen Blick auf die Lebensgeschichte des Kaisers Tiberius[203] zu werfen. Er wurde 42 v. Chr. als Sproß der hochadligen Familie der Claudier geboren. Seine Mutter, die ungewöhnlich schöne und bedeutende Livia Drusilla, heiratete, als der Knabe drei Jahre alt war, in zweiter Ehe Octavian, den späteren Kaiser Augustus. Tiberius, der der wohl größte Feldherr seiner Zeit werden sollte und im Auftrage des Augustus zahlreiche Feldzüge erfolgreich durchführte, wurde von seinem Stiefvater, als es zur Regelung der Nachfolge kam, übergangen. Zunächst wurde Agrippa und nach dessen Tod wurden dessen beide Söhne Gaius und Lucius Caesar, durch seine Tochter Julia Enkel des Augustus, zu Nachfolgern ausersehen. Um ihnen nicht im Wege zu sein, begab Tiberius sich im Jahre 6 v. Chr. in die freiwillige Verbannung nach Rhodos, wo er sich philosophischen, literarischen und schöngeistigen Studien widmete. Dies war neben der Kriegführung das andere Extrem seiner Beschäftigung, durch die er den bohrenden Schmerz über seine Zurücksetzung zu verdrängen suchte.

Sperlonga. Grundriß der Grottenanlage in der Villa des Tiberius. Der Kaiser konnte von seinem Platz auf der Trikliniumsinsel die „Odyssee in Marmor“ überblicken.

Sperlonga. Rekonstruierter Anblick der „Odyssee in Marmor“ mit den Darstellungen der bedeutendsten Heldentaten des Odysseus vor Troja im Vordergrund (Rettung des Leichnams des Achill, links, Raub des Palladions, rechts) und den schwierigsten Abenteuern auf der Heimfahrt im Hintergrund.

Weil seine Sicherheit in Rhodos nicht mehr gewährleistet war, kehrte Tiberius auf Bitten seiner Mutter im Jahre 2 n. Chr. nach Rom zurück, nicht ohne zuvor bei dem präsumtiven Nachfolger des Augustus, Gaius Caesar, um Erlaubnis gebeten zu haben, da dieser nach dem kurz zuvor erfolgten Tode des Bruders Lucius als alleiniger Thronprätendent galt. Gaius Caesar war erst zweiundzwanzig Jahre alt. Der doppelt so alte Tiberius schien daher von der Nachfolge ausgeschlossen.

Das Schicksal hatte ihn gleichwohl dazu ausersehen, denn im Jahre 4 n. Chr. erlag Gaius Caesar einer Verwundung, die er im armenischen Feldzug vor Artagira erhalten hatte.

So hatte Tiberius alle von Augustus zu möglichen Nachfolgern ausersehenen Männer überlebt, und es war der beharrliche Einsatz seiner Mutter Livia, der Augustus schließlich im Jahre 4 n. Chr. bewog, Tiberius zu adoptieren und sich seiner wieder als Feldherr zu bedienen. Tiberius war damit auf den Weg der Nachfolge des Augustus gebracht, die er jedoch nach dessen Tod im Jahre 14 n. Chr., nun schon fünfundfünfzigjährig, erst nach langem Zögern antrat. Die Regierungszeit des mißtrauischen Mannes war von Anfang an von unglücklichen Ereignissen in seiner Familie, in der Innen- und Außenpolitik und vor allem durch Auseinandersetzungen um die Macht im eigenen Hause überschattet. Livia, die von ihrem Gatten noch testamentarisch zur Augusta gemacht worden war, hielt ihrem Sohn vor, was sie für ihn getan hatte, und sicherte sich ihren Anteil an der Macht, was Tiberius verbittert und ihm seine eigene Regierungszeit vergällt hat.

Er zog sich, so oft er konnte, aus dem Treiben der Hauptstadt zurück und verließ diese nach dem 19 n. Chr. erfolgten Tode seines Adoptivsohnes Germanicus im Jahre 21 n. Chr. endgültig, um seinen ständigen Wohnsitz nach Kampanien zu verlegen, wie Sueton[204] berichtet.

In Kampanien, bei Nola, hatte schon Augustus eine Villa besessen, in der er auch gestorben war. Da Sperlonga im südlichsten Teil von Latium und nicht in Kampanien liegt, hat man bisher noch nicht die Frage gestellt, ob der von Sueton erwähnte Wohnsitz in Kampanien nicht möglicherweise das *Praetorium* von Sperlonga war. Solange die Bedeutung der Villa von Sperlonga nicht bekannt war, hatte diese Frage auch keinen Sinn. Angesichts der Größe und Pracht der Villa von Sperlonga wird diese Frage aber aktuell. Denn es ist kaum anzunehmen, daß Tiberius neben der Villa von Sperlonga eine noch großartigere als ständigen Wohnsitz hätte ausbauen lassen können. Auch die nach den zwölf Göttern benannten Villen auf Capri[205], die Tiberius in den elf letzten Jahren seiner Regierungszeit bewohnte, übertrafen die Ausstattung von Sperlonga nicht. Das darf man nach der Entdeckung der Skulpturen in der Blauen Grotte[206] zuversichtlich behaupten. Gewiß ist die Villa Jovis als Architekturkomplex bedeutender, aber gerade die Grottenvillen im Stil von Sperlonga, wie die Grotta di Matromania[207] oder die schon erwähnte Blaue Grotte selbst, reichen an die Pracht der Anlage von Sperlonga nicht heran.

Es ist daher die Frage, ob man die Aussage des Sueton, Tiberius habe sich seit 19 n. Chr. häufig und im Jahre 21 n. Chr. endgültig nach Kampanien zurückgezogen, auf die Goldwaage legen und ausschließen darf, daß mit dem neuen Aufenthaltsort des Kaisers Sperlonga gemeint ist. Für Sueton, der ja nicht Geograph war, lag Sperlonga so weit im Süden[208], daß man es nicht als unmöglichen Fehler ansehen darf, wenn er Sperlonga nach Kampanien verlegt. Das Faktum, daß Sperlonga die prächtigste bekannte Villa dieser Zeit war und aufs engste mit dem Namen des Tiberius verbunden ist, wiegt ebenso schwer wie die ohne besondere, und das heißt Genauigkeit heischende, Absicht gegebene Mitteilung, Tiberius habe sich schon nach fünfjähriger Regierungszeit zunächst zeitweise, dann ganz nach Kampanien zurückgezogen. Bei dieser abkürzenden Darstellung mag mitgewirkt haben, daß auch Capri, wo der Kaiser die elf letzten Jahre seines Lebens verbrachte, in Kampanien lag.

(rechte Seite) Sitzstatue des Kaisers Tiberius in den Vatikanischen Museen.

Wenn die Villa von Sperlonga nicht der nach Sueton vermeintlich in Kampanien gelegene Ort war, an den Tiberius sich in den ersten Jahren seiner Regierungszeit gerne zurückzog, dann wäre nämlich ein merkwürdiges und bedeutungsvolles Zusammentreffen kaum erklärlich, und zwar die Tatsache, daß Tiberius sich ausgerechnet in dem Jahr 26

n. Chr., in dem sich der Steinschlag von Sperlonga ereignete, für immer nach Capri begibt und dort die zwölf Villen auf den Namen der zwölf Götter errichten läßt.[209] Dort hatte schon Augustus, der die Insel im Jahre 29 v. Chr. in die kaiserliche Verwaltung übernommen hatte, eine Villa am Meer erbauen lassen. Hier konnte Tiberius, als Sperlonga sich durch den Steinschlag mit seinen tödlichen Folgen als lebensgefährlich erwies, sofort Wohnung beziehen und von hier aus den Aufbau prächtigerer Villenbauten, die in manchen Punkten an Sperlonga erinnern, überwachen. Bedenkt man nun noch, daß auf Capri, das eigentlich nur zur Zeit des Tiberius überragende Bedeutung genoß, die Meistersignatur eines Athanadoros Hagesandrou aus Rhodos[210] gefunden wurde, also doch wohl eines der Laokoon-Meister, die für die Ausstattung von Sperlonga verantwortlich waren, dann ist das ein weiterer Beweis für die Verbindung von Tiberius mit Sperlonga.[211]

Schließlich ist noch eine wichtige Voraussetzung für die Möglichkeit zu beachten, daß Tiberius sich nach Capri, also sehr weit von Rom, dem Zentrum der Macht, zurückziehen konnte. Erst beim Steinschlag von Sperlonga hatte Tiberius erfahren, daß es einen Mann gab, dem er blindlings vertrauen zu können glaubte und der ihn in Rom vertreten konnte, nämlich Sejan. Ohne einen solchen Mann mußte der Schritt, auf die Insel im Golf von Neapel zu übersiedeln, zumindest gewagt erscheinen. Das zeitliche Zusammentreffen der Übersiedlung nach Capri mit dem Steinschlag von Sperlonga scheint demnach nicht mehr zufällig. Dieser Ort mußte Tiberius verlitten sein, zugleich hatte sich der Mann gefunden, der ein noch weiteres Fernrücken von der verhaßten Hauptstadt und ein Sich-Zurückziehen auf eine sichere Insel garantieren konnte.

Wer einmal von der Höhe der Villa Jovis auf Capri herab auf die rings im Kreis sich schließende Landschaft des Golfs von Neapel geschaut hat, der muß das Gefühl nachvollziehen können, das den Kaiser hier beherrschte. Man glaubt dort, im Mittelpunkt einer weiten Welt zu stehen und doch durch Meer und Steilabfall der Inselküste von ihr abgeschlossen, gegen sie gesichert zu sein. Auch das Bewußtsein, im geographischen Mittelpunkt seines Weltreiches – das er als Feldherr des Augustus von Norden nach Süden und von Westen nach Osten durchmessen hatte – diesen sicheren Ort gefunden zu haben, mußte Tiberius mit Befriedigung erfüllen.

Aber war dieser Mann so gebildet, daß ihm das Skulpturenprogramm von Sperlonga etwas sagte? Immerhin ist seit der Entdeckung der Skulpturenausstattung der Blauen Grotte[212], die den gleichen wissenschaftlich interessierten Tauchern des Centro di Studi Subacquei von Neapel zu verdanken ist, welche auch die Polyphem-Gruppe von Baiae geborgen und die Unterwasserausgrabung des dortigen Nymphäumsaales ausgeführt haben, soviel sicher, daß der Kaiser für diese Art der Ausgestaltung seines Lebensraums eine ausgesprochene Vorliebe hatte. Auch in Rom hatte er sich als Kunstkenner erwiesen, als er die berühmte Bronzestatue des Schabers von Lysipp in seine Privatgemächer stellen ließ, was zu einem Volksaufstand führte und deshalb wieder rückgängig gemacht werden mußte.[213] Aus einer Notiz des Naturforschers Plinius d. Ä. im Zusammenhang mit der Erwähnung des Laokoon geht hervor, daß Tiberius zur Ausstattung seines noch immer unausgegrabenen Palastes auf dem Palatin in Rom hervorragende Künstler aus dem griechischen Osten herangeholt hatte.[214]

Besonders aufschlußreich aber ist folgende, von Tacitus[215] im Zusammenhang mit der endgültigen Abreise von Rom überlieferte Nachricht. Diese Abreise sei ohne großes Gefolge vor sich gegangen. Ein einziger Senator, außerdem Seianus und noch ein römischer Ritter seien dabei gewesen, sonst nur Gelehrte und Literaten, meist Griechen, in deren Unterhaltung er Erholung finden wollte. Nach der Entdeckung des odysseeischen Naturtheaters von Sperlonga kann man sich von dieser Art Unterhaltung eine lebendige Vorstellung machen. Man versteht nun auch besser, was damit gemeint ist, wenn Tacitus und Sueton berichten, Tiberius habe gerne Homer-Zitate im Munde geführt.[216] Seine Vorliebe für Homer geht auch aus der Nachricht hervor, daß Tiberius den ersten Tempel für seine vergottete Person in Smyrna zu errichten gestattete, weil der Dichter aus dieser im übrigen an politischer Bedeutung hinter Pergamon und Ephesos zurückstehenden Stadt stammte.[217]

Stellt man sich vor, wie der Kaiser und seine Convivalen auf dem Inseltriklinium von Sperlonga lagern und in ihrem Blickfeld die Heldentaten des Odysseus sich abspielen sahen, so glaubt man, nachvollziehen zu können, wie sich mit den Tafelfreuden geistreiche Gespräche über Odysseus und seine Taten, über *Virtus* und *Honos* mischten. Das Bild, das die römischen Historiker von Tiberius zeichnen, als eines energischen und despotischen, als eines nach Gerechtigkeit suchenden und doch oft grausamen Mannes, als eines erbarmungslosen Soldaten und hochgebildeten Schöngeistes bekommt angesichts dessen, was er in den Stunden der Muße vor Augen haben wollte, eine eigentümliche und beklemmende Deutlichkeit. Die blutrünstigen Szenen der Blendung Polyphems und des Skylla-Abenteuers, die keineswegs eindeutigen Heldentaten des Odysseus vor Troja, der auf der einen Seite den Leichnam des Freundes aus der Schlacht schleift und auf der anderen voller Neid den Gefährten hinterrücks erschlagen will, dem er zwar über die Mauer geholfen hat, der deshalb aber als erster zum Altar kam und nun das Palladion trägt: Das alles ist keine Idylle. Es läßt den inneren Zwiespalt augenfällig werden, der das Leben des Tiberius beherrscht. Im Begriff der *Virtus* wird dieser Zwiespalt versöhnt. Dieser römische Wertbegriff kommt einem angesichts der Odyssee in Marmor von Sperlonga in den Sinn, weil Ovid[218], der größte römische Dichter dieser Zeit, ihn Odysseus beim Streit um die Waffen des Achill in den Mund legt. Um der *Virtus* willen, die er, Odysseus, bewiesen habe, als er den Leichnam Achills rettete, müßten ihm und nicht Aias die Waffen des toten Freundes zugesprochen werden.

»Ich trug hier auf den Schultern, auf diesen Schultern Achilles' Leib und zugleich die Waffen, die ich jetzt zu tragen begehre!« Mit diesen Worten meldet Odysseus in Ovids Metamorphosen[219] sein Recht an. So deutlich steht es in keiner anderen antiken Mythenquelle, sondern gewöhnlich wird Aias als derjenige hingestellt, der als einziger die Kraft hatte, den Leichnam Achills zu tragen.

Die deutliche Aussage Ovids, die so gut zur Abwandlung der Pasquino-Gruppe in Sperlonga paßt, wird besonders interessant, wenn man beachtet, daß Ovid[220] in der gleichen Waffenstreitrede Odysseus auch den Raub des Palladions als eigene Großtat bei der Eroberung Trojas herausstellen läßt. Die Nacht, in der er gemeinsam mit Diomedes das Palladion geraubt, habe ihm den Sieg über Troja verliehen. »Ich erzwang es, man konnte es schlagen!«[221]

Nur in diesem nicht lange vor der Ausgestaltung der Höhle von Sperlonga veröffentlichten Gedicht werden die Rettung der Leiche Achills und der Raub des Palladions in so prononcierter Weise nebeneinandergestellt, daß man in der Gegenüberstellung der beiden Gruppen in Sperlonga sogar eine unmittelbare Auswirkung dieser Verse sehen könnte. Auf jeden Fall zeigen die Worte des Dichters, wie man die mythischen Beispiele in seiner Zeit, die auch die Zeit des Tiberius ist, verstanden wissen wollte: als *exemplum virtutis.*

Als Tiberius etwa zwanzig Jahre alt war und kurz bevor ihm die erste große diplomatische Mission, die Rückholung der bei Carrhae verlorenen Feldzeichen anvertraut wurde, hatte Horaz in seinem Brief I, 2 an Lollius Maximus auf die ethische Bedeutung der Lektüre Homers hingewiesen:

> »Auch, was Mut und Klugheit vermögen, hat uns der Dichter
> Beispielhaft vor Augen gestellt im Helden Odysseus.«

Diese Worte mögen dem Kaiser Zeit seines Lebens im Ohr geklungen haben. Ovid hatte sie noch einmal bekräftigt.

Odysseus war für Tiberius ein Vorbild. Das wird offensichtlich, wenn man die Folgen des bedingungslosen Vertrauens überdenkt, das Tiberius nach dem Unfall von Sperlonga in Sejan setzte. Dieser Unfall wurde ja nur deshalb der Überlieferung für wert befunden, weil er die Begründung dafür abgibt, wieso der Kaiser Veranlassung hatte, auf die Freundschaft und aufrichtige Ergebenheit Sejans noch fester zu bauen. Er vertraute ihm so blind, daß Sejan in den Jahren seiner Statthalterschaft nach dem Unfall von Sperlonga seine Macht immer weiter ausbauen konnte und die Versuchung in ihm reifte, selbst nach der Kaiserwürde zu greifen. Das Mißtrauen des Tiberius gegen seine Verwandten ausnutzend, gelang es ihm, fast alle Familienmitglieder des Tiberius, die als Thronprädendenten in Frage kamen, zu beseitigen. Da öffnete seine Schwägerin Antonia, die Tochter Marc Antons, dem Kaiser im letzten Moment die Augen. Tiberius konnte es aus Furcht vor einem Umsturz nicht wagen, Sejan offen anzugreifen. Nur durch ein äußerst listenreiches Vorgehen, bei dem Odysseus sein Ratgeber hätte sein können, vermochte er, Sejan zu vernichten.

Er ließ ihm durch einen neuen Vertrauten mitteilen, er wolle ihm die tribunizische Gewalt verleihen und lockte ihn so in den Senat, wo ein entsprechendes Schreiben des Kaisers verlesen werden sollte. Das Schreiben war so lang und am Anfang so zweideutig, daß Sejan in Sicherheit gewiegt wurde und man Zeit hatte, inzwischen das Kommando über die Prätorianer und über seine besondere Leibwache zu übernehmen. Erst gegen Ende des Briefes kamen dann die Vorwürfe heraus, die zur sofortigen Verurteilung und zur Hinrichtung Sejans führten.

Diese Entwicklung hatte mit dem Unfall in Sperlonga die entscheidende Wendung bekommen. Nachdem man nun den Ort, wo sich der Unfall zutrug, durch die Ausgrabungen und die daran anschließende wissenschaftliche Erforschung soviel besser kennt, bekommt der Bericht darüber einen besonderen Hinweischarakter. Obgleich es bisher nicht möglich ist, stringent zu beweisen, daß Tiberius der Auftraggeber der *Odyssee in Marmor von Sperlonga* war, fügen sich doch alle Indizien zu einer Kette zusammen, aus der man nicht mehr ein einzelnes Glied herausbrechen kann.

Das Ausstattungsprogramm der Höhle ist einheitlich. In einer von mythischen Erinnerungen an Odysseus durchtränkten Gegend, in Sichtweite des Monte Circeo, des sagenhaften Eilands der Kirke, Aiaia, von wo Odysseus zur Heimfahrt aufbrach und, die Irrefelsen meidend, zwischen Skylla und Charybdis hindurchsegelte, war eine Höhle zum Schauplatz der gefährlichsten Abenteuer und der größten Heldentaten gemacht worden, die Odysseus zu bestehen hatte. Links am Eingang der Höhle ist die Form eines Schiffes aus dem Felsen gehauen. Da der Felsen dahinter von einer großen Höhlung durchbrochen ist, durch welche das

Becken in der Höhle sich nach außen ausbuchtet und von wo aus Wasser in einem Kanal rings um den aus dem Stein gehauenen Bug fließt, hat man den Eindruck, daß hier ein Schiff den zusammenschlagenden Plankten zu entkommen sucht. Zur Verdeutlichung dieses Eindrucks war der Name des Schiffes NAVIS ARGO in Mosaiksteinen auf die Schiffswandung geschrieben. Das erinnert daran, daß nur die Argo heil durch diese Felsen des Scheiterns gesegelt war.[222]

Das Schiff am Höhleneingang gehört also zur »Odyssee-Landschaft«, in die dieser Küstenstrich verwandelt worden war. Wandmosaik, wie es für die Inschrift verwendet wurde, kommt erst in tiberianischer Zeit auf und findet sich bei datierten Anlagen zuerst in den Nymphäen von Capri[223], die der Grotte des Tiberius von Sperlonga verwandt sind. Auch das spricht für eine Datierung der Ausstattung dieser Grotte in die Zeit des Tiberius.

Gleichwohl gab es ein Gegenargument, das für Archäologen, die häufig aufgrund der Überlieferungslage kein anderes Kriterium zur Verfügung haben als den Stil, ein ganz besonderes Gewicht besitzt. Bislang waren Werke der Stilstufe, die die Skulpturen von Sperlonga repräsentieren, aus der römischen Kaiserzeit nicht bekannt. Alle Versuche[224], auch die des Verfassers, derartige Werke bis in die flavische Kunst hinein nachzuweisen, haben sich als irrig erwiesen.

Erst mit den jüngsten Unterwasserausgrabungen von Baiae wurde der Wissenschaft ein neues, stilunabhängiges Datierungskriterium an die Hand gegeben, mit Hilfe dessen man nachweisen kann, daß Skulpturen verwandten Stils auch noch in claudischer Zeit, das heißt bis in die Generation nach der Ausstattung von Sperlonga, geschaffen wurden. Damit ist ein tragfähiger neuer Ansatz gewonnen, der auch für die Beurteilung der Laokoon-Gruppe[225] bedeutungsvoll ist.

Die Episode, die in dieser den mythologischen Skulpturengruppen von Sperlonga stilistisch so nah verwandten Gruppe wiedergegeben ist, führt keineswegs von dem in diesem Buch behandelten Odysseus-Thema ab. Gestaltet ist darin die Geschichte des Priesters Laokoon, der sich gegen das von Odysseus entworfene, verderbenbringende hölzerne Pferd, von dem Demodokos am Hofe der Phäaken singt[226], zur Wehr setzt und dafür von den Göttern, die den Untergang Trojas beschlossen haben, dem Tode geweiht wird. Wegen der engen inhaltlichen und kunstgeschichtlichen Verflechtung mit den hier angeschnittenen Problemen sei im folgenden Kapitel die Streitfrage der Datierung der Laokoon-Gruppe aufgegriffen, die durch die im darauffolgenden Kapitel behandelten Funde von Baiae einer Lösung zumindest näher geführt werden kann.

XIII

ATHANADOROS, HAGESANDROS UND POLYDOROS VON RHODOS

S. 189 Laokoon.

DIE Skulpturen von Sperlonga haben die Wissenschaft vor ein sehr verwickeltes kunstgeschichtliches Problem gestellt, das deshalb noch eine weit über Sperlonga hinausgehende Bedeutung besitzt, weil es zugleich das Problem der Datierung und historischen Einordnung des nach den Worten von Peter Heinrich von Blanckenhagen[227] »wohl berühmtesten Stückes antiker Skulptur« einschließt, nämlich der Laokoon-Gruppe im Vatikan. Oben wurde schon gesagt, daß die Meinung der Forschung über dieses Werk gespalten ist. Nach der von den meisten Forschern vertretenen Meinung, die Werner Fuchs[228] in seinem schon zitierten Buch »Die Skulptur der Griechen« mit den Worten zusammengefaßt hat: »Der Laokoon bleibt das letzte bedeutende Werk der griechischen Kunst in römischer Zeit (um 50 v. Chr.), ein griechisches noch, aber doch das letzte«, ist die Laokoon-Gruppe ein rhodisches Original spätrepublikanischer Zeit.

Diese Meinung hatte sich aufgrund verschiedener Voraussetzungen gebildet, von denen jedoch die wichtigste inzwischen entfallen ist, nämlich der Versuch des dänischen Forschers Christian Blinkenberg[229], die Namen der drei von Plinius erwähnten Künstler in inschriftlich überlieferten Persönlichkeiten der Stadt Lindos auf Rhodos aus der zweiten Hälfte des 1. Jahrhunderts v. Chr. wiederzuerkennen. Nach der Hypothese Blinkenbergs mußten zwei der drei Künstler Brüder sein. Da aber die Vatersnamen, die erst durch die Inschrift von Sperlonga bekannt geworden sind, verschieden lauten, brach diese Hypothese zusammen.

Während die meisten Forscher gleichwohl an der aus dieser Hypothese abgeleiteten Datierung festhielten, hat Filippo Magi[230], dem die Wiederherstellung der Laokoon-Gruppe und die Anfügung des erst 1905 aufgetauchten rechten Armes zu verdanken ist, die Konsequenz aus der neuen Lage gezogen und nach einer von Blinkenberg unabhängigen Datierung der Laokoon-Gruppe gesucht. Er fand dabei Unterstützung durch eine hervorragende Kennerin der hellenistischen Plastik, Gisela M. A. Richter[231], welche ebenso wie Magi die enge Verwandtschaft Laokoons zum Pergamonaltar ernst nahm und eine Datierung wenn auch nicht wie Magi vor, so doch kurz nach diesem um 180 v. Chr. zu datierenden Hauptwerk hellenistischer Bildhauerkunst vorschlug.

Diese Hypothese beachtete jedoch nicht die von vielen für Stilnuancen empfindlichen Forschern beobachteten römerzeitlichen Eigenarten der Skulptur, die eine so frühe Datierung an den Anfang des 2. Jhs. v. Chr. ausschließen mußten. Diese Forscher[232] schlugen konsequenterweise eine Datierung des Werkes in die Kaiserzeit vor, das mit der Erwähnung in der um 75 n. Chr. niedergeschriebenen Naturalis Historia des Plinius einen spätestmöglichen Zeitpunkt seiner Entstehung hat.

Da die Künstler, die nach Plinius diese Gruppe gemeißelt haben, durch die Funde von Sperlonga als Kopisten der Zeit des Kaisers Tiberius (14–37 n. Chr.) erwiesen wurden, liegt es nahe, auch die Laokoon-Gruppe als Marmorkopie nach einem hellenistischen Bronzeoriginal anzusehen, wodurch der wissenschaftliche Streit, ob sie hellenistisch oder römisch sei, ein Ende fände. Sie ist beides.

Plinius, der sein Werk dem Imperator und späteren Kaiser Titus widmete, kommt am Ende einer langen Liste griechischer Marmorbildhauer auf die Laokoon-Gruppe mit folgenden Worten[233] zu sprechen: »Nun ist nicht mehr viel von anderen zu berichten, deren Berühmtheit trotz ihrer hervorragenden Werke die Zahl der Künstler entgegensteht, da weder einer den Ruhm allein genießt, noch mehrere ihn zugleich in Anspruch nehmen können, wie im Fall des Laokoon, der im Palast des Imperators Titus steht, ein Werk, das allem in der Mal- oder Bildhauerkunst vorzuziehen ist. Aus einem Stein haben ihn, die Kinder und die bewundernswerten Schlangenwindungen nach einem Ratsbeschluß die höchsten Künstler Hagesander, Polydorus und Athanadorus, die Rhodier, gemacht. In der gleichen Weise füllten Craterus zusammen mit Pythodorus, Polydeuces mit Hermolaus, ein anderer Pythodorus zusammen mit Artemon und als Einzelner Aphrodisius von Tralleis die Palatinischen Kaiserpaläste mit trefflichen Bildwerken«.

Dieser Text enthält einen merkwürdigen Widerspruch. Auf der einen Seite soll das Werk absolut überragend sein. Nie hat die Malerei oder die Bildhauerkunst etwas Schöneres hervorgebracht. Auf der anderen Seite sind die Bildhauer nicht so berühmt, wie man erwarten müßte. Diese Tatsache wird mit dem seltsamen Argument erklärt, daß man nicht wisse, wem von den drei Künstlern man den höchsten Ruhm zuerkennen solle. Plinius hat an anderer Stelle Werke erwähnt, die in Zusammenarbeit mehrerer Bildhauer geschaffen wurden, ohne im mindesten anzudeuten, daß der eine den Ruhm des anderen verdunkelt habe. Als Beispiele mögen Dipoinos und Skyllis, Apollonios und Tauriskos von Tralleis und die vier Schöpfer des noch öfter zu erwähnenden Kleinen Attalischen Weihgeschenks auf der Akropolis dienen.[234] Hier und auch bei anderen Werken mehrerer Künstler findet sich das Argument nicht, Zusammenarbeit mehrerer mindere den Ruhm der einzelnen.

Plinius muß einen Grund gehabt haben, im Fall der Laokoon-Gruppe zu erklären, wieso das Werk so überragend, die Künstler hingegen so wenig bekannt seien. Dieser Grund dürfte in dem Satz über den Aufstellungsort der Gruppe enthalten sein, »die im Palast des Imperators Titus steht«. Denn Titus, der Sohn des regierenden Kaisers Vespasian, der bald nach der Vollendung des Plinianischen Werkes dem Vater auf den Thron folgen sollte, war der Adressat der Naturalis Historia. Plinius hat also mit seiner Bemerkung ein Werk im Besitz desjenigen Mannes[235] gerühmt, dem er die 37 Bücher seiner Naturgeschichte gewidmet hat. Da galt es natürlich zu erklären, warum dieses Kunstwerk noch nicht die allgemeine Anerkennung gefunden hatte, die es verdiente. Vielleicht hätte man diesen Widerspruch schon früher bemerkt, wenn die Auffindung der Laokoon-Gruppe im Jahre 1506 nicht in einer Epoche der Kunstgeschichte erfolgt wäre, die für die im Laokoon verkörperte Kunstvorstellung aufgeschlossen war wie kaum eine andere. Die Laokoon-Gruppe traf das, was die Zeit von der Kunst erwartete, so genau, daß die Worte des Plinius, der sowieso eine unbestrittene Autorität war, als selbstverständlich zutreffend angesehen wurden. Hatten die Renaissancekünstler schon vor der Entdeckung der Laokoon-Gruppe aus dem Antikenstudium die stärksten Anregungen gezogen, ja, war die Wiedergeburt der Antike das erklärte Ziel der ganzen künstlerischen Bewegung des Quatrocento gewesen, so fanden die Künstler zu Beginn des Cinquecento in der von Plinius so überschwenglich gelobten Laokoon-Gruppe das höchste Vorbild ihrer eigenen Bemühungen.

Vor allem Michelangelo[236], der noch 1504 in der Pietà von San Pietro ein zartes und verhaltenes Werk der späten Frührenaissance geschaffen hatte, war vom Anblick der bald darauf entdeckten Laokoon-Skulptur so tief beeindruckt, daß er in der 1508 begonnenen Sixtinischen Kapelle Gestalten eines neuen zum Barock tendierenden Stiles schuf, für den die Entdeckung der Laokoon-Gruppe das auslösende Moment war. Sie erfolgte zum gleichen Zeitpunkt, an dem sich der Wandel von der Frührenaissance zur Hochrenaissance vollzog.

Dieses Zusammentreffen gab der Laokoon-Gruppe eine kunstgeschichtliche Bedeutung, die sie als Schöpfung ihrer eigenen Zeit trotz der Beteuerungen des Plinius möglicherweise gar nicht besaß. Immerhin achtete man das Werk nur eine Generation nach der Äußerung des Plinius, als man im Jahre 104 daranging, das Goldene Haus des Kaisers Nero zuzuschütten und zu planieren, um darüber die Trajansthermen zu errichten, nicht für wert, gerettet zu werden. Man begrub es mitsamt dem Palast des verhaßten Tyrannen, der inzwischen zwar noch anderen Kaisern, voran dem Titus, als Wohnung gedient hatte, bei der neuen, von den Adoptivkaisern propagierten gerechten Herrschaft der Besten aber ausgelöscht und durch einen dem Wohl des Volkes dienenden Komplex, nämlich durch einen prachtvollen Thermenbau, ersetzt werden mußte. Hätte die Laokoon-Gruppe tatsächlich die Bedeutung für das Bewußtsein der Zeit gehabt, die Plinius ihr, um Titus zu gefallen, zuschrieb, so wäre es ein leichtes gewesen, sie nach oben zu transportieren und in dem neuen Thermengebäude aufzustellen. Man hat das nicht getan, sondern hat sie dem Licht der Welt entzogen. Gleichwohl ist in der antiken Ikonographie noch der Einfluß einer vorbildlichen Komposition greifbar, die der Laokoon-Gruppe glich. Auf Gemmen des 2. Jahrhunderts[237] ist sie getreu, auf den Kontorniaten des 4. Jahrhunderts[238] in ihren wesentlichen Zügen wiederholt.

»Athanadoros / Sohn des Hagesandros / und / Hagesandros / Sohn des Paionios / und / Polydoros / Sohn des Polydoros / die Rhodier / haben es gemacht.« So lautet die Künstlersignatur auf dem Ruderkasten des Schiffes des Odysseus in der Skylla-Gruppe von Sperlonga.

Der Mantel des rechten Knaben dient der Marmorkopie als Stütze.

Andere Kontorniatenprägungen bilden auch die gleiche Komposition ab, die der Skylla-Gruppe von Sperlonga zugrunde lag.[239] In diesem Fall führen alle Indizien zu der Annahme, daß die Kontorniaten das inzwischen nach Konstantinopel entführte Bronzeoriginal der Skylla-Gruppe wiedergeben, welche den rhodischen Bildhauern, die man als die Laokoon-Künstler kennt, zum Vorbild für ihre Marmorkopie in Sperlonga diente. Sollte es sich auch bei der so berühmten Laokoon-Gruppe um einen ähnlichen Fall handeln? Aus der Tatsache, daß die Rhodier, die nach Plinius das Bildwerk aus dem Stein gehauen haben, sich durch die Signatur von Sperlonga mindestens im Fall der Skylla-Gruppe als Kopisten erwiesen haben, kann man kaum etwas anderes schließen. Allerdings wäre es nicht besonders interessant, dies nur als Faktum zu konstatieren. Wichtiger ist die Frage, ob ein solches Faktum zum besseren Verständnis der komplexen kunstgeschichtlichen Situation beitragen kann, vor welche die Entdeckungen von Sperlonga die Wissenschaft gestellt hat.

Die Hypothese, daß Kaiser Tiberius der Auftraggeber der Skulpturen in der Grotte von Sperlonga war, steht und fällt mit der Datierung der Bildhauerarbeit an der Laokoon-Gruppe in die gleiche Zeit. Da die Auftraggeberschaft des Tiberius in Sperlonga aufgrund der Kombination der Schriftquellen mit dem Ausgrabungsbefund begründet ist, soll nun der umgekehrte Weg beschritten und die Frage gestellt werden, ob diese Tatsache auch etwas zur Lösung des Laokoon-Problems beitragen kann. Die erste Frage in diesem Zusammenhang muß lauten, ob die Laokoon-Gruppe als Originalschöpfung der frühen Kaiserzeit oder, in absoluten Zahlen ausgedrückt, der ersten Hälfte des 1. Jahrhunderts n. Chr. kunstgeschichtlich verständlich wäre.

Als Schöpfung des mittleren 1. Jahrhunderts v. Chr. hatte man sie als letztes noch im lebendigen Strom der griechischen Kunst entstandenes Werk verstehen zu können geglaubt. Doch im Grunde war die griechische Kunst zu dieser Zeit kein Strom mehr, sondern nur noch ein Rinnsal. Die Macht und die Geldmittel der Römer hatten das Szepter der Kunst an sich gerissen. Die spätesthellenistischen Kunstwerke mit festem Entstehungsdatum aus dem 1. Jahrhundert v. Chr. sind schwächliche Gebilde, die mit der grandiosen Erfindungsgabe und plastischen Kraft, von der die Laokoon-Gruppe zeugt, nichts gemein haben. Das höchste, was griechische Künstler besonders nach der Sullanischen Strafexpedition im römisch gewordenen Osten im Auftrag selbst der mächtigsten Auftraggeber zu leisten imstande waren, kann der Polyphem-Giebel von Ephesos zeigen. In einer Zeit, für die diese Giebelskulpturen repräsentativ sind, wirkt die Laokoon-Gruppe als ein erratischer Block. Nicht anders ist das mit der noch zwei Generationen später liegenden Zeit des Kaisers Tiberius.

Sollte man heute den genauen Ort der Laokoon-Gruppe als künstlerische Schöpfung unvorbelastet durch die Plinius-Notiz und durch die von ihr konditionierte archäologische Forschung seit Johann Joachim Winckelmann zu bestimmen versuchen, so würde man zweifellos in den näheren oder weiteren Umkreis des um 180–160 v. Chr. geschaffenen großen Altarfrieses von Pergamon[240] kommen. In die Filiation dieses Werkes, das seinerseits schon die gewaltigen Gruppenschöpfungen der Großen Attalischen Gallier[241] und der Schindung des Marsyas[242] voraussetzt, glaubten wir auch die Polyphem-Gruppe von Sperlonga einordnen zu müssen. Diese Skulpturengruppe, die nach dem Meißelstil zu urteilen, im gleichen Bildhaueratelier aus dem Marmor geschlagen wurde wie die Laokoon-Gruppe, ist eine der größten aus dem Altertum überkommenen freiplastischen Gruppenkompositionen. Sie bildet einen gewissen Höhepunkt in den jahrhundertelangen Bemühungen griechischer Bildhauer, aus verschiedenen bewegten Einzelfiguren ein übergeordnetes Ganzes im Zusammenwirken der Motive herzustellen und auf diese Weise ein Geschehen räumlich zu vergegenwärtigen, das durch die Dreidimensionalität einen besonderen Realitätsgrad erlangt.

Schon zur Zeit Homers waren in der geometrischen Kleinplastik Gruppenkompositionen von einer scheinbar »überwältigend kühnen Raumentfaltung« gelungen, aber gewissenhafte Untersuchungen[243] haben ergeben, daß die Räumlichkeit dieser Kompositionen nicht eine künstlerische Bewältigung des Raumproblems darstellt, sondern einer naiven Unbefangenheit gegenüber dem Gegenstand entspringt, die nur durch die Entwicklung bewußter Gesetzmäßigkeiten überwunden werden konnte.

Diese erfolgt in den großen Phasen der griechischen Kunst, der archaischen, der klassischen und der hellenistischen, in drei einander ablösenden Formen der künstlerischen Raumvorstellung.[244]

Der archaischen Kunst, der es auf die Lösung des Seins aus dem Wirbel des Werdens und Vergehens ankommt, entspricht eine zusammensetzende, schichtende, rechtwinklig normierte, d. h. kubistische Körpervorstellung, die eine mit dem naturgegebenen optischen Sehbild nicht übereinstimmende, sondern anderen Gesetzen gehorchende künstlerische Gestaltungsweise verlangt. Die einzelnen Bausteine einer Gruppe werden hier in ein verhältnismäßig strenges, von der Kastenform bestimmtes Verhältnis zueinander gebracht. Das wesentliche Mittel der Gruppenbildung ist die streng frontale Nebeneinanderstellung von Figuren, deren Bewegungsmotive in sich bereits vollendet sind. Die freiplastische Wiedergabe einer Darstellung der Blendung Polyphems, die in der Flächenkunst schon von früharchaischen Vasenbildern bekannt ist, wäre in dieser Zeit undenkbar.

In der klassischen Kunst werden die Körper im Sinne des Naturvorbildes beweglicher und lockerer, aber ihre Bewegung bleibt im Rahmen eines Raumes gebunden, der durch die Körper selbst erst geschaffen wird, der nicht als Kontinuum die Körper umgibt. Überall spürt man noch die Orthogonalität im Verhältnis der einzelnen Bausteine der Körper und der Figuren zueinander, die eine Gruppe bilden. Diese Orthogonalität gibt dem Gruppenzusammenhang die notwendige Festigkeit, auch wenn die Gestalten in der kontrapostischen Bewegung der Klassik schwingen.[245]

Erst in der hellenistischen Zeit, in der Euklid die Gesetze der Optik wissenschaftlich erfaßt, wird der Erscheinungsraum als ein Wert angesehen, den es für die Kunst zu erobern gilt. Erst jetzt sind die Voraussetzungen für eine Gruppengestaltung gegeben, wie sie in den Großen und Kleinen Attalischen Galliern[246], in der Menelaos-Patroklos-Gruppe[247], im berühmten Ganswürger des Boethos[248] oder in der Laokoon-Gruppe verwirklicht werden. Die Orthogonalität ist hier durch Rundheit ersetzt, die Glieder der nicht selten in einer eindrucksvollen Körpertorsion wiedergegebenen Figuren greifen frei in den Raum hinaus, der dadurch in seiner optischen Qualität erfahrbar wird.

Von allen genannten und anderen berühmten Gruppenschöpfungen kann man eigentlich nur zwei aus äußeren, historischen Kriterien genau datieren, nämlich die beiden von den Attaliden aus Pergamon gestifteten Anatheme: erstens das große Weihgeschenk Attalos I. für den Sieg an den Quellen des Kaikos im Jahre 230 v. Chr., von dem Marmorkopien einiger Figuren, darunter die ludovisische Gruppe »Der Gallier und sein Weib« im römischen Nationalmuseum und der »Sterbende Gallier« im Kapitolinischen Museum überliefert sind. Zweitens das Kleine Weihgeschenk Attalos II., das nur wegen des zwei Ellen hohen Formates der Figuren klein genannt wird, in der Nebeneinanderstellung der Giganten-, Amazonen-, Perser- und Gallierkämpfe zu einer vielfigurigen Komposition aber alles andere als klein war. Dieses Werk war ein Votiv für den Endkampf der Pergamener mit den Galliern in Kleinasien vom Jahre 165 v. Chr. und muß in der Regierungszeit Attalos II. zwischen 159 und 139 v. Chr. entstanden sein. Wenigstens zehn Figuren daraus sind in römischen Marmorkopien im Vatikan, in Neapel, in Venedig, in Aix en Provence und im Louvre erhalten.

Diese beiden Werke, zwischen deren Entstehungszeit sich die hochhellenistische Kunst entfaltet, können die Entwicklungstendenz in dieser Epoche aufzeigen, deren im Original erhaltenes Hauptwerk der Pergamonaltar[249] ist. Damit ist der Anfang einer kunstgeschichtlichen Reihenbildung gegeben, an die man auch die anderen großen hellenistischen Gruppenschöpfungen, sowohl die vier in Sperlonga kopierten als auch die Skylla-Gruppe aus der Villa Hadriana, anschließen kann. Besonders diese Gruppe kann nun einen Hinweis auf die mögliche Entstehungszeit der in der vatikanischen Laokoon-Gruppe überlieferten originalen Gruppenkomposition geben. Denn diese Gruppe muß, wie unten noch auszuführen ist, noch im 2. Jahrhundert v. Chr. geschaffen worden sein. Sie zeigt von allen bekannten Gruppenschöpfungen die engste Verwandtschaft zur Laokoon-Gruppe, erweist sich aber auch als unmittelbar abhängig vom Kleinen Attalischen Weihgeschenk und von der um 150 v. Chr. datierten Kultgruppe des Damophon von Messene aus Lykosoura im Athener Nationalmuseum.[250]

Man wird die Laokoon-Gruppe daher als Schöpfung des mittleren 2. Jahrhunderts v. Chr. und die allein erhaltene Ausführung im Vatikan für eine frühkaiserzeitliche Marmorkopie aus dem von Plinius genannten und in Sperlonga inschriftlich bezeugten rhodischen Bildhaueratelier ansehen müssen. Für die Richtigkeit dieser Hypothese bietet die Gruppe selbst ein beachtliches Kriterium: Über die Schulter des vom Beschauer aus rechten, älteren Knaben fällt in merkwürdiger Weise ein Mantelstoff herab, der sich in der Realität so niemals halten könnte, sondern sofort unter seinem eigenen Gewicht herabgleiten müßte. Verständlich wird dieser Mantel, wenn man bedenkt, daß er als Stütze für die nur auf dem einen Fuß balancierende Knabenfigur aus Marmor dient. Ein Bronzebildwerk könnte auf eine solche Stütze verzichten.

P. H. v. Blanckenhagen[251] erschien die Figur des älteren Sohnes im künstlerischen Sinne so unbefriedigend, daß er sie als römische Zutat ansehen wollte. Das ist aber unmöglich, weil die Bewegung des Vaters, der sich heftig zur Seite lehnt, nur sinnvoll ist, wenn der Schlangenleib, dem er sich zu entwinden sucht, durch die divergierende Haltung des älteren Sohnes nach der anderen Seite gezerrt wird.

Die Hypothese, daß die Laokoon-Gruppe im Vatikan eine frühkaiserzeitliche Kopie in Marmor nach einem hellenistischen Bronzeoriginal ist, bei dem der Mantel des älteren Knaben entbehrlich war, würde mehrere Probleme in einem lösen: Wenn die Laokoon-Gruppe nicht mehr als eine der Entwicklung um hundert oder mehr Jahre nachhinkende, völlig isolierte Einzelschöpfung in einem stilistisch andersartigen Umfeld verstanden werden müßte, dann könnte man den Ablauf der hellenistischen Kunst als einen historischen Entwicklungsprozeß begreifen, in dem jedem epochalen Werk sein bestimmter geistiger Ort angewiesen werden kann.

Die Basis für diesen wissenschaftsgeschichtlich neuen Ausgangspunkt ließe sich allerdings nur befestigen, wenn es gelänge, unter den frühkaiserzeitlichen Kopien Werke der gleichen Qualität und der gleichen Oberflächenbehandlung nachzuweisen. Denn die Qualität der Marmorarbeit ist sowohl bei der Laokoon-Gruppe als auch bei den Sperlongaskulpturen so hervorragend, daß man zum allgemeinen Urteil gelangte, es müsse sich um Originalarbeiten handeln.

Nun sind aber Skulpturen dieser Qualität, die man eindeutig in die frühe Kaiserzeit datieren kann, bei den jüngsten Unterwasserausgrabungen in Baiae gefunden worden. Damit mündet dieser scheinbare Exkurs über die kunstgeschichtliche Stellung der Laokoon-Gruppe, der in Wahrheit ein Kernstück der ganzen Abhandlung ist, wieder in die große mit dem Odysseus-Bild befaßte Linie dieses Buches.

XIV

DIE POLYPHEM-GROTTEN DER KAISER CLAUDIUS, NERO UND DOMITIAN

S. 199
Der Polyphem von Castel Gandolfo.

WIE verwickelt die kunstgeschichtliche Situation ist, welche in diesem Buch aufzulösen versucht werden soll, zeigte sich schon, als wir die Skulpturen des Polyphem-Giebels von Ephesos aus der Zeit zwischen 41 und 31 v. Chr., die 93 n. Chr. in Zweitverwendung im Domitians-Brunnen aufgestellt wurde, mit der Weinreichungs-Gruppe derselben Typologie aus dem Nymphäum von Baiae verglichen haben.[251]

Nach allen Regeln der kunstgeschichtlichen Stilbestimmung hätte man die Skulpturen von Baiae mit ihrem kraftvollen, plastisch detaillierten, zum Naturalismus pergamenisch-rhodischer Prägung tendierenden Stil entwicklungsgeschichtlich früher datieren müssen als den ausgedünnten, trockenen Stil der insektenhaften Figuren vom ephesischen Giebel mit ihren überlängten Gliedmaßen und ausgemergelten Rümpfen. Aber die Datierung des Bauzusammenhangs legte das Gegenteil nahe. Die Giebelskulpturen von Ephesos waren unter Marc Anton in Auftrag gegeben worden, die beiden Figuren der Weinreichungs-Gruppe von Baiae standen hingegen in einem zunächst noch nicht genau datierbaren, jedenfalls aber aus der früheren Kaiserzeit stammenden Bau. Um das mit diesem Widerspruch aufgerissene Problem zu lösen, gab es das einzige Mittel, durch Ausgrabung den Zusammenhang zu klären, in dem die Weinreichungs-Gruppe von Baiae gestanden hat. Diese Ausgrabung wurde nach langer Vorbereitung erst im Jahre 1981 möglich, und sie ist noch nicht abgeschlossen.

Deswegen können vorerst nur diejenigen Ergebnisse mitgeteilt werden, die für die hier behandelte Frage von ausschlaggebender Bedeutung sind. Dies ist einmal die bereits erwähnte Auffindung einer Statue des Gottes Dionysos vor der ersten Nische der rechten Wand des Nymphäumsaales. Diese Statue bestätigt in unverhoffter Weise den Zusammenhang zwischen dem Polyphem-Mythos und dem Gott des Weines, den wir auch bei den als Brunnenfiguren wiederverwendeten Giebelskulpturen von Ephesos und dem Tempel auf dem dortigen Staatsmarkt gesehen haben. Denn allem Anschein nach waren die Skulpturen ursprünglich für den Giebel dieses Tempels vorgesehen. Da der Tempel in der Regierungszeit des Triumvirn Marc Anton begonnen wurde, der sich als neuer Dionysos verehren ließ, kann der Bau nur für Dionysos bestimmt gewesen sein. Andererseits ergibt der Polyphem-Mythos als Giebelthema nur bei einem Dionysos-Tempel einen Sinn. Hier stützt eins das andere. Die Dionysos-Statue von Baiae ist in diesem Zusammenhang eine unerwartete, aber um so willkommenere Bestätigung von außen. Durch die in der Herbstkampagne des Jahres 1981 gemachten Funde, insbesondere die datierbaren Porträtstatuen, bekommt diese Bestätigung zusätzliches Gewicht.

(rechte Seite) Kopf des Dionysos aus dem Polyphem-Nymphäum von Baiae.

Denn eine Frage konnte bis dahin nicht mit Gewißheit beantwortet werden, und diese Frage ist nicht nebensächlich, sondern es ist die entscheidende historische Frage, wann die Statuen im Nymphäum von Baiae geschaffen und aufgestellt worden sind. Aufgrund ihres Stiles, der den Sperlongaskulpturen vergleichbar ist, waren die Skulpturen von Baiae durch namhafte Forscher vorschlagsweise[252] in die eine oder andere Epoche der über zweihundert Jahre langen Zeitspanne zwischen dem späten Hellenismus und dem hadrianischen Klassizismus datiert worden. Das zeigt, wie sehr die Wissenschaft bei bestimmten Fragen und insbesondere bei der Datierung von Kopien und Umbildungen noch im Dunkeln tappt. Das Glücksgefühl ist schwerlich zu beschreiben, das die Ausgräber empfinden, wenn sie nicht nur auf einen bedeutenden Fund stoßen, sondern wenn dieser Fund das Dunkel erhellt und Antwort auf eine seit langem gestellte Frage gibt, ja wenn ein Fundstück womöglich den Schlüssel für das eigentliche Problem liefert, um dessentwillen die Ausgrabung unternommen wurde.

In Baiae fand sich dieser Schlüssel nicht sofort, sondern zunächst schien jede weitere Entdeckung das ganze Problem noch verwickelter zu machen. Bald nach der Wiederaufnahme der Unterwasserausgrabung im September 1981 wurde vor der zweiten Nische der rechten Wand die Statue eines kleinen Mädchens freigelegt, das im seidigen Haar einen kostbaren Scheitelschmuck[253] trägt. Zwei Reihen großer Perlen, die in natura einen unermeßlichen Wert haben mußten, und ein aus Edelstein oder Gold zu denkender rautenförmiger Anhänger über der Stirn ließen sofort erkennen, daß dieses pausbäckige Mädchen mit den zu einer Spitze im Nacken herabfallenden Locken und dem faltenreichen von der linken Schulter herabgeglittenen Gewand dem höchsten gesellschaftlichen Stand angehörte. Doch was konnte die Porträtstatue eines fünf- oder sechsjährigen Mädchens in diesem Zusammenhang bedeuten?

Zum Glück ließ die Antwort auf diese und viele andere Fragen nicht lange auf sich warten, denn vor der gegenüberliegenden Nische fand sich parallel vor der Wand mit dem Gesicht nach unten liegend die lebensgroße Statue einer Frau in klassischer Gewandung. Der Oberkopf mit dem Haarteil ist aus einem gesonderten Stück Marmor gebildet, und in den Haaren sitzt ein wundervoll gearbeitetes durchbrochenes Diadem mit stehenden und hängenden Granatapfelblüten auf dem geflochtenen Reif.[254] Oben werden die Blüten von einer feinen Zackenlitze eingefaßt. In den unversehrten, schönen Gesichtszügen erkannte man sogleich die eigentümliche Physiognomie der julisch-claudischen Familie wieder.

Aus Staatsräson ließen sich die zahlreichen Mitglieder dieser Familie, die hundert Jahre über Rom herrschte, alle sehr ähnlich darstellen, als wollten sie keinen Zweifel an der Zugehörigkeit zum Kaiserhaus aufkommen lassen. Zur Unterscheidung der einzelnen Familienmitglieder hatte man jedoch für die allenthalben aufgestellten Bildnisse charakteristische Identifizierungsmerkmale festgelegt, die es erlauben, eine Bildnisstatue auch dann richtig zu benennen, wenn eine tatsächliche Ähnlichkeit mit dem Dargestellten nicht auszumachen ist. So kann man auch bei dieser Frau nicht mit Gewißheit sagen, ob sie wirklich so aussah, wie dieses edle Damengesicht sie darstellt, mit schmaler langer Nase, die unten leicht verdickt ist, mit einem Hauch von Bitterkeit um den zarten Mund und mit zurücktretendem, sich verschmälerndem Untergesicht, das durch ein kleines, aber eigenwilliges Kinn und eine tiefe Einziehung unter der dünnen Unterlippe gekennzeichnet ist. Die achtzehn anderen bekannten Bildnisse dieser Frau[255], von denen allerdings bei keinem einzigen die Nase erhalten ist, stimmen nur in den allgemeinsten Zügen mit diesem idealtypischen Antlitz einer julisch-claudischen Kaiserin überein.

Die insgesamt 19 erhaltenen Bildnisse lassen sich nur aufgrund unmißverständlicher Frisurmerkmale im Vergleich zu den beschrifteten Münzbildnissen eindeutig identifizieren. In den Haaren, die von einem Mittelscheitel aus in weichen Wellen zur Seite gestrichen sind und hinten in einem Nackenknoten[256] zusammenkommen, ist vor dem Diadem ein runder Haarreif verborgen, der nur über der Stirnmitte aus der Haarfülle hervorschaut. Als weiteres Merkmal trägt die vornehme Dame vor den Ohren an den Schläfen zwei mit der Brennschere aufgedrehte Locken. Diese Eigenart der Frisur hat ihrem bekanntesten Porträttypus den Namen »Schläfenlockentypus« gegeben. Es ist Antonia Minor, die Mutter des Kaisers Claudius.

In Baiae ist sie als Venus Genetrix, das heißt als eine Verkörperung Aphrodites dargestellt, die als Geliebte des Trojaners Anchises und Mutter des Aeneas durch dessen Sohn Julus Ascanius Stamm-Mutter des julischen Hauses wurde. Caesar hatte dieser Stamm-Mutter, deren Kult ihn selbst als Abkömmling der Götter dastehen ließ, am Vorabend der Schlacht von Pharsalus 48 v. Chr. einen Tempel in Rom gelobt, den sein Adoptivsohn Augustus vollendete.[257] Da Antonia Minor als Tochter der Augustusschwester Octavia Trägerin julischen Blutes war, repräsentierte sie für Kaiser Claudius und seine Nachkommen die Venus Genitrix. Man hatte deshalb für dieses einzige bisher bekannte Standbild der Antonia Minor – alle übrigen Bildnisse sind nur als Köpfe oder Büsten überliefert – den Typus einer klassischen Gewandstatue, und zwar einer Weiterbildung der berühmten Kore Albani[258] aus dem Kreis des Phidias gewählt und ließ sie auf dem Handteller der vorgestreckten

An den beiden Löckchen vor den Schläfen und an dem ins Haar gewundenen Reif, der nur über der Stirnmitte sichtbar wird, kann man erkennen, daß die diadembekrönte Kaiserin Antonia Minor ist, Tochter des Triumvirn Marc Anton und Mutter des Kaisers Claudius.

Bildnisstatue einer Prinzessin mit kostbarem Scheitelschmuck, wahrscheinlich Octavia Claudia, die Tochter des Kaisers Claudius und der Messalina, (39/40 – 62 n. Chr.) im Alter von fünf bis sechs Jahren. Gefunden am 21. September 1981 im Nymphäum von Baiae.

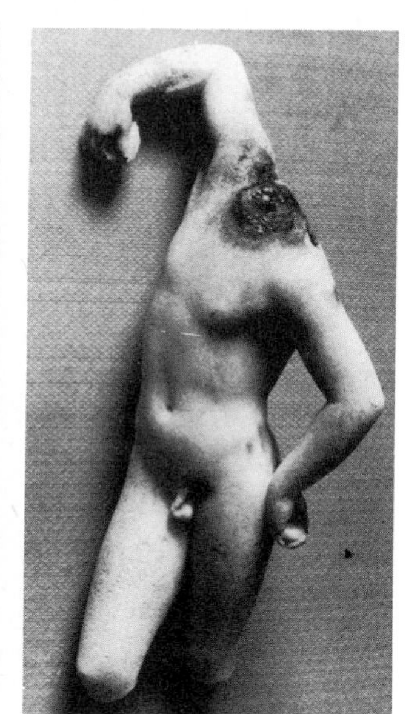

Wie bei einer Terrakotta des 4. Jahrhunderts v. Chr. lehnte sich ein Eros-Knabe an die Brust der als Venus Genetrix vergöttlichten Kaiserin.

Bildnisstatue der Kaiserin Antonia Augusta (39 v. Chr. – 37 n. Chr.) als Venus Genetrix, um 45 n. Chr. Gefunden am 23. September 1981 im Nymphäum des Kaisers Claudius bei Baiae.

Rechten einen nackten Knaben von 46 cm Höhe tragen. In der Hand sieht man die beiden Füßchen. Der Knabe hat den einen über den anderen gestellt, stützt den linken Arm auf die Hüfte, lehnt sich mit dem erhobenen rechten Arm an die Brust der Frau und blickt zu ihrem geradeaus gewandten Gesicht empor.

Der Kopf des Knaben war mit einem Eisendübel angesetzt. Dieser ist durch Oxydation im Meerwasser gequollen und hat das Köpfchen gesprengt. Das Gesicht ist verloren, aber zwei Fragmente des Hinterkopfs wurden gefunden. Sie geben die Wendung des Kopfes an, der ganz glatt gearbeitet war, also gewiß Haare aus anderem Material getragen hat. Da keine Spur davon erhalten ist, möchte man annehmen, daß die Haare ebenso wie die Zutaten, die in den vierkantigen Stiftlöchern auf den beiden Schultern über den Schlüsselbeinen des Figürchens steckten, aus Goldblech bestanden, das spurlos entfernt werden konnte.

Was auf den Schultern des Knaben befestigt war, könnte man nur vermuten, wenn nicht ein im Motiv völlig übereinstimmendes Knäblein bekannt wäre, das sich in gleicher Weise an die Brust einer weiblichen gewandeten Terrakottastatuette[259] lehnt. Diese Terrakottastatuette soll aus Pästum stammen und gelangte mit der Sammlung Bartholdy in die Staatlichen Museen zu Berlin, wo sie leider im letzten Krieg verloren ging. Nur eine Zeichnung aus den dreißiger Jahren des vorigen Jahrhunderts existiert, die eindeutig erkennen läßt, daß das Knäblein zwei große, tief herabhängende Flügel trug.

Soweit man nach der Zeichnung beurteilen kann, stammt die Terrakotte dieser eng in ihren Mantel gehüllten Frau aus dem späten vierten Jahrhundert v. Chr. Sie gibt einen ganz anderen Typus wieder als die Gewandstatue der Antonia Minor. Das Knäblein aber folgt dem gleichen Vorbild wie das Figürchen auf ihrer Hand. Ob dieses schon ursprünglich mit dem Typus der klassischen Gewandstatue verbunden war, der für die Bildnisstatue der Antonia Minor als Venus Genetrix gewählt wurde, ist gänzlich ungewiß. Sicher ist nur, daß das Knäblein, dessen Motiv wegen der lockeren, tordierten Haltung und den schlanken Proportionen eher dem 4. Jahrhundert angehören dürfte, nicht für die Statue in Baiae erfunden wurde, sondern einen geprägten Typus wiedergibt, auf den auch die Pästaner Terrakotte zurückgeht. Seine Benennung kann nicht zweifelhaft sein. Es ist der Liebesgott Eros oder Amor als Begleiter der Liebesgöttin, in deren Gestalt die Kaiserinmutter Antonia hier auftritt.

Antonia Augusta stand in bedeutsamer Weise mit allen in diesem Buch hervorgehobenen Persönlichkeiten in Beziehung. Es ist, als ob in ihrer Person alle einzelnen Fäden der Untersuchung zusammenliefen.

Antonia Minor war die 36 v. Chr. geborene jüngere Tochter des Triumvirn Marcus Antonius, der im Zusammenhang mit dem Polyphem-Giebel und dem unvollendeten Dionysos-Tempel von Ephesos zu nennen war. Ihre Mutter war Octavia, die Schwester des Kaisers Augustus, dem nach der Niederlage und dem Tode Marc Antons wahrscheinlich der als Dionysos-Heiligtum geplante Tempel auf dem Staatsmarkt von Ephesos geweiht worden ist. Antonia wurde 16 v. Chr. mit Drusus vermählt und war somit die Schwägerin des späteren Kaisers Tiberius, den sie in letzter Minute vor den Umtrieben Sejans gewarnt hat, so daß Tiberius ihn mit einer den Trugreden des Odysseus vergleichbaren Anklage im Senat liquidieren konnte.

Vor allem aber war Antonia Minor die Frau, durch die sich das julische Blut mit dem claudischen mischte. Denn nicht ein Nachkomme des Tiberius, sondern ihr Enkel Caligula und nach diesem ihr Sohn Claudius waren es, die die Dynastie fortführten. Aus der Ehe mit dem jüngeren Bruder des Tiberius, Drusus, war eine der anziehendsten Persönlichkeiten der ganzen Dynastie hervorgegangen, Germanicus, der starb, als die Mutter 65 Jahre alt war. Sie erzog dessen Sohn Caligula, der sie, nachdem er 37 n. Chr. Kaiser geworden war, zunächst zur Augusta erhoben hatte, wenig später jedoch in den Selbstmord trieb, weil sie sich dem Liebesverhältnis des Enkels mit seiner eigenen Schwester Drusilla widersetzte. Sie starb am 1. Mai 37 n. Chr.

Vier Jahre später wurde ihr Sohn Claudius, der Onkel Caligulas, Kaiser. Die Statue der Antonia Augusta in Baiae kann erst nach der Thronbesteigung ihres Sohnes entstanden sein. Das kostbare Diadem kennzeichnet sie als Augusta.[260] In der kurzen Zeit zwischen ihrer Erhebung zur Augusta nach dem 16. März 37 und ihrem Tod am 1. Mai desselben Jahres kann die Statue schwerlich entstanden sein. Erst, als ihr Sohn Kaiser wurde, erhielt auch sie wieder die Ehre, auf Münzen geprägt zu werden. Doch diese Münzen liefen bald nach der fünften im Jahre 49 n. Chr. erfolgten Eheschließung ihres Sohnes mit seiner Nichte Agrippina, einer Schwester Caligulas, aus.[261] Danach gab es keinen Anlaß mehr für die Errichtung von Statuen der Antonia Augusta. Das heißt, daß die Statue von Baiae sich in den engen Zeitraum von 41–48/49 n. Chr. datieren läßt.

In dieser Zeit lebte am kaiserlichen Hof nur eine einzige Prinzessin, die man der vergöttlichten Kaiserinmutter gegenüber hätte aufstellen können, nämlich Octavia Claudia[262], die 39 oder 40 n. Chr. geborene Tochter des Claudius aus seiner Ehe mit Messalina. Es liegt daher nahe, in der Statue des 5- oder 6jährigen Mädchens Octavia Claudia zu erkennen. Allerdings könnte man gegen eine solche naheliegende Benennung einwenden, daß dann neben einer Götterstatue und neben der Statue eines verstorbenen, den Göttern angeglichenen Mitglieds der Kaiserfamilie ein noch lebendes Kind dargestellt wäre. Das ist zwar keineswegs unmöglich. Die Nebeneinanderstellung verstorbener und lebender Mitglieder der Kaiserfamilie in Porträtgruppen dieser Zeit war sogar gang und gäbe. Es ist aber methodisch richtiger, den Gedankengang nicht mit der Unsicherheit der Benennung dieser Mädchenstatue zu belasten.

Wichtiger ist es, die Erkenntnis auszuwerten, daß mit der Statue der Antonia Augusta endlich ein unbezweifelbares historisches Datum für den Statuenschmuck des Nymphäums von Baiae gefunden wurde. Es läßt sich nämlich zeigen, daß alle bisher gefundenen Statuen, also der Odysseus, der Weinschlauchträger, der jugendliche Dionysos, das Mädchen mit dem Scheitelschmuck und die Statue der Antonia Minor als Venus Genitrix trotz ihrer recht verschiedenen Gestalt durch die gleiche Stückungstechnik, durch übereinstimmende Bearbeitungsspuren und evidente stilistische Details aufs engste miteinander verbunden sind.

Hervorgehoben sei eine Eigenart, die den drei gewandeten Skulpturen gemeinsam ist, obwohl Antonia einen klassischen, das Mädchen einen frühhellenistischen und der Odysseus einen hochhellenistischen Typus wiedergeben. Gemeint ist der etwa einen halben Zentimeter breite Randschlag am Gewandstoff, der die dichtere und deshalb flachere Webkante, das sogenannte Salband wiedergibt. Die gleiche charakteristische Bearbeitungsweise zeigt auch das Gewand über dem Pfeiler, der dem jugendlichen Dionysos, einem praxitelischen Typus, als Stütze dient. Genauere Betrachtung aus der Nähe offenbart eine Fülle von Übereinstimmungen in der Marmorarbeit bei allen fünf Skulpturen. Man muß diese deshalb als das Werk eines einzigen kaiserzeitlichen Bildhauerateliers ansehen, das auf die Fertigung von Kopien und Umbildungen griechischer Originalschöpfungen ebenso wie auf die Schaffung römischer Porträtköpfe spezialisiert war.

Auf welche Weise solche Werkstätten sich ihre Vorbilder verschafften, kann die einzigartige Kollektion von Gipsabgüssen griechischer Meisterwerke[263] zeigen, die in einer Bildhauerwerkstatt in Baiae gefunden wurde und deren Veröffentlichung Christa v. Hees vorbereitet. Die Vorbilder wurden in Gips abgeformt, und danach wurden die Kopien mit Hilfe der Dreipunktmethode, die Umbildungen und Porträts hingegen entweder nach eigenen Gipsmodellen oder sogar aus freier Hand gearbeitet. Die bildhauerische Leistung war die eines Virtuosen, der die zumeist in Bronze gegossenen Vorbilder in Marmor nachzubilden vermochte. Bei diesem Vorgang wurden die aus verschiedenen Stilepochen stammenden Typen durch die gleiche Oberflächenbehandlung ver-

Besonders durch den Faltenwurf erweisen sich die Skulpturen von Baiae als Werke des gleichen Kopisten-Ateliers. Oben von links nach rechts: Odysseus, Dionysos. Unten von links nach rechts: Antonia, Octavia Claudia (?).

einheitlicht und zu einem neuen Ensemble zusammengestellt, das eine Aussage der eigenen Zeit enthält, in diesem Fall der Zeit des Kaisers Claudius. In ähnlicher Weise muß auch das rhodische Atelier des Athanadoros, Hagesandros und Polydoros die Laokoon-Gruppe und die Skulpturen von Sperlonga gearbeitet haben. Diese Erkenntnis ist ein wichtiges Nebenergebnis der Ausgrabungen von Baiae, bei der allerdings noch viele Fragen offen bleiben.

So ist es vielleicht noch verfrüht, die Vermutung zu äußern, daß es sich bei dem durch Größe und Pracht der Ausstattung gleichermaßen bedeutenden Nymphäumsbau um einen Teil des Palastes der römischen Kaiser in Baiae handelt. Die exponierte Lage an einem der schönsten Punkte des *Sinus Baianus,* des Golfs von Baiae, wie dieser westliche Teil des Golfs von Neapel in der Kaiserzeit hieß, läßt freilich kaum einen anderen Schluß zu.

Als Bestätigung für diese Vermutung kann die Pracht der Ausstattung des Nymphäumssaales dienen, der allerdings, wie gesagt, erst zu zwei Dritteln ausgegraben ist und deshalb noch nicht abschließend beurteilt werden kann. Der Saal ist aus typisch claudischem Retikulatmauerwerk mit Versteifung der Mauerkanten und Entlastungsbögen in Ziegelmauerwerk errichtet. Die Apsis, die Nischen und das mit einem massiven Flachdach geschlossene Gewölbe aus Konglomeratmauerwerk waren mit künstlichem Grottenwerk aus Tropfstein- und Bimsbrocken ausgeschlagen.[264] Die aufgehenden Wände waren bis zu einer beträchtlichen Höhe mit kostbaren buntfarbigen Marmorintarsien, darüber mit bemaltem Stuck verkleidet. Über zwanzig prachtvolle Steinsorten aus allen Teilen des römischen Reiches fanden Verwendung. Besonders die wertvollsten, Porphyr aus Ägypten, Serpentin aus Lakonien, Giallo antico aus Chemtou in Tunesien, Marmor von Euböa und Chios, von Teos und Synnada in Kleinasien und all die anderen[265], die man in dieser Fülle und Vollständigkeit sonst nur noch aus der Villa Hadriana kennt, fehlten nicht. Die Intarsien weisen floreale und sogar figurale Motive auf. Es wird einer jahrelangen Arbeit bedürfen, um das prunkvolle System der Wandgestaltung zu rekonstruieren.

Die ganze kostbare Verkleidung war bis auf wenige Platten samt dem Unterputz von den Wänden abgerutscht und lag als ein Schuttberg am Fußboden. Darauf stürzten die Statuen, die deshalb nicht sehr tief fielen. Gleichwohl müßten sie stärker zerstört sein, als sie sind, wenn ihr Sturz nicht gebremst worden wäre. Die Nase der Antonia Minor blieb unversehrt, obwohl die schwere Marmorfigur aufs Gesicht gestürzt war. Auch die Tatsache, daß die Statuen des Dionysos und des kleinen Mädchens sich beim Herabstürzen um ihre eigene Achse gedreht hatten und auf dem Rücken lagen, erfordert eine Erklärung. Am wahrscheinlichsten ist, daß der Bau schon unter Wasser abgesunken war, als die Statuen aus ihren Nischen fielen. Nur das Wasser kann ihren Sturz gebremst haben. Schon vorher war die Wandverkleidung unterspült worden und abgerutscht. Die Statuen fielen auf den Schutt und wurden von Sand bedeckt. Erst dann stürzten die Wände und das Gewölbe ein, deren Teile über der Schicht lagen, in der die Statuen gefunden wurden.

Da alle Funde und vor allem die Keramik im Nymphäumssaal nicht später als an das Ende des 3. Jahrhunderts zu datieren sind, scheint die Katastrophe, die wahrscheinlich nicht plötzlich, sondern langsam stattfand, gegen 300 n. Chr. eingetreten zu sein. Um diese Zeit beobachtet man auch an anderen Stellen der Phlegräischen Felder einen starken Rückgang aller Lebensäußerungen.[266] Später muß die Zone noch einmal aufgetaucht sein, als man, wohl in der ersten Hälfte des 6. Jahrhunderts n. Chr., ein Kindergrab im Versturz der Apsis anlegte. Damals war von dem ehemals prächtigen Gebäude kaum noch etwas zu sehen. Wann es dann endgültig bis zur jetzigen Tiefe von 7 m abgesunken ist, konnte noch nicht ermittelt werden.

Bei den Ausgrabungen ließ sich die Art der Inneneinrichtung des Apsidensaales wenigstens in den wesentlichen Zügen ausmachen. An den Seitenwänden entlang läuft ein 1 m breiter und 55 cm tiefer Kanal, der ganz mit sorgfältig verfugten weißen Marmorplatten ausgelegt ist und sich vor der Apsis zu einem 1,55 m breiten Becken erweitert. Dieses an

Das Trikliniums-Nymphäum in der römischen Villa von Minori bietet eine ähnliche Anordnung der Speise-Sofas wie das Nymphäum von Baiae.

drei Seiten umlaufende Wasserbecken wird durch ein in Form eines vorn offenen Karrees in den Saal geschobenes Podium von 2 m Breite abgeteilt, auf dem rechts und links hohe Marmorlehnen von Ruhebetten stehen. Sie wurden bisher nur angeschnitten, aber noch nicht freigelegt. Auch der Boden des Saales zwischen den Flügeln des Podiums wurde noch nicht erreicht. Nach der Analogie eines ähnlich eingerichteten Nymphäumssaales in der römischen Villa von Minori[267] dürfte er etwa 80 cm tiefer gelegen haben.

Auch der im ganzen wesentlich kleinere und schlichtere Nymphäumssaal von Minori, der weder eine Apsis noch Nischen in den Wänden aufweist, besitzt ein an den Längswänden und an der Stirnseite umlaufendes Wasserbecken. Das 80 cm hohe Podium, das an den Innenseiten der beiden Flügel rechts und links fünf Vorsprünge mit Aufstellflächen für Speise- und Trinkgeschirr bietet, hat auf jeder Seite eine 10 m lange, 1,20 m breite, bis auf den Boden reichende Vertiefung, deren Wandung mit einem Rautenmuster bemalt ist. Es handelt sich also nicht um weitere Wasserbecken. Wozu diese Vertiefungen gedient haben, dafür geben die Marmorklinen auf dem massiven Podium von Baiae einen Hinweis. Man muß annehmen, daß auch die Anlage von Minori als Nymphäumstriklinium gedient hat. Nun würden in die Vertiefungen des Podiums entsprechend zu den Speisetischen genau je fünf 2 m lange und 1,20 m breite Ruhebetten aus Holz mit Bronzebeschlägen passen. Stellt man diese in den Vertiefungen auf, dann gleicht die Anlage weitgehend dem Nymphäumstriklinium von Baiae. Während die Klinen dort aber aus Marmor bestehen und auf dem massiven Podium fest aufgestellt sind, konnte man die hölzernen Klinen von Minori in den feuchten Wintermonaten aus dem hohlen Podium herausnehmen und trocken aufbewahren.

Bei einer solchen Interpretation erklären sich die Nymphäumstriklinien von Baiae und Minori gegenseitig. In der Privatvilla von Minori ist jedoch alles weit weniger prächtig. Die Wände waren nur bemalt, die Rückwand schließt gerade ab, und wo in Baiae die großen Skulpturengruppe steht, ist hier eine Wassertreppe angelegt, über die das Wasser aus dem Berghang, an den die Villa gelehnt ist, in das karreeförmige Becken um das Trikliniumspodium strömt.

In Baiae dienten der Odysseus und der Weinschlauchträger als Wasserspeier. Die unvergleichliche Pracht der Ausstattung des dortigen riesigen Saales, demgegenüber das Nymphäumstriklinium selbst in der außerordentlich reichen Villa von Minori unbedeutend erscheint, spricht noch einmal dafür, daß die Anlage von Baiae Teil des kaiserlichen Palatiums war, das auch *Praetorium Baianum*[268] genannt wurde und wegen des milden Klimas, der heilkräftigen warmen Quellen und der Schönheit der Landschaft, in der Vorgebirge, Meer und waldreiche, hügelige Ufergelände mit blauen Seen sich durchdringen, als Luxusquartier der römischen Kaiser fern von der lauten und heißen Hauptstadt beliebt war.

Wegen der Datierung der Anlage aufgrund der Mauertechnik und wegen der in die Jahre 41 bis 48 n. Chr. datierbaren Skulpturenausstattung, deren Entstehung sich, wenn das Mädchen Octavia Claudia sein sollte, sogar auf die Mitte der vierziger Jahre eingrenzen läßt, kann die Anlage nur im Palast des Kaisers Claudius gelegen haben. Dieser Kaiser hielt sich mit seinem Hofstaat und dem aus Freigelassenen bestehenden Kabinett besonders gerne in Baiae auf.[269]

Allerdings haben die Marmorlehnen des Trikliniums eine sehr hohe, steile Form, wie man sie von datierten Beispielen bisher erst aus dem 2. Jahrhundert n. Chr. und später kennt.[270] Wenn man jedoch in der schaurigen Beschreibung von Neros erstem Versuch, die eigene Mutter im Jahre 54 durch ein tückisch inszeniertes Schiffsunglück ums Leben zu bringen, bei Tacitus[271] liest, daß Agrippina nur deshalb dem sicheren Tod noch einmal entkommen konnte, weil die hohen Lehnen des Ruhebettes, auf dem sie lag, die Last des mit Blei stark beschwerten Kajütendaches aushielten, welches man, einen Unfall vortäuschend, auf sie stürzen ließ, dann muß man annehmen, daß es auch zu dieser Zeit schon hohe Klinenlehnen gab.

Auch wenn eine Fülle von Fragen noch offen ist, zum Beispiel, warum von den Statuen, die in den Nischen der Westwand gestanden haben müssen, nur diejenige Antonias gefunden wurde, was mit der Polyphem-Figur geschehen ist, wann der große Bogeneingang des Saales im Süden und die beiden seitlichen Türen in der jeweils fünften Nische zugemauert wurden und überhaupt, welches die späteren Schicksale des Nymphäumstrikliniums waren, so darf man doch jetzt schon sagen, es spricht vieles dafür, daß die Anlage von Baiae ein Teil des dortigen Claudiuspalastes war und daß der Kaiser hier oft zu Tische gelegen hat, umgeben von den Bildnissen seiner Familie und angesichts einer Darstellung des Polyphem-Mythos, den sein Großvater Marcus Antonius schon als Giebelschmuck für den Dionysos-Tempel von Ephesos gewählt hatte und den sein Onkel und Vorgänger Tiberius in anderer und doch verwandter Weise in Sperlonga hatte darstellen lassen.

Im Polyphem-Nymphäum von Baiae wird das fehlende Glied der Entwicklungskette eines römischen Bautypus kenntlich, den man als *Antrum Cyclopis,* d. h. Kyklopenhöhle, bezeichnen könnte. Einen Bau dieses Namens führt ein Verzeichnis der bedeutenden Bauwerke der Hauptstadt aus dem vierten Jahrhundert n. Chr. in der 1. Region Roms,

d. h. in der Nähe der Porta Capena, an[272]. Es könnte sich um ein ähnliches Gebilde wie das Polyphem-Nymphäum von Baiae gehandelt haben. Auf jeden Fall gehört ein mit der Darstellung des Polyphem-Abenteuers ausgestatteter Speisesaal anscheinend seit Kaiser Tiberius zum festen Repertoire römischer Kaiservillen.

Bekannt ist eine solche Anlage jedenfalls außer in der Villa des Kaisers Tiberius (4–37 n. Chr.) und, wie wir jetzt zu wissen glauben, im Sommerpalast des Kaisers Claudius (41–54 n. Chr.) in Baiae, im Goldenen Haus des Kaisers Nero (54–68 n. Chr.) in Rom, das nach ihm noch die Kaiser Otho (69 n. Chr.) und Titus (69–81 n. Chr.) bewohnten. Auch der Bruder und Nachfolger des Kaisers Titus, Domitian (81–96 n. Chr.), hat sich in seiner Villa am Albaner See im sogenannten Ninfeo Bergantino[273] ein *Antrum Cyclopis* geschaffen. Von Nerva (96–98 n. Chr.), der nur zwei Jahre regierte, und von Trajan (98–117 n. Chr.), der die meiste Zeit seines Lebens als Soldat im Feldlager verbrachte, ist ähnliches nicht bekannt, aber Kaiser Hadrian (117–138 n. Chr.) hat den Gedanken wieder aufgegriffen und in einer eigenen, seine Vorgänger an Aufwand noch überbietenden Weise verwirklicht.

Damit bricht die Reihe, soweit wir bisher wissen, ab, aber noch in der späten Kaiservilla von Piazza Armerina ist ein Raum mit einer ausführlichen Darstellung der Polyphem-Episode im Fußbodenmosaik[273] geschmückt. Der Gedanke, Odysseus als Vorbild zu wählen und dies besonders durch die Polyphem-Episode, aber auch durch das Skylla-Abenteuer zum Ausdruck zu bringen, war noch nicht tot. Im Grunde ist er nie gestorben. Hier ist nicht nur an mittelalterliche Darstellungen wie die Wandmalerei im Kloster Corvey[274] zu erinnern oder an die Rolle, die Odysseus bei Dante[275] und seinen Illustratoren und sogar bis in die neueste Zeit bei James Joyce oder Dallapiccola spielt, sondern tagtäglich werden Bilder aus der Odyssee wie Zirze oder Skylla und Charybdis zum Vergleich herangezogen, ja, die Odyssee selbst ist zum Topos geworden.

Hier kommt es darauf an, die Frage zu beantworten, woher die kaiserzeitliche Kunst das Bild von Odysseus als anfeuerndem Beispiel echter Mannhaftigkeit übernommen hat, das heißt herauszufinden, wann es zuerst bildliche Gestalt gewonnen hat und wie es in die ikonologische Ausstattung römischer Kaiservillen eingeordnet wird.

Das claudische Trikliniumsnymphäum erweist sich als eine Monumentalisierung der von einer natürlichen Grotte ausgehenden Anlage von Sperlonga. Die weit gespannte Wölbung der Tiberius-Höhle wird zur Apsis des aus Tuffretikulat mit Ziegelverstärkung errichteten Nymphäumssaales. Das Becken von Sperlonga, das sich aus dem runden

Bassin in der Höhle zu dem rechteckigen vor der Höhle erweitert, wird reduziert auf das Becken vor der Apsis und auf die an den Seitenwänden entlanglaufenden Kanäle, das Inseltriklinium wird in das Podium für die Marmorklinen verwandelt. Um den höhlenartigen Eindruck des ganzen zu erhalten, werden die Apsis, das Gewölbe und die Nischen der Seitenwände mit künstlichem Grottenwerk verkleidet. Eine Vorstellung von der Wirkung des Ganzen kann das sogenannte Ninfeo Bergantino in der Domitians-Villa am Albaner See vermitteln.

Bevor wir uns diesem zuwenden, seien aber zunächst die dem Nymphäum claudischer Zeit zeitlich näher gelegenen Vorformen und Weiterbildungen herangezogen. In der Grotta di Matromania[276] auf der Insel Capri ist der Typus einer künstlich egalisierten, einem Apsidensaal angeglichenen, aber in den gewachsenen Felsen getriebenen Grotte erhalten. Wie die Höhle von Sperlonga und das Nymphäum von Baiae ist sie mit künstlichem Grottenwerk und muschelumrahmtem Mosaik ausgekleidet. Von ihrer figürlichen Ausstattung ist nichts erhalten. Man weiß also nicht, ob sie etwa auch ein *Antrum Cyclopis* war. Aber von dieser Anlage war es kein weiter Schritt bis zur Errichtung einer künstlichen Höhle aus Mauerwerk, wie sie in Baiae vor Augen steht.

Im Goldenen Haus des Kaisers Nero inmitten der Großstadt Rom wurde der Bautypus noch weiter zu einem rein künstlichen Gebilde umgestaltet.[277] Hier lag an der Stirnseite eines riesigen Saales ein nahezu quadratischer Raum mit auch immerhin noch 9 m Seitenlänge, dessen 10,20 m hohes Tonnengewölbe mit sienafarbenem, in einen Goldton hinüberspielenden Bimssteinstuck verkleidet war. Die Wände des Raumes, in denen sich auf jeder Seite nicht etwa Nischen befanden, sondern je drei Fenster auf einen dahinter entlang führenden Gang öffneten, waren unten mit Marmorplatten inkrustiert und darüber mit buntem Mosaik überzogen, das wie in Sperlonga, Capri, Baiae und andernorts, zum Beispiel in Pompeji und Herculanum, mit einem Rahmen aus Muscheln eingefaßt war.[278]

Die Polyphem-Darstellung dieses mit einer Wassertreppe an der Rückwand versehenen prächtigen Nymphäums befand sich in dem schon früher erwähnten 2,40 m breiten Scheitelmosaik[279] aus Glassteinen, die Bronzepatina nachahmen. Mit dem achteckigen Scheitelmosaik korrespondierten vier kleinere Medaillons in den Ecken des Tonnengewölbes, die aber leider ihren Mosaikschmuck verloren haben. Ursprünglich muß das Glitzern der Mosaiken in dem von den Seiten und von der Eingangswand hereinfallenden indirekten Licht, das die Wasserspiele aufblitzen ließ, im Zusammenwirken mit der mehrschichtigen Architektur den Eindruck der Irrealität noch verstärkt haben. In diesem Nym-

phäum, das als ein rein künstliches Gebilde ohne die geringste Illusion einer natürlichen Grotte gestaltet ist, wurde nicht eine plastische Polyphem-Gruppe aufgestellt, die durch ihren Realitätsgehalt möglicherweise unpassend gewirkt hätte, es wurde aber auch kein illusionistisches Mythenbild wiedergegeben, vielmehr wurde in dem funkelnden Mosaik eine offenbar berühmte hellenistische Bronzegruppe zitiert, deren Nachwirkung man von Ephesos bis Baiae und darüber hinaus immer wieder antrifft.

Stellt dieses Nymphäum im Goldenen Haus des Kaisers Nero einen Seitenweg der Entwicklung in Richtung auf die Kunstwelt mitten in der Natur dar, wie sie in der Villa Hadriana gestaltet wird, so ist das Ninfeo Bergantino bei Castel Gandolfo am Albaner See unterhalb der päpstlichen Sommerresidenz, die auf den Mauern der Domitians-Villa ruht, eher als ein Rückgriff, als ein Wiederanknüpfen an die Tradition von Sperlonga und Baiae anzusehen.

Man[280] hat dieses Nymphäum treffend als eine Transposition der Grotte von Sperlonga bezeichnet. Leider ist es noch nicht vollständig ausgegraben, so daß man die Inneneinteilung noch nicht genau deuten und auch den ursprünglichen Aufstellungsort einer Polyphem- und einer Skylla-Gruppe nicht sicher bestimmen kann, die schon 1841 hier gefunden und in die Papstvilla nach oben gebracht worden waren, wo die er-

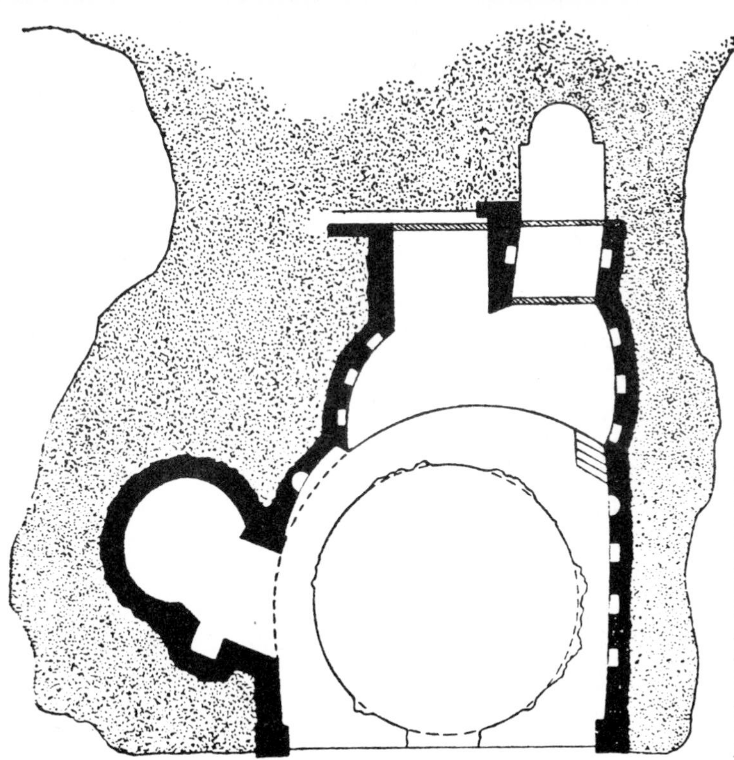

Panorama-Aufnahme und Grundriß des Ninfeo Bergantino von Castel Gandolfo, in der Villa des Kaisers Domitian, 81–96 n. Chr. Die künstliche Höhle am Albaner See ist nichts anderes als eine Umsetzung der natürlichen Anlage von Sperlonga im Stil des Polyphem-Nymphäums von Baiae.

Fragment einer Skylla-Gruppe aus dem Ninfeo Bergantino 81–96 n. Chr., jetzt im Kryptoportikus der Villa Papale in Castel Gandolfo.

Fragment eines am Boden liegenden Polyphem aus dem Ninfeo Bergantino (s. Abb. S. 199) 81–96 n. Chr. Jetzt im Garten der Villa Papale in Castel Gandolfo.

stere heute am Eingang der großen Kryptoportikus, die letztere in derselben aufbewahrt wird.

Angesichts dieser Figuren ist daran zu erinnern, daß der Hofdichter Domitians, Martial, im 38. Epigramm seines 7. Gedichtbandes von den Polyphem- und Skylla-Gestalten eines gewissen Severus spricht:[281]

»Riesig und furchtbar bist, Polyphem du, meines Severus,
daß dich auch der Kyklop selber nur anstaunen kann.
Und auch Skylla nicht minder. Fügt man die beiden zusammen,
flößte die eine gewiß Furcht dem anderen ein.«

Sollte dieser Severus der Bildhauer sein, der die Skulpturen aus dem Ninfeo Bergantino nach hellenistischen Vorbildern gearbeitet hat? Wäre dem nicht so, müßte man annehmen, daß auch Privatleute dieser Zeit die Kaiser nachahmten und solche Skulpturen aufstellen ließen. Bedenkt man die Größe der Anlage, die für eine solche Aufstellung notwendig war, so ist das eher unwahrscheinlich.

Wenn der schematische Grundriß des Höhlenbaus am Albaner See zutrifft, der bei den ersten flüchtigen Ausgrabungen von Giovanni Merolli 1841[282] angefertigt wurde, dann war in der Mitte des höhlenartigen Raumes ein rundes Becken, in dem, etwas exzentrisch nach Westen verschoben, ein runder Sockel für die Skylla-Gruppe stand. Im Hintergrund liegt, ähnlich wie in Sperlonga, ein über ein Treppchen zu erreichendes Podium, einer Bühne vergleichbar. Hier würde man gern die Polyphem-Skulptur anordnen, doch gibt es dafür keinen sicheren Anhaltspunkt, ebensowenig wie für die Gruppengestaltung, deren Teil sie war.

Der Riese auf diesem Relief einer etruskischen Urne des 2. Jahrhunderts v. Chr. liegt in ähnlicher Haltung am Boden wie der Polyphem von Castel Gandolfo und wird mit einem schräg von oben herabgestoßenen Pfahl geblendet.

Merkwürdig ist, daß die beiden nur als Fragment erhaltenen Skulpturen keinerlei Verwandtschaft mit den Skulpturen von Sperlonga zeigen, während die Anlage selbst doch ihren Zusammenhang mit Sperlonga nicht verleugnen kann. Polyphem liegt am Boden. Er könnte also zu einer Darstellungsform gehören, die sich eng an den Text der Odyssee anlehnt und möglicherweise typologisch mit der Darstellung auf einer etruskischen Urne verwandt wäre. Dem Stil nach handelt es sich um eine römische Kopie nach einem pergamenischen Vorbild.[283]

Die Skylla, von der nur der Unterkörper mit drei verstümmelten Hundeprotomen und dem Ansatz zweier weiterer sowie von zwei Fischschwänzen erhalten ist, gleicht ebenfalls nicht der Skylla von Sperlonga, sondern eher derjenigen aus der Villa Hadriana.[284].

Der höhlenartige Raum, der diesen Skulpturenschmuck aufnahm, war mit Ziegelmauern und Retikulatdurchschuß in einen ehemaligen Steinbruch am Steilabfall des Kraterrandes um den vulkanischen See hineingebaut und mit einem flachen Gewölbe überspannt, das wie in Baiae mit künstlichem Grottenwerk überzogen war. Auch die Nischen in den Wänden erinnern an den Saal von Baiae, der jedoch axialsymmetrisch und nicht so weit geöffnet war. Die Funktion des Nymphäums von Castel Gandolfo ist nicht eindeutig geklärt, doch fügt sich der ganze Bau nach Typologie und bildlicher Ausstattung gut in die Reihe der Polyphem-Nymphäen ein. Er zeigt, wie die römischen Architekten diesen Bestandteil des Bauprogramms einer großen Villa abwandeln konnten und dabei doch die Grundzüge beibehielten. Die Größe der Anlage und die Bedeutung des selbst in den Resten noch eindrucksvollen Skulpturenschmuckes zeigt, wie die Kaiser versuchten, einander mit der Darstellung des neben Herkules bei den Römern offenbar besonders beliebten Helden Odysseus zu übertrumpfen.

Seneca, der römische Philosoph und Tragödiendichter, der unter Nero den Freitod wählte, hatte über Herkules und Odysseus gesagt[285], daß die stoischen Philosophen diese beiden Helden als Weise herausgestellt hätten, als unbesiegt von allen Mühen, als Bezwinger ihrer niedrigen Wünsche, als Sieger über alle Schrecknisse der Welt. In ähnlicher Weise haben offenbar auch die römischen Kaiser in Odysseus ein nachahmenswertes Vorbild gesehen. Die Tatsache allerdings, daß sie diese Bilder zur Erhöhung des Tafelluxus beim Speisen vor Augen haben wollten, zeigt, daß sie dieses Vorbild auf ihre Weise zu erleben gedachten. Und dies war eine Art, die nicht unbedingt dem hohen künstlerischen Niveau der Bildwerke entsprach. Verständlicher wird eine solche Diskrepanz, wenn man in jenen nicht die Originale, sondern auf Bestellung gearbeitete Kopien erkennen darf.

XV

POLYPHEM UND SKYLLA IN DER VILLA HADRIANA

S. 221 Skylla an einem Tischfuß aus der Villa Hadriana.

AUCH Kaiser Hadrian wollte wie seine Vorgänger Tiberius, Claudius, Nero und Domitian auf eine Darstellung des mythischen Helden Odysseus in seiner Lieblingsvilla bei Tivoli nicht verzichten. Das beweisen die drei schon bei den Ausgrabungen des 18. Jahrhunderts gefundenen Köpfe der Gefährten des Odysseus aus einer Polyphem-Gruppe, von denen der eine mit dem einzigen erhaltenen Gefährtenkopf aus der Polyphem-Gruppe von Sperlonga, nämlich dem des Weinschlauchträgers, so genau übereinstimmt, daß man alle hundert durcheinandergewirbelten Locken auf seinem Haupte nachzählen kann.[286] In der Villa Hadriana muß also eine maßgleiche Kopie desselben Vorbildes gestanden haben, das die Laokoon-Bildhauer im Auftrage des Kaisers Tiberius auch für Sperlonga kopiert hatten.

Leider ist der Aufstellungsort der Replik dieser großen Skulpturengruppe in der Villa Hadriana noch nicht bekannt. Die erwähnten Köpfe wurden, von ihrem ursprünglichen Aufstellungsort verschleppt, an einer Stelle gefunden, wo Marmorfragmente zur Verarbeitung in mittelalterlichen Kalkbrennöfen zusammengetragen wurden.

Andererseits ist die Gruppe so groß, daß sie nicht an jeder beliebigen Stelle der Villa gestanden haben kann. Die Villa Hadriana ist bei weitem nicht vollständig ausgegraben, und man darf noch viele Überraschungen gewärtigen. Wenn hier gleichwohl eine Vermutung geäußert wird, wo die Polyphem-Gruppe in der Villa Hadriana ihren Platz haben könnte, so soll dies vor allem der Ermunterung dienen, an eben dieser Stelle, wo es nicht besonders schwierig wäre, den Spaten anzusetzen. Gemeint ist der große, südöstlich vom sogenannten Serapäum, oberhalb des Canopustal gelegenen Apsidenbau, dessen Halbkuppel eingestürzt ist und dessen Mauern noch bis zur Hälfte in der Erde stecken.

Anlaß, die Polyphem-Gruppe hier zu suchen, gibt die Tatsache, daß in Sichtverbindung mit dieser Stelle, mitten im Wasserbecken des Canopustales auch die zweite immer wiederholte Episode der Odyssee, das Skylla-Abenteuer, dargestellt worden war. Das haben die jüngsten großen Ausgrabungen gezeigt, die Salvatore Aurigemma in den Jahren 1953–1956 unternommen hat.[287] Der Verfasser war bei diesen Ausgrabungen persönlich zugegen und konnte einige Beobachtungen machen, die zu so erstaunlichen Konsequenzen zu führen schienen, daß die Frage nicht beiseite geschoben werden durfte. In immer neuen Anläufen wurden Lösungen gesucht. Daß schließlich eine präsentable Lösung gefunden wurde, ist wiederum das Verdienst des Bildhauers und Archäologen Heinrich Schroeteler, der den Verfasser schon beim Wiederherstellungsversuch des Giebels von Ephesos und der Polyphem-Gruppe von Sperlonga in entscheidender Weise unterstützt hatte.

Im Fall der Skylla-Gruppe aus der Villa Hadriana aber war Heinrich Schroeteler die treibende Kraft. In einer aussichtslos erscheinenden Überlieferungslage hat er nicht aufgegeben, sondern immer neue Lösungsvorschläge erarbeitet und in unermüdlichen Rekonstruktionsansätzen zu bestätigen versucht, bis nach zwölfjähriger Arbeit wenn schon nicht das Kunstwerk wiederhergestellt, so doch eine solche Fülle von Informationen über dessen Eigenart zusammengetragen war, daß man nun auch die Vorstellung Kaiser Hadrians von Odysseus in die Geschichte der Darstellungen dieses unerschöpflichen Mythenthemas einordnen kann.

Die Villa[288], die Kaiser Hadrian in seiner Regierungszeit von 117–138 n. Chr. in der römischen Campagna zu Füßen der Berge von Tivoli errrichten ließ, übertrifft alle anderen Kaiservillen an Größe, Vielfalt und Pracht bei weitem. Vieles, was in den früheren Villen entwickelt worden war, nimmt sie auf und verwandelt es sich an, indem Grundriß und Aufriß der Vorbilder in eine mit Zirkel und Lineal konstruierbare Form gebracht wurden.

In einer Lebensgeschichte Kaiser Hadrians aus dem späten 4. Jahrhundert n. Chr., die unter dem Namen Aelius Spartianus überliefert wird, in Wahrheit aber das Werk des gleichen Autors ist, der auch die anderen Kaiserviten der Historia Augusta verfaßt hat, wird berichtet[289], der Kaiser habe in den einzelnen Komplexen dieser Villa Erinnerungen an berühmte Orte oder Bauwerke, die er auf seinen vielen Reisen besucht hatte, in baulicher Gestalt festhalten wollen. Von den dort genannten *Lycium, Academia, Prytanium, Picile, Tempe, Inferi* und *Canopus* konnte man unter der Voraussetzung, daß die Notiz der Historia Augusta zutreffend ist, bisher nur das letztere, also das Canopustal, mit einiger Wahrscheinlichkeit identifizieren, so vollkommen ist die Transposition der bewunderten Bauten aus den besuchten Gegenden in den ganz aus dem Geiste der vorhergehenden römischen Architektur gestalteten Anlagen der Villa Hadriana.

Das Canopustal ist daher für die Eigenart des hadrianischen Bauwillens von besonderer Bedeutung, denn in diesem Fall kann man einmal das Vorbild, nämlich den Nilarm von Kanopos bei Alexandria in Ägypten mit seinem Serapis-Tempel, einem beliebten Ausflugsziel der großstädtischen Bevölkerung im Nildelta, mit der phantastischen Umsetzung in der Hadrians-Villa unmittelbar konfrontieren. Vergleichbar ist eigentlich nichts außer der Tatsache, daß sowohl im Nilarm, an dem das Serapäum lag, als auch im Euripus, das heißt dem langgestreckten Bekken im Canopustal der Villa Hadriana, Wasser floß. Alles andere ist so verschieden, daß man überhaupt an der Übereinstimmung, ja sogar an der Stimmigkeit des Berichtes in der Historia Augusta zweifeln könnte, wäre nicht im Canopustal schon bei den Grabungen des 17. Jahrhunderts eine solche Fülle ägyptischer und ägyptisierender Skulpturen gefunden worden, daß man das ganze Ägyptische Museum im Kapitolspalast[290] zu Rom damit füllen konnte. Ein zumindest ideeller Zusammenhang mit Ägypten muß also bestehen. Die eigentlichen Vorbilder für diese große, erst in den Jahren 1953–1956 ausgegrabene Anlage aber sind jene Nymphäumstriklinien in den Kaiservillen von Sperlonga, Baiae und Castel Gandolfo, die durch die Skulpturendekoration zum Schauplatz der gefährlichsten Abenteuer des Odysseus wurden.

Wie anders das Canopustal beim ersten Anblick auch wirken mag, so sehr zeigt eine genauere Betrachtung, daß die eigentümliche Anlage zweifellos eine Weiterentwicklung der genannten Vorläufer darstellt. Im Canopustal ist eine natürliche, langgestreckte Senke in eine künstliche, bildhafte Welt verwandelt worden. Auf der Talsohle legte man ein 121,40 m langes und 18,60 m breites Wasserbecken an, erbaute am südlichen geraden Ende eine an die Hangmulde gelehnte riesige Apsis und faßte den nördlichen halbrunden Beckenrand mit einer luftigen Säulenarchitektur ein, die an den Langseiten in eine Pergola übergeht. Im Zentrum der Westseite ist die Pergola durch eine Fassadenanlage überhöht, die von vier Koren, Kopien der Erechtheion-Karyatiden, und zwei flankierenden Silenen gebildet wird.

Nähert man sich dem Tal von Norden, so baut sich hinter dem Säulenzaun mit seinen abwechselnd geraden und gebogenen Gebälkstücken und jenseits des langgestreckten Sees als Hintergrund die weite mit einer Schirmkuppel überdachte Apsidenarchitektur des sogenannten Serapäums auf. Man sieht Statuen von klassischer Schönheit in den Säulenzwischenräumen und auf Postamenten am Beckenrand stehen und auf den Wasserspiegel schauen. Geht man dann am Ufer des kanalartigen Sees entlang, so erlebt man, wie die gewaltige Nischenanlage mit ihren das Tal abschließenden Flügeln sich höher und höher aufbaut und zum Ziel des Weges wird.

Hier findet man in der großen Apside ein im Halbkreis aufgemauertes Speisesofa für zahlreiche Teilnehmer an einem Gelage halb im Freien, doch gegen die Sonne geschützt und von Wasserschleiern gekühlt, die über Treppchen aus den Nischen an der Wand herabfließen und sich in konzentrischen Kanälen zu Füßen der Tafelnden sammeln. Im Hintergrund führt in der Mitte der Apsis eine hohe Öffnung in einen tonnengewölbten Raum, an dessen Ende ein Wasserfall von der hier offenen Höhe herabrauscht. Aus der Apsis geht der Blick, durch die Längsausdehnung axial gerichtet, in die Kunstwelt des Canopustales.

Doch in dem heutigen Zustand, wo zwar die Karyatiden und Silene am Westrand des Beckens und die Säulenordnung mit ihrer rhythmischen Travée und den klassischen Statuen in den Interkolummien am Nordende in Zementgüssen wieder aufgestellt sind, fehlt dem sich darbietenden Bild das zentrale Motiv. Man erkennt noch, daß in der Achse des Beckens sowohl im Norden wie im Süden, in gleichem Abstand vom Beckenende je ein aufgemauerter Würfel steht, doch was diese bis zum Wasserspiegel reichenden Basen getragen haben, erfährt der Besucher nicht. Bei den Ausgrabungen der Jahre 1954 und 1955 war am Fuß des südlichen Sockels eine zylindrische Marmorbasis gefunden worden, die in Relief mit Meereswellen und allerlei Seegetier verziert ist. Der obere Ansatz ist völlig zerschlagen, so daß nicht sofort auszumachen war, was dieses Gebilde getragen hatte. Doch war kaum ein Zweifel möglich; denn auf der Nordseite des Würfelsockels lag auf dem Rücken der Oberkörper eines nackten Weibes mit knappen Brüsten auf dem muskulösen Thorax. Auf ihre Schultern fällt halblanges, feucht-strähniges Haar. Den rechten Arm reckt sie nach oben, den linken streckt sie schräg nach unten. Auf dem Rücken sitzt ein vierkantiger Marmorpuntello, der, wie aus Vergleichsbeispielen hervorgeht, ein Steuerruder gehalten hat, welches das Weib in der Rechten schwingt.

Es ist Skylla, das grauenvolle Untier, das der Dichter der Odyssee wie eine Riesenkrake beschreibt und das die bildenden Künstler seit dem 5. Jahrhundert v. Chr. als ein Mischwesen mit weiblichem Oberkörper, mit Fischschwänzen und unter einem Flossenschurz aus dem Unterleib hervorwachsenden Hundeleibern dargestellt haben, so wie auch Vergil in der Zeit des Kaisers Augustus Skylla schildert.[291] Als das Schiff des Odysseus, um dem Strudel der Charybdis zu entgehen, dicht unter ihrem Felsen vorbeisegeln muß, reißt sie sechs der Gefährten heraus und wirft sie den Hunden zum Fraß hin.

Zahlreiche grausam zerschlagene Fragmente, die rings um den Würfelsockel gefunden wurden, beweisen, daß die Szene in der Gruppe, die ursprünglich die zylindrische Basis auf dem Würfelsockel bekrönte, ganz ähnlich gestaltet war, wie sie zum Beispiel schon das oben erwähnte Spiegelrelief in Berlin wiedergibt.[292] Soweit schien der Fund der Fragmente einer solchen Gruppe in der Villa Hadriana unproblematisch, wenn das Werk auch so weitgehend zertrümmert war, daß ein Rekonstruktionsversuch kaum Aussicht auf Erfolg hatte.

Allerdings gab es zwei Punkte, die sich nicht so einfach erklären ließen, sondern die möglicherweise zu erheblichen Konsequenzen führen mußten.

Der eine beunruhigende Punkt ist die Tatsache, daß die Teile der

Skylla-Gruppe nicht nur am südlichen Sockel gefunden wurden, wo die großen Fragmente des Oberkörpers und der zylindrischen Basis lagen, die wegen ihres Gewichts schwerlich verschleppt worden sein konnten, sondern daß auch um den nördlichen Sockel herum Fragmente der Skylla-Gruppe verstreut waren. Bei den Rekonstruktionsarbeiten ergab sich, daß zwei auf der Westseite des nördlichen Würfelsockels unmittelbar beieinanderliegende Fragmente[293], nämlich der Torso eines Gefährten und ein Hundekopf, der ihn in die Schulter beißt, Bruch auf Bruch aufeinanderpassen. Das wäre sehr merkwürdig, wenn diese Fragmente nicht beim Sturz auseinandergebrochen und nebeneinander liegengeblieben wären. Das heißt, diese Fragmente wurden in Sturzlage gefunden, und das wiederum kann nichts anderes bedeuten, als daß auch auf dem nördlichen Sockel eine Skylla-Gruppe gestanden hat.

Um das Ergebnis der langjährigen Rekonstruktionsarbeiten vorwegzunehmen: Es scheint so gut wie sicher, daß sowohl auf dem nördlichen als auch auf dem südlichen Sockel im Euripus des Canopustales je eine

Canopustal der Villa Hadriana. Der den Nilarm von Kanopos bei Alexandria nachahmende Kanal ist von einer luftigen Säulenarchitektur umgeben, in der Statuen aufgestellt sind. Auf den beiden Sockeln im Wasser standen zwei gleichartige Skylla-Gruppen, die nördliche dem Ankommenden zugewandt, die südliche dem zum Kanal hin offenen, halbrunden Triklinium in der gewaltigen Apsis des sogenannten Serapäums.

Sockel und zylindrische Basis der südlichen Skylla-Gruppe im Euripus des Canopustales der Villa Hadriana. Am nördlichen Sockel wurden ebenfalls Fragmente einer gleichartigen Skylla-Gruppe gefunden.

Oberkörper der Skylla aus dem Canopustal der Villa Hadriana. Das Ungeheuer, aus dessen Unterleib Hunde und Fischschwänze hervorwuchsen, schwang in der erhobenen Rechten das Steuerruder und warf mit der Linken den Hunden einen Gefährten des Odysseus zum Fraß hin.

Kopf-Fragment der Skylla.

im wesentlichen gleichgestaltige Skylla-Gruppe aufgestellt war, und zwar die nördliche dem Ankommenden und die südliche den auf dem Halbrundtriklinium Ruhenden zugewandt.

Zu diesem Ergebnis führte ein mühseliger Prozeß des Zusammentragens, des Sichtens, Vermessens und Abformens aller Fragmente.

Hier muß nun der zweite beunruhigende Punkt erwähnt werden, der es nicht zuließ, sich mit der Feststellung zu begnügen, daß im Canopusbecken der Villa Hadriana eine Skylla-Gruppe stand, die allzu fragmentarisch war, als daß ein Rekonstruktionsversuch sich lohnte. Es gibt nämlich, in verschiedenen Museen Europas verstreut, eine ganze Reihe von Fragmenten, die zu einer oder mehreren Skylla-Gruppen ähnlicher Form gehört haben müssen. Im einzelnen sind dies ein Kopf, den Skylla beim Schopf gepackt hat, im Vatikan, und ebenda drei Hundeköpfe[294]; zwei Köpfe von Gefährten des Odysseus in den Staatlichen Museen zu Berlin[295]; ein Kopf in Palermo, der sich als exakte Replik des am Schopf gepackten Mannes im Vatikan erweist, und ebendort ein bis auf die Unterschenkel erhaltener liegender Grieche, den ein Hund in die Flanke beißt.[296] Eine exakte, maßgleiche Replik dieser Figur ist ins Museo Torlonia[297] in Rom gelangt.

Wollte man jedes dieser Fragmente oder zumindest die jeweils in einem der genannten Museen im Vatikan, in Berlin, in Palermo und in Rom aufbewahrten Stücke als Teil einer eigenen Replik ansehen, dann müßte es außerhalb der Villa Hadriana mindestens noch vier Wiederholungen der gleichen Gruppe gegeben haben. In der Tat ist dies auch vorgeschlagen worden[298], zumal das Fragment im Museo Torlonia aus Anzio zu stammen schien, wo Kaiser Nero eine große Villa besaß, in der eine Replik der offenbar berühmten Skylla-Gruppe gestanden haben könnte. Durch Archivstudien konnte jedoch geklärt werden, daß man zumindest nicht ausschließen kann, daß alle genannten Fragmente in Wahrheit in der Villa Hadriana gefunden wurden.

Maßstäblicher Rekonstruktionsversuch der Skylla-Gruppe aus der Villa Hadriana von H. Schroeteler nach Angaben von B. Andreae.

Ein Großteil der Fragmente in den Vatikanischen Sammlungen, bei denen kein Fundort bekannt ist, stammt aus dem scheinbar unerschöpflichen Grabungsreservoir der Villa Hadriana. Die Köpfe in Berlin sind dorthin mit der Sammlung des Kardinals Polignac gelangt, die in der ersten Hälfte des 18. Jahrhunderts in Rom zusammengetragen wurde und viele Stücke aus der Villa Hadriana enthält. Die Fragmente in Palermo stammen aus der Sammlung des Rechtsanwaltes Astuto und scheinen auch in Rom erworben worden zu sein, könnten also ebenfalls in der Villa Hadriana gefunden sein. Das Fragment Torlonia ist mit der Sammlung Albani, in der sich zahlreiche Stücke aus der Villa Hadriana befinden, nach Anzio gekommen und ist jedenfalls nicht dort gefunden worden. Angesichts dieser Überlieferungslage verdichtet sich die Annahme, daß diese in Material, Maßen und Stil den in der Villa Hadriana gefundenen Fragmenten so ähnlichen Stücke, die zum Teil doppelt erhalten sind, ursprünglich zu den beiden Skylla-Gruppen im Euripus des Canopus der Villa Hadriana gehörten.

Dieser Verdacht verstärkt sich noch, wenn man feststellen muß, daß alle Fragmente, sowohl die in der Villa Hadriana als auch die im Vatikan, in Berlin, in Palermo und im Museo Torlonia aus dem gleichen, von charakteristischen violetten bis puterroten Adern durchzogenen kleinasiatischen Marmor von Synnada besteht, der bei diesen Skylla-Gruppen offenbar deshalb verwendet wurde, weil die Figuren dann blutbesudelt aussahen. Puterrot heißt auf Italienisch *pavonazzo,* und dieser Marmor erhielt daher von den römischen Marmorhandwerkern den Namen *Pavonazetto.*[299] Gewöhnlich wird er für Wandverkleidungen und Fußböden, nicht aber für Skulpturen verwendet, für die man nicht geäderten Marmor vorzog. Die Übereinstimmung des Stils und des seltenen Materials bei allen Fragmenten spricht dafür, daß sie von Repliken zumindest aus der gleichen Werkstatt, wahrscheinlich sogar vom gleichen Aufstellungsort stammen. Aber auch wenn man letzteres nicht für beweisbar hält, so bleibt doch soviel sicher, daß alle Fragmente zu völlig gleichartigen Skylla-Gruppen gehören, so daß man sie in die Überlegungen zur Rekonstruktion des Urbildes einbeziehen muß. Die Basis für einen solchen Rekonstruktionsversuch wird dadurch entscheidend verbreitert.

Insgesamt sind Fragmente von neun Hundeköpfen erhalten, von denen nur ein einziger nicht doppelt vorhanden ist. Da unwahrscheinlich ist, daß die beiden in allen nachprüfbaren Punkten völlig übereinstimmenden Skylla-Gruppen eine verschiedene Anzahl von Hundeprotomen aufwiesen, muß man davon ausgehen, daß auf jede Skylla fünf Hundeköpfe entfallen, die mit den Fischschwänzen rings um den Unterleib des Weibes angeordnet werden müssen.

Der vom mittleren Hundekopf angefallene Gefährte ist in Repliken im Museo Torlonia und in Palermo erhalten.

Diese verkleinerte Skylla-Gruppe hat zusammen mit der Tischfußgruppe in Neapel (Abb. S. 237. 239. 240) die gleiche Bedeutung für die Rekonstruktion der Skylla-Gruppe aus der Villa Hadriana wie das Relief von Catania für die Polyphem-Gruppe von Sperlonga.

Der in die rechte Schulter gebissene Gefährte ist in den Fragmenten Abb. S. 234 oben erhalten.

Dieses Tonmodel wurde in einer vor das 1. Jh. v. Chr. datierten Schicht in Didyma gefunden und gibt damit einen Anhaltspunkt für eine Datierung des Urbildes der Skylla-Gruppe aus der Villa Hadriana in die vorhergehende Zeit, das heißt die zweite Hälfte des 2. Jh. v. Chr.

Von einer Figur wie dem in die linke Schulter gebissenen Gefährten, den die Skylla in Oxford zeigt, befinden sich ein Torso in der Villa Hadriana und wahrscheinlich aus der Villa Hadriana stammende Fragmente im Vatikan und in Berlin.

An Gefährtentorsen sind nur fünf verschiedene erhalten, davon der eine im Museum Torlonia und in Palermo doppelt, aber aus den erhaltenen Händen, Armen, Beinen, Füßen und Köpfen, von denen der am Schopf gepackte ebenfalls zweifach vorhanden ist, läßt sich errechnen, daß ursprünglich wenigstens zehn, d. h. zweimal fünf Gefährten des Odysseus vorhanden gewesen sein müssen. Vom Kopf und vom Oberkörper der Skylla ist jeweils nur ein Fragment vorhanden, aber vom Rand des Flossenschurzes, in den der Oberkörper offenbar ähnlich eingelassen war, wie bei der Skulptur in Castel Gandolfo, gibt es so viele Fragmente, daß sie zu mehr als einer Skylla gehört haben müssen.

Die Zahl der erhaltenen Fragmente und ihr Aussagewert sind also nicht gering. Gleichwohl wäre die Ausgangslage für einen Rekonstruktionsversuch ziemlich verzweifelt, wenn nicht andere Zeugnisse zu Hilfe kämen. Im wesentlichen handelt es sich dabei um zwei dekorative Plastiken im Statuettenformat, welche offensichtlich auf das gleiche Vorbild zurückgehen, dieses aber verkleinern und auch nur im Auszug wiedergeben, aber dabei den Gesamtzusammenhang der einzelnen Komponenten bewahrt haben.

Das eine ist ein Brunnenaufsatz, der durch den Kunsthandel ins Ashmolean Museum in Oxford[300] gelangt ist. Skylla hat hier nur drei Hundeköpfe, je einen auf den Flanken und einen auf der Mitte des Bauches, von denen jeder einen Griechen angefallen hat. Die Bewegung dieser Figuren stimmt nun in erstaunlicher Weise mit den Motiven von drei Odysseus-Gefährten aus der Villa Hadriana überein, soweit diese sich anhand der Fragmente erschließen lassen.

Im Vergleich zur Brunnengruppe von Oxford lassen sich die Fragmente in der Villa Hadriana und in den anderen genannten Museen daher folgendermaßen zusammenfügen: Skylla hat mit der Linken einen Gefährten am Schopf gepackt und hält den heftig zappelnden Mann, der mit der Linken nach ihrem Unterarm greift, dem Hund an ihrer linken Flanke hin. Dieser schlägt dem Unglücklichen die Zähne in die rechte Schulter, packt ihn mit der linken Pranke an der Hüfte und holt den nach vorne rudernden Arm mit der anderen Pranke heran.

Der zweite Gefährte, in den Repliken im Museum Torlonia und in Palermo erhalten, liegt quer vor dem nächsten Hund, der ihn, nach unten fahrend, mit beiden Pranken heranzerrt und ihm in die Flanke beißt. Diese Figur ist in der Oxforder Brunnengruppe in die Mitte der Skylla-Figur gerückt worden, als der Bildhauer die fünf Hundevorderkörper des Vorbildes auf drei reduzierte.

Für den mittleren Hund der hadrianischen Skylla bietet sich ein einzeln erhaltener Hundekopf an, bei dem der Hals in eigentümlicher

Weise vorgewölbt ist. Nach dem Hinweis von Jägern und Hundehaltern findet sich diese Bewegung bei Hunden, die einen Knochen hochwerfen und in der Luft wieder auffangen. Es wäre demnach möglich, daß der Hund in der Leibesmitte der Skylla einem Griechen ein Glied abgerissen hat und damit in grauenerregender Weise wie mit einem Knochen spielt. Etwas ähnliches ist jedenfalls bei der sogleich noch zu betrachtenden Skylla am Tischfuß in Neapel dargestellt, die allem Anschein nach unmittelbar auf die Skylla-Gruppe in der Villa Hadriana zurückgeht.

Dem vierten Hundekopf, der sich stark nach seiner linken Seite dreht, und auf dessen rechter Wange die rechte, den Kopf wegdrängende Hand eines Griechen erhalten ist, muß ein auf dem Rücken nach links hingestreckter Torso zugewiesen werden. Diesen könnte der Hund, den er fortzudrängen versucht, in den Bauch beißen, wo sich ein großer Bruch, jedoch keine sicher festzustellenden Ansatzspuren befinden. Die Rekonstruktion dieser Figur ist daher hypothetisch, wird aber durch den Vergleich mit der schon erwähnten Tischfuß-Skylla in Neapel nahegelegt.

Der vierte Gefährte hängt an Skyllas rechter Flanke in den Fängen eines Hundes, der ihm in die linke Schulter beißt. Er ist durch ein Oberkörperfragment in der Villa Hadriana und eine Hundeprotome im Vatikan sicher zu rekonstruieren.

Schließlich sind von einem fünften Gefährten, der von den Fischschwänzen Skyllas umwunden ist, das linke in Spiralen umschlungene Bein, der rechte in den Windungen des anderen Fischschwanzes hängende Arm und die Fingerkuppen der linken Hand auf einem Fragment vom Rücken des Fischschwanzes erhalten. Man kann daraus sein Motiv in den Grundzügen erschließen. Er hängt in den Windungen der beiden Schwänze, die sich um seinen rechten Arm und das linke Bein schlingen, und greift mit der Linken nach dem gefährlichen Halt des Fischleibes.

Stück für Stück gewinnt so eine in kleine und kleinste Trümmer zerschlagene Komposition wieder Gestalt. Diese rekonstruierte Gestalt darf zwar nicht mit dem Urbild verwechselt werden, sie kann aber doch eine gewisse Vorstellung vom ursprünglichen Zusammenhang der Teile zu entwickeln erlauben. Obgleich viele Bruchstücke verloren sind, war es möglich, durch die Kombination der Reste beider offenbar weitgehend gleichgestaltigen Skylla-Gruppen und durch den Vergleich mit anderen Darstellungen, vor allem mit der plastischen Brunnengruppe in Oxford, den meisten Fragmenten einen begründeten Platz anzuweisen.

Man sieht nun den muskulösen Oberkörper Skyllas aus dem Kranz der Hunde und Fischschwänze aufragen. Die Hunde an den Flanken recken den Vorderkörper nach oben, um ihre Opfer aus den Fluten zu

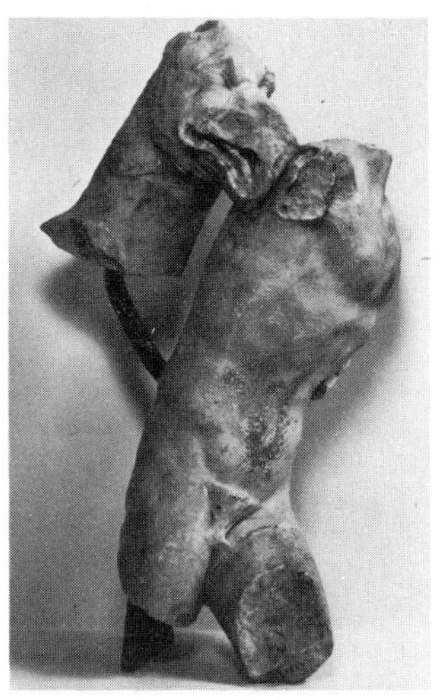

Die Figur eines in die rechte Schulter gebissenen Griechen läßt sich mit der Hilfe von Fragmenten aus der Villa Hadriana und im Vatikan in der plastischen Gruppe rekonstruieren.

Kopf des von Skylla beim Haar ergriffenen Gefährten.

Für diesen Rekonstruktionsversuch mit Gipsergänzungen wurden gfK-Abgüsse von Fragmenten in der Villa Hadriana, in den Vatikanischen Museen, in Berlin und in Palermo verwendet. Weitere Anhaltspunkte lieferten die Skylla-Gruppe von Oxford und die Relieffigur am Tischfuß von Neapel. (Abb. S. 237. 239. 240.)

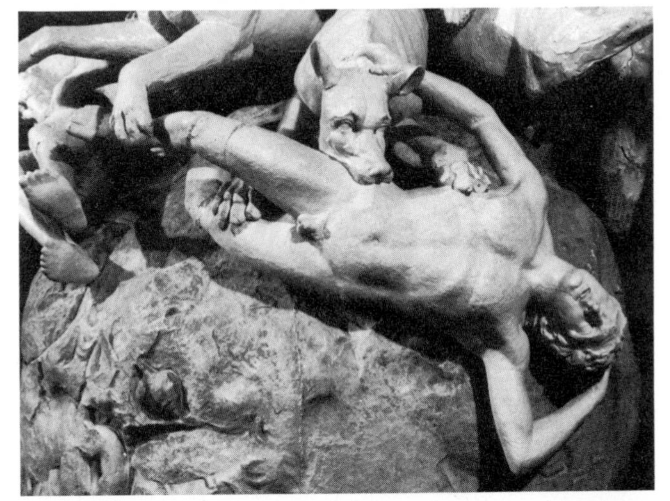

Die beiden Repliken eines vom Hund der Skylla angefallenen Griechen in Palermo und Rom, die der Rekonstruktion in Bochum (Bild oben) zugrunde liegen, sind aus dem gleichen, Pavonazetto genannten Marmor von Synnada in Zentralasien wie die Fragmente in der Villa Hadriana. Da nicht auszuschließen ist, daß auch sie aus der Villa Hadriana stammen, wo nur diese Figuren fehlen, können sie bestätigen, daß auf beiden Sockeln im Euripus des Canopostules die gleiche Skylla-Gruppe stand.

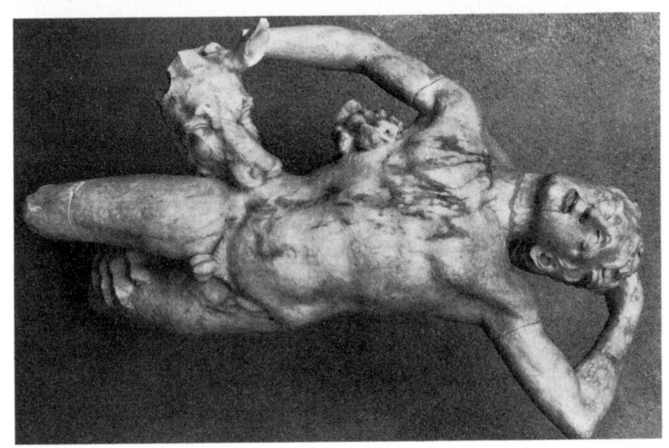

ziehen. Die beiden diagonal angeordneten Hunde fahren nach unten und holen mit den Pranken die rollenden Leiber ihrer Opfer heran. Der mittlere Hund hat vielleicht nur ein abgerissenes Glied im Maul, jedenfalls ist ihm nicht eine ganze Figur zuzuordnen. Eine solche hängt aber in den hochgeringelten Fischschwänzen.

Das Auf und Ab der Hundeleiber, die in ihren Fängen zappelnde Menschlein halten, und vor allem die heftig aus dem Kreis der mörderischen Tiere herausfahrende Bewegung Skyllas sind im Sinn hellenistischer Genauigkeit und Variationsfreude mit räumlich ausgreifender Beweglichkeit gestaltet.

Der Versuch, die Erkenntnisse über das ursprüngliche Aussehen der fragmentierten Gruppe in einer plastischen Rekonstruktion anschaulich zu machen, findet eine gewisse Bestätigung durch die erstaunliche Übereinstimmung mit der nunmehr zum Vergleich heranzuziehenden Skylla-Darstellung an der Kante eines marmornen Tischfußes aus der Villa Hadriana, jetzt im Nationalmuseum in Neapel.[301] Diese Skylla ist fast vollständig erhalten. Einige Ergänzungen im Gesicht und an der rechten Hand des Ungeheuers, das fehlende Steurruder, dessen Ansatzstellen an der Wandung des Tischfußes noch zu sehen sind, Skyllas abgebrochene Linke sowie einige weitere Verletzungen beeinträchtigen den Gesamteindruck kaum. Schon der erste Blick läßt eine grundsätzliche Verwandtschaft zwischen dieser Darstellung und der aus den Fragmenten der Villa Hadriana erschlossenen Komposition erkennen.

Die Übereinstimmung geht über eine äußerliche, thematisch bestimmte Ähnlichkeit entschieden hinaus: Nahezu gleich ist die Bewegung des Oberkörpers und der beiden Arme Skyllas. Der rechte schwingt das Steuerruder überm Kopf, das Skylla aus dem Schiff des Odysseus gerissen hat. Der linke Arm ist abwärts gestreckt. Wie es zur Anordnung der beiden übereinander liegenden Gefährten unter dem mittleren Hundekopf gekommen ist, kann man verstehen, wenn man sich den Vorgang der Umsetzung eines Vorbildes von der Art der rekonstruierten Skylla-Gruppe in den Schmuck eines Tischfußes klarzumachen versucht.

Ein allseitig plastisch ausgeformtes, radial aufgebautes Gebilde mußte der Vorderkante einer schmalen, nach hinten langrechteckigen Marmorwand angepaßt werden. Dabei wurde der Kopf Skyllas en face gewendet. Da sich in der für den Tischfuß verkürzten Form an den Flanken weder der Gefährte unterbringen ließ, der in den Fängen eines Hundes hängt, noch der Gefährte, den sie mit der Linken am Schopf ergreift, war eine Kopfwendung Skyllas auch nicht mehr erforderlich. Der rechte Arm wurde so weit nach oben gebogen, daß er nicht aus den schmalen

Die Skylla an einem Tischfuß aus der Villa Hadriana (jetzt in Neapel) wurde offenbar unter dem unmittelbaren Eindruck der Skylla-Gruppe aus derselben Villa geschaffen. Das Vorbild mußte dabei den besonderen Bedingungen eines schmalen Tischplattenträgers angepaßt werden: Skylla wurde frontal gewendet. Aus den drei Hunden an der Front des Vorbildes wurde ein einziger gemacht, die beiden rechts und links von der Skylla liegenden Gefährten wurden übereinandergeschoben. Die beiden Hunde an den Flanken Skyllas bekamen abgerissene Glieder der Griechen ins Maul. Der in den Fischschwänzen hängende Gefährte des Odysseus ist von der Platte des Tischfußes durchschnitten.

Abmessungen des zur Ausarbeitung gewählten Marmorblockes herausgreift und daß die rechte Hand bis auf die linke Seite des Tischfußes kommt, an der das Steuerruder angearbeitet war. Wegen der Schmalheit des Tischfußes wurden die fünf Hundeköpfe des Vorbildes auf drei reduziert. Die beiden an den Flanken werfen den Kopf in Richtung des Betrachterstandpunktes herum, auf den auch die Kopfwendung Skyllas Rücksicht nimmt. Die Hunde haben nicht mehr ganze Leiber ihrer Opfer in den Fängen, sondern nur noch abgerissene Gliedmaßen.

In der Protome auf der Vorderseite Skyllas sind die Aktionen der drei im Vorbild an dieser Stelle angeordneten Hunde in einem einzigen zusammengezogen. Er hat mit beiden Pranken einen Griechen gepackt, der, den Kopf nach links, auf dem Rücken liegt. Mit dem rechten, leicht gewinkelten Arm versucht er, die linke Tatze des Hundes wegzudrängen, wobei er die Hand in gewaltsamer Weise drehen muß. Diese Bewegung ist in der Haltung des Unterarmes nicht angelegt und wirkt deshalb unnatürlich. Noch merkwürdiger ist, daß an dem linken stark gebeugten Arm, dessen Handgelenk der Hund mit dem Maul umschließt und zermalmt, offensichtlich eine rechte Hand sitzt. Sie kommt (vom Beschauer aus) links aus den Lefzen des Hundes heraus und umklammert dessen Schnauze. Man sieht deutlich die zum Auge des Hundes hin an Länge zunehmenden drei äußeren Finger, den kleinen Finger, den Ringfinger und den Mittelfinger, dann den wieder etwas kürzeren Zeigefinger und links davon, über dem Winkel des Hundemaules, den abgespreizten Daumen.

An dieser Stelle verrät der Steinmetz, daß er sich seine Anregung bei der Skylla-Gruppe aus dem Canopustal oder bei deren Vorbild geholt hat. Denn dort versucht der nach links hingestreckte Gefährte den Hundekopf, der ihn anfällt, mit der rechten Hand wegzudrängen. So überliefert es jedenfalls das Protomenfragment im Vatikan. Als der Steinmetz des Tischfußes die drei vorderen Hundeprotomen seines Vorbildes in eine einzige zusammenzog, übernahm er, offenbar ziemlich gedankenlos, die rechte auf der Wange des linken Hundes liegende Hand des Unglücklichen, obwohl er dessen Armen und auch dem Hund, der ihn anfällt, eine andere Bewegung gegeben hatte.

Wenn der Rekonstruktionsvorschlag zutrifft, hatte der in der Leibesmitte der Skylla sitzende Hund beim Vorbild den Kopf mit vorgewölbtem Brustbein hochgestreckt, wie Hunde es zu tun pflegen, die einen Bissen hochwerfen, um ihn günstiger mit den Reißzähnen auffangen zu können. Dementsprechend hebt auch der mittlere Hund am Tischfuß den Kopf.

An dieser Skylla ist alles stärker auf die Frontansicht bezogen; deswegen ist auch die Körper- und Armbewegung des unter dem Hund liegenden Mannes weniger tordiert. Bei dieser Bewegungsänderung ist dem Bildhauer aber der erwähnte Fehler unterlaufen, daß er die rechte Hand des Vorbildes an den linken Arm seiner Umbildung gesetzt hat. Da man nur auf diese Weise eine Erklärung für eine solche Ungereimtheit finden kann, muß dies als eine indirekte Bestätigung gelten, daß die Tischfuß-Skylla aus der Villa des Kaisers Hadrian von der Skylla-Gruppe (oder deren Vorbild) aus der gleichen Villa abhängig ist.

Diese Tatsache ist für die Beurteilung der schöpferischen Kräfte hadrianischer Zeit nicht uninteressant. Als eigenständiges, in seiner dramatischen Komplexität durchdachtes und phantasievoll ausgestaltetes

Rechte Seitenansicht der Skylla *Abb. S. 237.*

Werk ist die rundplastische Skylla-Gruppe aus der Villa Hadriana ungleich bedeutender als die Tischfuß-Skylla. Bemerkenswert ist jedoch, auf welche Weise der Steinmetz dieses Werk den extremen Bedingungen des Tischfußes angepaßt hat. Er hat sowohl der Schmalheit der Vorderkante als auch der Länge der Seiten Rechnung getragen: Die beiden der Länge nach hingestreckten Gefährten des Vorbildes schob er übereinander und verschmolz die drei mittleren Hundeprotomen zu einer einzigen. Die beiden Hunde an den Flanken wandte er nach vorne und gab ihnen abgerissene Gliedmaßen in die Mäuler. An den Langseiten ringelte er die Fischschwänze mit breiter Fächerflosse unter dem Flossenschurz hervor, zog sie in die Länge und hängte in die Windungen den Gefährten in ähnlicher Weise, wie er wohl auch im Vorbild dargestellt war. Daß der Leib des Unglücklichen von der Marmorwand des Tischfußes durchschnitten wird und auf der einen Seite der Oberkörper, auf der anderen der Unterkörper aus der Marmorwand herauskommt, hat er dabei in Kauf genommen. Das mag als eine extreme Lösung angesehen werden. Es zeigt aber, daß die Künstler dieser Zeit vor keinem Mittel zu-

Linke Seitenansicht der Skylla Abb. S. 237.

rückschreckten, die als *opera nobilia* angesehenen Meisterwerke der griechischen Kunst in die zeitgenössische Erlebniswelt einzubauen. Dabei gab es, wie überall, besser und weniger gut gelungene Lösungen.

Der Unterschied zwischen der zweifellos hadrianischen Umbildung der Skylla am Tischfuß in Neapel und der rundplastischen Skylla-Gruppe aus dem Canopustal der Villa Hadriana läßt darauf schließen, daß letztere die weitgehend getreue Kopie eines hellenistischen Originals ist. Für die kunstgeschichtliche Einordnung des so erschlossenen Originals stehen wenigstens drei aus äußeren Kriterien, unabhängig voneinander, recht genau datierte Denkmäler zur Verfügung.

Das erste ist ein Tonmodel mit der Darstellung Skyllas, der in einer Schicht des frühen 1. Jahrhunderts v. Chr. in Didyma gefunden wurde.[302] Diese Patrize für Hohlformen zum Ausprägen von Reliefappliken beweist, daß eine Komposition, wie die Skylla-Gruppe aus der Villa Hadriana sie bietet, schon im 2. Jahrhundert v. Chr. bekannt war. Dabei ist wichtig festzustellen, daß die Gestaltung auf dem Tonrelief in der Zentrifugalität aller Motive erheblich über die frühhellenistische Form auf dem Spiegelkasten in Berlin hinausgeht. Da man aber nicht sicher sagen kann, ob das Original der Skylla-Gruppe aus der Villa Hadriana dem Tonmodell unmittelbar zum Vorbild gedient hat, ergibt dieser nicht mehr als einen *terminus ante quem* für die hier dargestellte Kompositionsform.

Eine genauere Datierung aufgrund von Stilvergleichen ermöglichen zwei schon öfter erwähnte datierte Skulpturengruppen. Einmal das Kleine Attalische Weihgeschenk[303], dessen Amazone sich nach Gesichtsform, Anlage der Haare und Augenbildung unmittelbar zum Vergleich mit dem Fragment vom Kopf der Skylla anbietet. Auf der anderen Seite die Kultgruppe der Despoina von Lykosoura[304], bei der die als Trägerinnen der Armlehnen am Thron dienenden Tritoninnen unserer Skylla in Haltung und Körperbildung erstaunlich gleichen. Beide Werke sind um die Mitte des 2. Jahrhunderts v. Chr. zu datieren.[305] Diese Vergleiche führen zu einer Ansetzung des Skylla-Originals in die zweite Hälfte des 2. Jahrhunderts v. Chr. Ein solcher Ansatz stimmt mit der auf anderen Wegen zu gewinnenden Datierung der Laokoon-Gruppe in die Zeit nach der Mitte des 2. Jahrhunderts v. Chr. überein, was deshalb besonders wichtig erscheint, weil bisher kaum ein anderes hellenistisches Bildwerk bekannt geworden ist, das dem Laokoon in vielen Einzelheiten der Gesichts- und Körperbildung stilistisch näher verwandt wäre als etwa der Kopf des Skylla-Opfers im Vatikan oder der diesem zugehörige Rumpf aus der Villa Hadriana.

Zwei um die Mitte des 2. Jahrhundert v. Chr. datierte Skulpturen, eine Tritonin vom Thron der Despoina von Lykosura in Athen und eine Amazone aus dem Kleinen Attalischen Weihgeschenk, bieten einen stilistischen Anhaltspunkt zur Datierung des Originals der Skylla-Gruppe aus der Villa Hadriana in jüngerhellenistische Zeit.

In der Abfolge der Grotenvilla des Tiberius von Sperlonga 4–26 n. Chr. (Abb. S. 105), des Ninfeo Bergantino in der Villa des Domitian bei Castel Gandolfo am Albaner See, 81–96 n. Chr. (Abb. S. 216/217) und des Canopustales in der Villa Hadriana, 117–238 n. Chr. (Abb. S. 224) zeichnet sich eine Entwicklungslinie von der Ausgestaltung einer natürlichen Höhle zu einem Naturtheater mit Odyssee-Staffage über die künstliche Schaffung einer Grotte als Schauplatz der Abenteuer des Odysseus zu einer reinen Kunstwelt ab, in der das Skylla-Abenteuer zum bewunderten Kunstwerk geworden ist, das sich von der Natur absetzt.

Die so festgestellten Querverbindungen bestätigen die hier vorgetragenen Hypothesen. Indem dabei deutlich zwischen der Schöpfungszeit der Werke und der Zeit ihrer durch Kopien ermöglichten Verwendung im neuen ikonologischen Zusammenhang einer römischen Villa unterschieden wird, tritt die Eigenart der kaiserzeitlichen Kultur klarer und unverstellt hervor.

Das Canopustal der Villa Hadriana verfehlt auch im heutigen als artifizielle Ruine rekonstruierten Zustand seine Wirkung auf den Besucher nicht. Diese mitten in die Natur gebettete Kunstwelt, die die Natur in gewissem Sinne ausschließt oder sie zumindest nicht weniger rigoros der künstlerischen Gestaltung unterwirft, als es bei einem französischen Garten der Fall ist, stellt den Höhepunkt einer Entwicklung dar, den man in immer neuen Gestaltungsversuchen von der Tiberius-Höhle in Sperlonga an über die Grottenvillen von Capri, das Trikliniumsnymphäum von Baiae, das Goldene Haus des Kaisers Nero und das Ninfeo Bergantino der Domitians-Villa am Albaner See verfolgen kann. War aber in den anderen Anlagen entweder die Natur oder die Künstlichkeit präponderant, so ist in der Villa Hadriana dieser Gegensatz aufgelöst in das, was man eine »Welt in der Welt«, das heißt eine Kunstwelt nennen könnte, die etwas anderes ist als eine künstliche Welt.

In der Villa Hadriana wird durch die Einbindung der griechischen Kunstwerke in eine ganz vom Menschen gestaltete und geordnete Welt deren Symbolwert freigesetzt. Man blickt nicht mehr in die Höhle hinein, sondern aus ihr heraus. Die von einem festgelegten Punkt aus betrachtete, auf die Blickachse bezogene Gartenarchitektur, in der man das zentrale Motiv, die Skylla-Gruppe, von beiden Seiten zugleich sehen konnte, liegt im hellen Licht. Es kann kein Zweifel sein, dies ist kein Naturtheater, dies ist Kunst. Sie kündet in den zeitlos schönen ägyptischen Skulpturen und in den griechischen Statuen aller Stufen des gleichermaßen als klassisch empfundenen strengen, hohen, schönen und realistischen Stils von unvergänglichen ästhetischen Werten. Das grauenvolle Ereignis im Zentrum dieser Welt, Skylla, die die Gefährten aus einem steuerlos gewordenen Schiff reißt, das man nicht sieht, läßt den Betrachter selbst zu einem Odysseus werden, der diese Welt erblickt und sie, durch die Ordnung, die er ihr gegeben hat, beherrscht.

Bei einer solchen Betrachtung wird deutlich, daß die Entwicklung, welche der Bautypus des Trikliniumsnymphäum mit mythologischer Figurenausstattung von Sperlonga bis hin zur Villa Hadriana durchmacht, auch etwas mit der Interpretation der Odysseus-Figur zu tun hat, die immer wiederkehrend darin dargestellt ist. Jede Zeit macht sich ihr eigenes Bild von diesem Helden.

XVI

ODYSSEUS UND LAOKOON

S. 245 Bildniskopf Homers in Boston

DIESES Buch handelt von dem Bild, das die antiken Künstler sich von einem Menschen gemacht haben, der als Individuum nicht gelebt hat und doch lebendig bleibt, der keine historische Persönlichkeit ist und doch zum Prototyp des dynamischen, eigenbestimmten, seine Fremdbestimmung reflektierenden und bewußt auf sie reagierenden Menschen geworden ist. Die von einem griechischen Dichter an der großen Wende von der geometrischen zur orientalisierenden Kulturepoche gestaltete Persönlichkeit konnte in James Joyces Roman »Ulysses« noch die Titelfigur desjenigen Werkes werden, das die Geschichte der modernen Literatur eröffnet. Ein Mensch, der bis in unsere Tage hinein den Politikern als Beispiel dient. Man bedenke nur, wie oft die berühmteste List des Odysseus, das Trojanische Pferd, herhalten muß, um unheilschwangere Vorgänge nicht direkt beim Namen nennen zu müssen.

Im Lauf der Untersuchung hat sich bestätigt, was immer wieder empfunden wurde, nämlich, daß das Inbegriffbild dieses Helden im Odysseus der Polyphem-Gruppe von Sperlonga vor uns steht. Wäre der Kopf des Odysseus in der Gruppe aus dem Nymphäum von Baiae erhalten, würde er vielleicht dem Odysseus von Sperlonga an Rang nahe kommen. Auch die verlorenen Köpfe des Odysseus aus der Palladionraub-Gruppe und des nur hypothetisch erschlossenen Odysseus auf dem Schiff der Skylla-Gruppe von Sperlonga boten vielleicht eine ähnliche Gestaltung des göttlichen Dulders, des listenreichen Odysseus, dieser ungemein komplexen dichterischen Schöpfung eines neuen vorbildlichen Menschentypus. Verwandt ist ihm der Menelaos der Pasquino-Gruppe, verwandt sind ihm auch andere hellenistische Bildschöpfungen. Auf jeden Fall kommt man mit allen genannten Bildwerken in den gleichen Umkreis, der auf eine bestimmte Phase der Umsetzung dieses von einem Dichter entworfenen Charakters in ein mit den Augen zu erfassendes Bild verweist, nämlich die jüngerhellenistische Kunst.

Es verdient einen Augenblick des Nachdenkens, daß erst ein halbes Jahrtausend nach der dichterischen Schöpfung die bildende Kunst im Laufe des 2. Jahrhunderts v. Chr. zu einem adäquaten, als gültig empfundenen Ausdruck gelangte. Die römische Kunst hat dieses Bild der Nachwelt tradiert. Der Wirklichkeitsgehalt des dichterischen Menschenbildes ist so groß, daß nur eine Kunstübung, die sich die Natur als Lehrmeisterin gewählt hat oder richtiger auf ihrer geschichtlichen Entwicklungsstufe zur Lehrmeisterin wählen konnte und mußte, ein Bild zu schaffen in der Lage war, das als zutreffend angesehen wird.

Dabei ist jedoch nicht zu verkennen, daß die Übereinstimmung, die hier zwischen Wirklichkeit und Natur hergestellt wird, eine Brechung in das dichterische Bild gebracht hat, die man zumindest als weiterführende Interpretation ansehen muß. Mit anderen Worten, man darf nicht etwa annehmen, daß dem Dichter, als er um 700 v. Chr. die Gestalt seines Titelhelden formte, ein solches Bild vor dem inneren Auge gestanden hätte. Vielmehr sind alle Versuche, das dichterische Bild in ein anschauliches Kunstwerk umzusetzen, an eine bestimmte historische Situation gebunden.

Vielleicht wird deutlicher, was damit gemeint ist, wenn man die Bilder der beiden anderen mythischen Helden heranzieht, die als Gegenbild des Odysseus angesehen werden können. Der eine ist Achill, der Held der Ilias, der andere Laokoon, der an der List des Odysseus zugrunde gegangen ist.

Das gültige Bild Achills, die *efigies achillea,* hat nach einem von Plinius[306] überlieferten Kunsturteil die klassische Kunst im Kanon Polyklets, der berühmten Statue des Doryphoros, des Speerträgers, geschaffen. In der Form dieses ›Stand‹bildes hätte die bewegliche Gestalt des Odysseus schwerlich so treffend verwirklicht werden können wie in den dynamischen, zentripetalen oder zentrifugalen Skulpturen der hellenistischen Kunst. Die Beweglichkeit und Geschmeidigkeit, die Dynamik und Ambivalenz der Odysseus-Gestalt verlangten nach einem Ausdruck, den erst die hellenistische Kunst gesucht und gefunden hat.

Diese Kunst hat aber auch im Laokoon, dem anderen mythischen Helden, um dessen Bild dieses Buch kreist, den Ausdruck für einen Menschen gestaltet, der, in ganz anderem Sinn als Odysseus zu Achill, das Gegenbild zu dem in Odysseus selbst verkörperten Menschenbild wurde. Dabei ist weniger daran gedacht, daß Odysseus mit der Erfindung des hölzernen Pferdes den Tod Laokoons heraufbeschworen hat. Das wäre eine vordergründige Betrachtungsweise. Es geht vielmehr darum, daß Laokoon das Opfer eines unverstandenen göttlichen Willens isf, gegen den er sich nur durch Erleiden, durch eine ohnmächtige, aber um so tiefer erschütternde Anklage wehren kann.

S. 248/9
Der Vergleich der Köpfe des Odysseus von Sperlonga und des Laokoon zeigt, daß diese Marmorkopien zwar im gleichen Bildhaueratelier gearbeitet wurden, daß die dahinter stehenden Originale aber von verschiedenen Meistern stammen und daß der Laokoon als ein Gegenbild zu Odysseus zu verstehen ist.

Besonders bemerkenswert daran ist, daß es nicht nur Künstler des gleichen engen Kulturkreises waren, die diese beiden Werke geschaffen, sondern auch, viele Generationen später, die Künstler eines einzigen Bildhauerateliers, die sie für die Nachkommen zusammengetragen und kopiert haben. Erst in Sperlonga wird ja der Zusammenhang zwischen Laokoon- und Odysseus-Bild greifbar und durch die Bildhauersignatur der Rhodier bestätigt. Die Frage ist, ob dieser Zusammenhang schon ursprünglich bestand, ob also der Odysseus der Polyphem-Gruppe und der Laokoon am Ende gar schon als Schöpfungen (und nicht erst als Kopien) das Werk des oder der gleichen Bildhauer waren.

Für eine solche Annahme ergibt der Vergleich zwischen der Poly-

phem-Gruppe und der Laokoon-Gruppe, die nur in den Kunstsammlungen der Ruhr-Universität Bochum im Abguß nebeneinander stehen[307], keinen sicheren Anhaltspunkt. Besonders wenn man die enge stilistische Übereinstimmung bedenkt, die etwa zwischen dem Kopf des Gefährten am Pfahlende aus der Polyphem-Gruppe mit dem Menelaos der Pasquino-Gruppe und darüber hinaus die enge Verwandtschaft zwischen den beiden Gruppen in kompositioneller Beziehung ins Auge faßt.

Der auffälligste Unterschied zwischen dem Odysseus der Polyphem-Gruppe und dem Kopf des Laokoon ist der, daß bei diesem der innere Aufbau, das Knochengerüst mit seinem strukturell rechtwinkligen Verhältnis von Augen, Nase und Mundöffnung in Bewegung geraten ist. Der Bildhauer kann zur Steigerung der Ausdrucksintensität den Zusammenhang der einzelnen Teile des Gesichtes wie bei einer knetbaren Masse auflösen und verformen. Das ist ein struktureller Unterschied, der über die ganz andersartige Anlage der Haare, der Brauenbögen, der Lidränder, des Nasenansatzes noch hinausgeht und verschiedene auch zeitlich voneinander getrennte Schöpferpersönlichkeiten hinter den beiden Skulpturen vermuten läßt. Was den Stilunterschied betrifft, so ist am auffälligsten die andere Formel für die Darstellung der Haare, die beim Odysseus kantig und strähnig gebildet sind, beim Laokoon hingegen rund und wulstig. Im Gegensatz dazu sind die Brauen beim Laokoon als scharfer Grat, beim Odysseus als ein durch die Haut und die dünne Muskulatur sich durchdrückender Rand des Schädelknochens über der Augenhöhle gebildet. Am stärksten verwandt sind die vollen halbgeöffneten Lippen, die aber ein allgemeines Merkmal bärtiger Männergesichter der Kunst im engeren oder weiteren Umkreis des Pergamon-Altares sind.

Wurden die Laokoon-Gruppe und die großen mythologischen Gruppen von Sperlonga also im gleichen Bildhaueratelier in der Zeit des Kaisers Tiberius aus dem Marmor geschlagen, so spricht doch alles dagegen, daß die Urbilder dieser Gruppen schon von ein und demselben Künstler erfunden wurden. Nur die Polyphem-Gruppe und die Menelaos-Patroklos-Gruppe könnten auf den gleichen Schöpfer zurückgehen[308].

Andererseits ist die Laokoon-Gruppe ohne das Vorbild der Polyphem-Gruppe undenkbar. Das zeigt die Nebeneinanderstellung der beiden Gruppen im Abguß sehr deutlich. Die Grundzüge der Laokoon-Gruppe mit dem pyramidal zwischen den beiden Flügelfiguren der Söhne aufragenden Vater ist in der Polyphem-Gruppe bereits vorgebildet. Dort finden sich auch Einzelheiten, die erst der Rekonstruktionsversuch offenbart hat und die in verblüffender Weise die Abhängigkeit der Laokoon-Gruppe von der Polyphem-Gruppe offenbaren.

Das Motiv des rechten Knaben in der Laokoon-Gruppe, der möglicherweise die Schlange abstreifen und dem Tod, der seinen Bruder schon ereilt hat und dem der Vater geweiht ist, entgehen kann, ist in erstaunlicher Weise dem Motiv des fliehenden Weinschlauchträgers verwandt[309]. Beide haben das rechte Bein gestreckt, das linke gebeugt, beide haben den Kopf zur Gruppe gewandt und den rechten Arm erhoben, den linken gesenkt. Aber beim Weinschlauchträger ist dies ein räumlich aufgebautes, aus der Aktion sich ergebendes, wenn auch besonders kühnes Bewegungsmotiv.

Bei der Laokoon-Gruppe wirkt es gekünstelt und in der Entwicklungsebene einer einansichtigen Gruppe[310] festgehalten, die als Musterbeispiel dieser späthellenistischen, also frühestens in die zweite Hälfte des 2. Jahrhunderts v. Chr. zu datierenden Kompositionsform gilt. In einem datierten Denkmal begegnet sie zum ersten Male beim Kleinen Attalischen Weihgeschenk um die Mitte des 2. Jahrhunderts v. Chr.[311]. Muß man das Urbild der Polyphem-Gruppe noch vor dieses in größere Nähe zum Pergamonaltar rücken, so würde man den Laokoon gerne später, d. h. nach der Jahrhundertmitte ansetzen.

Die Laokoon-Gruppe ist eine überaus kunstvolle Weiterentwicklung der Komposition der Polyphem-Gruppe. Sie verdichtet das Geschehen auf einen engen und flachen Raum und macht es so von einem einzigen Punkt aus überschaubar, ohne daß man die Augen hin und herwenden muß. Sie läßt das bewegte, räumliche Agieren der Figuren in der Polyphem-Gruppe zu einem bildhaften Vorgang gerinnen und stößt damit an die Grenze plastischen Gestaltungswillens. Insofern ist sie tatsächlich eines der letzten Werke der griechischen Kunst, die in der Eroberung von Körper und Raum ihr im Nachhinein erkennbares Ziel sah. Dieses Ziel wird in der Laokoon-Gruppe erreicht, aber nicht überschritten. Dieses Meisterwerk, das nicht umsonst die Aufmerksamkeit der größten Künstler und Denker erregt hat, ist noch aus dem Vollen geschaffen, es klappt nicht nach im 1. Jahrhundert v. Chr., d. h. in einer Zeit, die schon längst zu ganz neuen optischen Erfahrungen eines transzendierenden Kunstwollens aufgebrochen ist.

Als Schöpfung ist die Laokoon-Gruppe in der Zeit voll entwickelten römischen Kunstwollens unverständlich. Muß man die Marmorskulptur im Vatikan aus äußeren Kriterien in die Zeit des Kaisers Tiberius datieren, dann bleibt nur der hier vorgeschlagene Ausweg, sie, wie die Skulpturen von Sperlonga, als Kopie anzusehen. Dann jedoch ist besonders bedeutungsvoll, daß die Kopisten oder ihre Auftraggeber die enge geistige Beziehung, die zwischen dem Odysseus-Bild, wie es in Sperlonga überliefert ist, und dem Gegenbild, das der Laokoon bietet, offenbar erkannt haben, als sie diese beiden Skulpturen, wenn auch offensichtlich an verschiedenen Orten, des Kopierens für würdig geachtet haben.

Nach der hier vorgetragenen Hypothese kann man das Laokoon-Bild als eine Antwort auf die Gestaltung des Odysseus-Bildes begreifen. War im Odysseus das Bild eines sich selbst bestimmenden, nicht mehr schlechthin dem Schicksal oder dem Willen der Götter unterworfenen Menschen gestaltet worden, so antwortet der Schöpfer der Laokoon-Gruppe darauf mit dem Bild eines Menschen, an dem sich, aller prometheischen Emanzipation zum Trotz, ein übermächtiges, unverstandenes Schicksal vollzieht[312]. Dies sind zwei Extreme menschlicher Handelns- und Erleidensfähigkeit, deren Grunderfahrungen bereits in der Odyssee reflektiert wurden, die sich aber erst am Ende der griechischen Kunst zum anschaulichen Inbegriffbild verdichtet haben und von der römischen Kunst an die europäische und an die Welt weitergegeben wurden.

Zum Schluß wendet sich der Blick noch einmal dem Dichter zu, dem die Schöpfung dieser mythischen Helden zugeschrieben wird: Homer. Doch nun geht es um das Bild, das die antike Kunst sich von diesem Dichter gemacht hat[313], von dem »blinden, greisen Sänger aus Chios, wie er in die Schulbücher eingegangen ist«[314]. Es gibt einen frühklassischen[315] und einen hellenistischen[316] Versuch, das Bildnis Homers zu gestalten. In diesen verschiedenen Bildnisfassungen spiegelt sich die jeweilige Sicht der Zeitgenossen, die in klassischer Zeit den Homer der Ilias, in hellenistischer denjenigen der Odyssee bevorzugt haben. Wie ähnlich der sogenannte hellenistische Blindentypus dem Kopf des Laokoon ist, wurde schon oft betont[317]. Im Lichte der hier erarbeiteten Ergebnisse bekommt diese Tatsache ein besonderes Gewicht. Denn nach übereinstimmender Meinung der Forschung ist der Marmorkopf in Boston[318] die Replik eines Bronzeoriginals der zweiten Hälfte des 2. Jahrhunderts v. Chr. Er vermittelt nicht nur inhaltlich, sondern auch stilistisch zwischen dem Kopf des Odysseus von Sperlonga und dem Kopf des Laokoon. Das Inbegriffbild des Odysseus als kühnen Täters ist eine Schöpfung des gleichen Jahrhunderts, das auch sein Gegenbild, den einen ungerechten Tod erleidenden Priester Laokoon, und zugleich das Bildnis des erleuchteten Dichters selbst gestaltet hat, der diesen Figuren Leben gab.

Nachwort

Dieses Buch ist ein Ausdruck der Dankbarkeit gegenüber meinen Lehrern Friedrich Matz (†), Frank Brommer, Hellfried Dahlmann, Friedrich Müller (†) und Robert Schroeter, die mich vor über dreißig Jahren mit der hier behandelten Problematik vertraut gemacht haben. Hellfried Dahlmann möchte ich besonders danken, weil er mich an die wichtigen Zeilen in Horazens Brief an Lollius Maximus (S. 186) erinnert hat.

Die Forschung nach der Odysseusgestalt im Altertum gruppiert sich um die Komplexe Sperlonga, Ephesos, Villa Hadriana und Baia. Bei den Arbeiten in Sperlonga sind es in erster Linie Giulio Jacopi, Baldo Conticello und Enrico Bellante, denen ich besonderen Dank schulde. Piero Griffo gab die Erlaubnis zur Abformung der Fragmente der Polyphem-Gruppe. Vittorio Moriello half auf jede Weise. Die technischen und wirtschaftlichen Voraussetzungen für die Rekonstruktion der Polyphem-Gruppe wurden durch ein zumindest in der Archäologie ungewöhnliches Zusammenwirken von Deutscher Forschungsgemeinschaft, die einen finanziellen Grundstock beisteuerte, und der Industrie geschaffen, die know how, Geräte und Material zur Verfügung stellte. Otto Henrich (†) ließ im Anwendungstechnikum der Klöckner-Schott-Glasfaser AG in Dortmund-Mengede unter Anleitung von Dietmar Wunderlich das auf S. 124ff. beschriebene Verfahren erproben. Durchgeführt wurde die Rekonstruktion der überdimensionalen Figurengruppe in der Maschinenhalle des Kernphysikalischen Instituts der Ruhr-Universität, dessen Direktoren ich zu stetem Dank verbunden bin. Das Eisenkorsett, das für die größte je abgeformte antike Skulptur, den aus Fragmenten ergänzten Polyphem von 5,50 m Länge, notwendig wurde, stellte auf Vermittlung von Ferdinand Beickler von der Adam Opel AG die Elektro-Schweiß-Industrie Neuß her. Den Dank an Robert Heitkamp werde ich nie vollständig abstatten können. Was diese Studien Heinrich Schroeteler verdanken, ist nicht in wenigen Zeilen zu sagen. Dieses Buch zeugt auf vielen Seiten und mit zahlreichen Abbildungen davon. Meinem Schwager Manfred Hannich danke ich für die Formationsprüfung S. 140/141.

In Ephesos durfte der Verfasser sich der rückhaltlosen Unterstützung der türkischen Altertümerverwaltung, des damaligen Direktors des Ephesos-Museums in Selçuk, Dr. Sabahattin Türkoglu, und besonders der Kollegen vom Österreichischen Archäologischen Institut erfreuen. Die

Gastfreundschaft des Direktors dieses Instituts und Leiters der Österreichischen Ausgrabungen von Ephesos, Prof. Dr. Hermann Vetters, die vielen erfreulichen und förderlichen Diskussionen mit den Kollegen W. Alzinger, A. Bammer, F. Brein, W. Jobst, St. Karwiese, D. Knibbe, G. Langmann, W. Oberleitner, die unschätzbare Hilfe von F. X. Prascaits, vor allem aber die enge Zusammenarbeit mit Robert Fleischer, jetzt in Mainz, die wertvolle, unersetzliche Hilfe und Unterstützung bei den technischen Problemen durch Friedmund Hueber und überhaupt die Selbstverständlichkeit, mit der ich von dem österreichischen Team akzeptiert worden bin, werden immer zu den glücklichen Erlebnissen meiner Archäologen-Arbeit zählen.

Die Rekonstruktion des riesigen Giebeldreiecks wurde ermöglicht durch die großzügige Unterstützung der Ruhr-Universität Bochum und durch die Überlassung eines großen Maschinenraumes in der ehemaligen Zeche Lothringen des Eschweiler Bergwerks-Vereines, der in ein Bildhaueratelier verwandelt wurde. Hier waren es die Herren Bergassessoren D. Buss und W. Liersch, aber auch die »fliegende Truppe« von der Zeche Erin des Eschweiler Bergwerks-Vereines, ohne deren Einsatz keine der drei großen Rekonstruktionen in Bochum gelungen wäre. Meine Bochumer Kollegen Helmut Flashar, Max Imdahl, Norbert Kunisch und Hans Lauter haben mir in allen Situationen beigestanden und geholfen.

Die Rekonstruktion der Skylla-Gruppe aus der Villa Hadriana war wegen ihres fragmentarischen Erhaltungszustandes wohl der schwierigste aller Rekonstruktionsversuche, und nur der zum Aufgeben schlechterdings nicht bereite Mut von Heinrich Schroeteler hat sie zu einem präsentablen Ende gebracht. Für die Erlaubnis zur Abformung der Fragmente und zur Arbeit im Museumsmagazin der Villa Hadriana habe ich Dr. Katia Caprino und Soprintendente Dr. Maria Luisa Velloccia-Rinaldi in Rom, für mannigfache Hilfe M. Frisciotti in Tivoli zu danken.

Die Voraussetzung für die erste reguläre Unterwasserausgrabung in Baia war das Vorhandensein einer effektiven Organisation, des Centro di Studi Subacquei in Neapel, das sich schon bei der Bergung der Statuen des Odysseus und des Weinschlauchträgers, bei der Untersuchung der Blauen Grotte, der sogenannten »Scuola di Scultori« bei Pozzuoli, und bei der Hebung von nicht weniger als 23 weiteren Skulpturen bewährt hat. Hier war unter dem Präsidenten Armando Caróla und der technischen Leitung von Dr. arch. Antonio di Stefano ein Team geschaffen worden, das allein zur Durchführung der neuen Aufgabe in der Lage war. Mario Carotenuto, Generaldirektor der Research S. R. L., stellte das mit allen Apparaturen für Unterwasserarbeiten ausgestattete Motorschiff »Lisetta« zur Verfügung. Er führte auch persönlich Filmaufnahmen durch, die eine voll-

ständige Dokumentation der Ausgrabungsarbeiten unter Wasser darstellen. Die fotografische Dokumentation oblag Mario Rossiello, Ricercatore Subacqueo bei der berühmten Stazione Zoologica in Neapel, deren Direktor Prof. Dr. Genovesi unserer besonderer Dank gilt für die Freistellung des bewährten Mitarbeiters während der Ausgrabungsmonate. Diese Ausgrabungen wurden durchgeführt von den Tauchern des Centro di Studi Subacquei Franco Belisai, Caetano Caiazzo, Amedeo Camarota, Paolo Daniele, Mario Lucignano, Fabio Musto, Antonio Scamardella, Emanuela Solimene, unterstützt von Mitgliedern der Federazione Italiana di Attività Subacquea, deren Präsident A. Ferigno unser aufrichtiger Dank gilt. Für die sichere Versorgung der Taucher trugen Sorge Gianfranco Pavone und Giulio Bazzanese. Diese ganze, von Dr. arch. Antonio di Stefano geleitete Mannschaft einschließlich des Kommandanten und der fünf Mann Besatzung des Motorschiffs »Lisetta« stand in den bisher drei Kampagnen vom 14.–18. Mai 1981, vom 16. September–23. Oktober 1981 und vom 3. Mai–9. Juni 1982 den Archäologen zur Verfügung, die im Auftrag der Soprintendenza alle Antichità di Napoli, namentlich der Soprintendenten Prof. Dr. Fausto Zevi und seiner Nachfolgerin Dr. Enrica Pozzi Paolini (ab 1. April 1982) unter der örtlichen Überwachung von Dr. Giuliana Tocco-Sciarelli, Soprintendente Aggiunta, bzw. der Grabungsinspektorin Maria Rosaria Borelli-d'Ambrosio die Ausgrabungen durchführten.

Das Besondere an dieser Unterwasserausgrabung war, daß die Archäologen Dr. Piero Alfredo Gianfrotta vom Istituto di Topografia Antica der Universität Rom, Mitautor des grundlegenden Buches über Unterwasserarchäologie (s. Anm. 115), Dr. Antonio d'Ambrosio, Mitverfasser der Forma Italiae von Baiae und Misenum (s. Anm. 266) und der Verfasser als ausgebildete Taucher die Ausgrabung unter Wasser unmittelbar verfolgen und leiten konnten. Bei der 3. Kampagne haben auch zwei deutsche Archäologiestudenten, Alexander Mága aus Berlin, dem die achsionometrische Zeichnung S. 95 verdankt wird, und Jens Köhler aus Marburg teilgenommen.

Die Kosten für dieses aufwendige Unternehmen wurden in großzügiger Weise von der Fritz Thyssen Stiftung, Köln getragen, nachdem die Universität Marburg eine Starthilfe und auch zu einer weiteren Kampagne einen wesentlichen Beitrag geleistet hatte. Für die erste Kampagne hat die Stadt Bacoli die beträchtlichen Kosten für das Ausgrabungsschiff übernommen. Allen diesen Institutionen, namentlich dem Generalsekretär der Fritz Thyssen Stiftung, Dr. Rudolf Kerscher, dem Präsidenten der Philipps Universität Marburg, Prof. Dr. Walter Kröll und dem Bürgermeister der Stadt Bacoli, de Stefano, sei auch an dieser Stelle herzlich gedankt. Beson-

derer Dank gilt dem Herrn Hessischen Kultusminister, der dem Autor im Mai/Juni 1982 einen Sonderurlaub gewährt hat.

Eine bedeutende Hilfe war das Backing der Commerzbank AG bei der Partnerbank, dem Banco di Roma in Neapel, das Herr Bankdirektor Dr. Hans Kreß, Essen, vermittelt hat.

Nun ist noch einer Reihe von Institutionen und Kollegen zu danken, deren Hilfe der Autor in verschiedener Weise in Anspruch nehmen durfte und die hier nur in alphabetischer Reihenfolge aufgeführt werden können, die aber entscheidenden Anteil an der Förderung dieser Studien hatten.

Im einzelnen handelt es sich um die Accademia Pontificia di Archeologia Romana, um das Deutsche Archäologische Institut, besonders die Abteilung Rom, um die Deutsche Forschungsgemeinschaft, um die Akademie der Wissenschaften und der Literatur Mainz, um die Forschergruppe Römische Ikonologie sowie um die Kolleginnen und Kollegen Ekrem Akurgal, Ankara; Geza Alföldy, Heidelberg; Paolo Enrico Arias, Pisa; Nusin Asgari, Istanbul; Irma Berndt, Bochum; Luisa Bertacchi, Aquileia; Horst Blanck, Rom; Peter Heinrich v. Blanckenhagen, New York; Peter Cornelis Bol, Frankfurt; Nicola Bonacasa, Palermo; Adolf Borbein, Berlin; Andrea Carandini, Pisa; Filippo Coarelli, Rom; Georg Daltrop, Rom; Alfonso de Franciscis, Neapel; Antonino di Vita, Athen; Klaus Fittschen, Göttingen; Antonio Giuliano, Rom; Walter Hatto Gross, Hamburg; Ulrich Hausmann, Tübingen; Huberta Heres, Berlin; Friedrich Hiller, Saarbrücken; Nikolaus Himmelmann, Bonn; Tonio Hölscher, Heidelberg; Werner Johannowski, Salerno; Theodor Kraus, Rom; Irmgard Krieseleit, Berlin; Wolfgang Müller-Wiener, Istanbul; Bernhard Neutsch, Innsbruck; Hans Georg Niemeyer, Hamburg; Hansgeorg Oehler, Köln; Friedrich Rakob, Rom; Hans Riemann, Rom; Maria Antonietta Rizzo, Rom; Elisabeth Rohde, Berlin; Lars Gösta Säflund, Stockholm; Konrad Schauenburg, Kiel; Salvatore Settis, Pisa; Hellmut Sichtermann, Rom; Erika Simon, Würzburg; Hermine Speier, Rom; K. F. Still, Recklinghausen; Volker Michael Strocka, Freiburg; Sandro Stucchi, Rom; Wolfgang Treue, Bonn; Walter Trillmich, Madrid; Klaus Tuchelt, Berlin; Vincenzo Tusa, Palermo; Michael Vickers, Oxford; Henning Wrede, Köln; Paul Zanker, München.

Last but not least möchte ich meinen Marburger Kollegen und Mitarbeitern danken, die mich während der Zeit der Niederschrift dieses Buches ertragen haben und mir mit Rat und Tat zur Seite standen.

Marburg, im Juni 1982 *Bernard Andreae.*

Anmerkungen

1 S. Aurigemma, A. Bianchini, A. De Sanctis, Circeo-Terracina-Fondi, Itinerari dei Musei, Gallerie e Monumenti d'Italia Nr. 97 (1957).

2 Odyssee 10, 98–574; 12, 1–106.

3 Einschließlich der nach 1957 erschienenen Literatur übersichtlich zusammengestellt von H.-H. und A. Wolf, Der Weg des Odysseus, Tunis – Malta – Italien in den Augen Homers (1968) 195–200. – Besonders erwähnt seien zwei im Jahre 1957 erschienene Werke: G. Baglio, Odisseo nel mare mediterraneo centrale. Ricerca e coordinazione dei profili di talassogeo-etnografia di Omero nei libri V e IX–XI dell' Odissea (1957) und der Anm. 1 genannte Führer.

4 Überliefert von Strabon, Geographica 1, 2, 15.

5 F. Matz, Kreta und frühes Griechenland (1962) 227f.

6 Archaeologia Homerica. Die Denkmäler und das frühgriechische Epos. Im Auftrag des Deutschen Archäologischen Instituts herausgegeben von Friedrich Matz und Hans-Günther Buchholz (1967ff.).

7 Quellen übersichtlich zusammengestellt bei W. Amelung, Skulpturen des Vatikanischen Museums II (1908) 181ff. – Zuletzt: G. Daltrop, Die Laokoon-Gruppe im Vatikan. Ein Kapitel römischer Museumsgeschichte und Antikenerkundung, Antike Kunst 18, 1975, 94. – s. u. Kap. XIII.

8 Am 10. 10. 1980 in der Aula der Justus-Liebig-Universität, Gießen, B. Andreae, Virtus, Epistula, Gymnasii Ludoviciani Gissensis 51, Februar 1982, 20–34.

9 W. B. Stanford, The Ulysses Theme, A Study in the Adaptability of a Traditional Hero (1954).

10 F. Müller, Die antiken Odysseeillustrationen in ihrer kunsthistorischen Entwicklung (1913). – Die Odyssee, Homers Epos in Bildern erzählt von Erich Lessing mit einem Kapitel von H. Sichtermann, Die Bilderwelt der Odyssee (1965). – O. Touchefeu-Meynier, Thèmes Odysséens dans l'art antique (1968). – B. Fellmann, Die antiken Darstellungen des Polyphem-Abenteuers (1972).

11 Treffend B. Kaeser, Zur Darstellung der griechischen Flächenkunst der geometrischen Zeit bis zum Ausgang der Archaik: Eine Untersuchung an der Darstellung des Schildes (1981) 206f. Anm. 33.

12 R. Hagelstange stellt diese Seite zu Beginn seiner geistreich-ironischen Nacherzählung der Odyssee heraus, der er den bezeichnenden Titel »Der große Filou« gegeben hat: R. Hagelstange, Der große Filou. Die Abenteuer des Ithakers Odysseus (1976).

13 M. Horkheimer und Th. W. Adorno, Dialektik der Aufklärung, Philosophische Fragmente (1944) bezeichnen im Exkurs I »Odysseus oder Mythos und Aufklärung« den Helden der Odyssee »als Urbild eben des bürgerlichen Individuums, dessen Begriff in jener einheitlichen Selbstbehauptung entspringt, deren vorweltliches Muster der Umgetriebene abgibt« (2. Aufl. 1969, S. 50). – Vgl. auch D. v. Oppen, Das Welt- und Menschenbild der Odyssee, Der Horizont 10, 1967, 48–57 (Festgabe für Hans Schomerus).

14 Odyssee 9, 33–566.

15 Vers 139ff.

16 Ilias II, 5; X, 17; XV, 161.

17 Odyssee 9, 318. – Vgl. auch das besonders deutliche Abwägen zwischen verschiedenen Möglichkeiten in der Odyssee 6, 141–147. – Das Wort »byssodomeuon« findet sich in Vers 316 des 9. Buchs.

18 Odyssee 9, 366ff.

19 Ilias XVIII, 95f.; XXII, 359f.; XXIII, 8f.

20 Die wissenschaftliche Literatur zu Homer ist übersichtlich zusammengestellt und verarbeitet bei A. Lesky, Homeros in: Paulys Realencyclopädie der classischen Altertumswissenschaft, Suppl. Bd. IX (1968) 687–846. – Seitdem sind besonders zur Odyssee erschienen: H. Erbse, Beiträge zum Verständnis der Odyssee (1972). – H. Eisenberger, Studien zur Odyssee, Palingenesia 7 (1973). – D. Page, Folktales in Homer's Odyssey (1973). – W. Marg, Zur Eigenart der Odyssee, Antike und Abendland 18, 1973, 1–14. – A. Heubeck, Die homerische Frage (1974). – N. Austin, Archery at the Dark of the Moon, Poetic Problems in Homers Odyssey (1975). – R. Friedrich, Stilwandel im homerischen Epos (1975). – H. van Thiel, Iliaden und Ilias (1982).

21 J. N. Coldstream, Greek Geometric Pottery, A Survey of Ten Local Styles and Their Chronology (1968) 302–331.

22 G. Buchner u. C. F. Russo, La coppa di Nestore e un' scrizione metrica di Pitecussa dell' VIII secolo av. Cr., Rendiconti della Academia Nazionale dei Lincei VIII 10, 1955, 215–234. – L. H. Jeffery, The Local Scripts

of Archaic Greece (1961) 235f. – A. Heubeck, Schrift, Archaeologia Homerica Bd. III, Kapitel X (1979) 109–116 mit vollständiger Bibliographie 199f. – H. Häusle, Einfache und frühe Formen des griechischen Epigramms (1979) 25.

23 Ilias XI, 632–637.

24 Die Ablehnung der Datierung der Ilias vor den Becher von Ischia durch E. Heitsch, Epische Kunstsprache und homerische Chronologie (1968) 89f. in seiner Zurückweisung der Gedanken von K. Rüter und Kj. Matthiessen, Zum Nestor-Becher von Pithekussai, Zeitschrift für Papyrologie und Epigraphik 2, 1968, 231–255, scheint zu kategorisch, wenn man bedenkt, daß es nicht nur der Inhalt, sondern auch die Form der Hexameter auf dem Becher sind, die ohne das Vorbild der Ilias unerklärlich wären.

25 Zuletzt H. van Thiel, Iliaden und Ilias (1982).

26 J. N. Coldstream, Greek Geometric Pottery, A Survey of Ten Local Styles and Their Chronology (1968).

27 F. Matz, Die Geometrische und die früharchaische Form (1950) 53–64. – Ähnlich auch: B. Schweitzer, Die geometrische Kunst Griechenlands, Frühe Formenwelt im Zeitalter Homers (1969).

28 B. Andreae u. H. Flashar, Strukturäquivalenzen zwischen den homerischen Epen und der frühgriechischen Vasenkunst, Poetica, Zeitschrift für Sprach- und Literaturwissenschaft 9, 1977, 217–266.

29 Dies wird seit den grundlegenden Forschungen von Milman Parry nicht mehr bezweifelt. Vgl. Lesky, a. O. (Anm. 20) 693–703.

30 E. Simon, Die griechischen Vasen (1976) Taf. 4/5, S. 30f. – B. Andreae, Zum Dekorationssystem der geometrischen Amphora 804 im Nationalmuseum Athen, in: Studies in Classical Art and Archaeology, A Tribute to Peter Heinrich von Blanckenhagen (1979) 1–16.

31 Mitgeteilt von F. Matz, Geschichte der Griechischen Kunst I, Die geometrische und die früharchaische Form (1950) 98.

32 R. Hampe, Die Gleichnisse Homers und die Bildkunst seiner Zeit (1952) 23f. – Obwohl inzwischen [Coldstream a. O. (Anm. 21) 39] festgestellt wurde, daß es sich bei dem aufgebahrten Leichnam um eine Frau gehandelt haben muß, wurde der Text nicht verändert.

33 K. Stähler, Zur Bedeutung der Tierfriese auf attisch-reifgeometrischen Vasen, Festschrift für Jürgen Thimme, im Druck.

34 N. Himmelmann, Über einige gegenständliche Bedeutungsmöglichkeiten des frühgriechischen Ornaments. Abhandlungen der Akademie der Wissenschaften und der Literatur, Mainz 1968, Nr. 7.

35 R. Schroeter, Die Aristie als Grundform homerischer Dichtung und der Freiermord in der Odyssee, Diss. Marburg 1950.

36 Athen, Nationalmuseum. Rekonstruiert von H. Payne, Protokorinthische Vasenmalerei (1933) Taf. 8.

37 E. Siess, Zur Eigenart der Odyssee, Bericht über einen Vortrag von W. Schadewaldt, Gymnasium 65, 1958, 313–314. – W. Schadewaldt, Harvard Studies in Classical Philology 63, 1958, 15.

38 G. E. Mylonas, Protoattikos Amphoreus tes Eleusinos (1957). – E. Simon, Die griechischen Vasen (1976) Taf. IV, S. 41f.

39 P. Courbin, Un fragment de cratère protoargien, Bulletin de Correspondance Hellénique 79, 1955, 1–49.

40 B. Schweitzer, Zum Krater des Aristonothos, Mitteilungen des Deutschen Archäologischen Instituts, Römische Abteilung, 62, 1955, 78–106. – Simon, a. O. (Anm. 30), Taf. 19.

41 Odyssee 9, 384–386.

42 London, British Museum 1947. 7. – F. Brommer, Satyrspiele (1944) 73, Nr. 98, Abb. 7f. – Touchefeu-Meynier, a. O. (Anm. 10) 20f. Nr. 13, Taf. IV 1. – G. Säflund, The Polyphemus and Scylla Groups at Sperlonga (1972) 19, Abb. 8.

43 B. Andreae, Herakles und Alkyoneus, Jahrbuch des Deutschen Archäologischen Instituts 77, 1962, 130–210.

44 B. Andreae, Antike Plastik XIV, 1974, 74f.

45 E. Paribeni, Scilla, Enciclopedia dell'arte antica classica e orientale VII (1966) 109.

46 Odyssee 12, 39–127.

47 Odyssee 12, 85.

48 O. Waser, Skylla, Ausführliches Lexikon der griechischen und römischen Mythologie, herausgegeben von W. H. Roscher 4 (1909–1915) 1024–1071. – K. Tuchelt, Skylla, Zu einem neugefundenen Tonmodell aus Didyma, Iṣtanbuler Mitteilungen 17, 1967, 173–194. – P. Themelis, Skylla eretrike, Archaiologike Ephemeris 1979 (1981) 118–153.

49 3, 426ff.

50 W. Züchner, Griechische Klappspiegel (1942) 57, KS 78.

51 Odyssee 12, 258f.

52 Wien, Kunsthistorisches Museum Inv. I–780.

53 Themelis, a. O. (Anm. 48) 118–153.

54 M. Kohlert, Zur Entwicklung, Funktion und Genesis römischer Gesichtsmasken in Thra-

kien und Niedermösien, Wissenschaftliche Zeitschrift der Humboldt-Universität zu Berlin 4, 1976, 509–516, Abb. 74. – J. Garbsch, Römische Paraderüstungen (1979) 62 0.3. – Vgl. auch den Helm aus Sofia, C. M. Danov, Bulletin de l'Institut archéologique bulgare 11, 1937, 197f.

55 H. B. Walters, Catalogue of the Bronzes, Greek Roman an Etruscan in the Department of Greek and Roman Antiquities, British Museum (1899) 162, Nr. 882, Taf. XXV. – B. Andreae, Antike Plastik 14, 1974, 85, Abb. 34.

56 B. Nogara, I mosaici antichi conservati nei Palazzi Pontifici del Vaticano e del Laterano (1910) 10ff., Taf. 20–23.

57 S. u. Kapitel XV.

58 B. Nogara, Le nozze Aldobrandine, i Paesaggi con scene del l'Odissea e le altre pitture conservate nella Biblioteca Vaticana e nei Musei Pontifici. – B. Andreae, Der Zyklus der Odysseefresken im Vatikan, Mitteilungen des Deutschen Archäologischen Instituts, Römische Abteilung 69, 1962, 106–117. – Ders. in: W. Helbig, Führer durch die öffentlichen Sammlungen klassischer Altertümer in Rom (^{4}1963) Nr. 465, S. 355–360.

59 Odyssee 10, 81–132.

60 Odyssee 10, 120–122.

61 Odyssee 10, 124ff.

62 Odyssee 10, 104.

63 Odyssee 10, 310ff.

64 Odyssee 11, 210ff.

65 Odyssee 11, 387ff.

66 Erstmals bezeugt in hellenistischer Zeit im Pseudoplatonischen Dialog Axiochos 371 E.

67 Odyssee 11, 572ff.

68 Odyssee 11, 51ff.

69 L. Borelli Vlad, Bolletino d'Arte 41, 1956, 289–300.

70 Vitruvius, De architectura 7, 5, 2.

71 P. H. v. Blanckenhagen, The Odyssey Frieze, Mitteilungen des Deutschen Archäologischen Instituts, Römische Abteilung, 70, 1963, 100–146.

72 Odyssee, Buch 9 – Buch 12.

73 F. Miltner, Jahreshefte des Österreichischen Archäologischen Instituts 45, 1960, Beiblatt 37–40.

74 R. Fleischer, Beiheft 2 zu Jahreshefte des Österreichischen Archäologischen Instituts 49, 1968–71 (1972). – Ders.: Führer durch das Archäologische Museum in Selçuk-Ephesos (1974) 34–42. – B. Andreae, Vorschlag für eine Rekonstruktion der Polyphem-Gruppe von Ephesos, in: Festschrift für Frank Brommer (1977) 1–11.

75 Im Ambiente 15. – G. V. Gentili, La Villa Erculia di Piazza Armerina, I mosaici figurati (1959) 27, Taf. XXIII. Hier Abb. S. 93 rechts.

76 s. o. S. 47

77 Odyssee 9, 325–327.

78 H. Engelmann, Zum Pollionymphäum in Ephesos, Zeitschrift für Papyrologie und Epigraphik 10, 1973, 89f.

79 F. Eichler, W. Alzinger, A. Bammer, Das Monument des C. Memmius, Forschungen in Ephesos Bd. VII (1971).

80 Anthologia Palatina XIV, 132. Übersetzung von H. Beckby.

81 s. o. S. 74. – Zur Datierung vgl. A. Bammer, Die politische Symbolik des Memmiusbaues, Jahreshefte des Österreichischen Archäologischen Instituts 50, 1972–75, 220–222.

82 P. Amy und P. Gros, La Maison Carrée de Nîmes, XXXVIIIe supplément à »Gallia« (1979).

83 A. Colini, Indagini sui frontoni dei templi di Roma, Bullettino della Commissione Archeologica Comunale di Roma 51, 1923, 324.

84 W. Alzinger, Ephesos, RE Suppl. XII (1970) 1601. – E. Fossel, Zum Tempel auf dem Staatsmarkt von Ephesos, Jahreshefte des Österreichischen Archäologischen Instituts 50, 1972–75, 212–219.

85 W. Alzinger, Grabungen in Ephesos 1960–1970, Das Regierungsviertel, Jahreshefte des Österr. Archäologischen Instituts 50, 1972–1975, Beiblatt 293, Abb. 31.

86 H. Bengtson, Marcus Antonius (1977).

87 G. Hölbl, Zeugnisse ägyptischer Religionsvorstellungen für Ephesus (1978) 27.

88 W. Jobst, Zur Lokalisierung des Sebasteion-Augusteum in Ephesos, Istanbuler Mitteilungen 30, 1980, 241–260.

89 P. Gros, Aurea Templa (1976) passim, z. B. Tempel des Divus Julius auf dem Forum Romanum: 12 Jahre, a. O. S. 66.

90 W. Jobst, a. O. (Anm. 88) 246ff.

91 In Euripides, Kyklops 678 rufen die Satyrn dem geblendeten Riesen zu: »Ja, mächtig, schwer bezwingbar ist des Weins Gewalt.« – Tiefer liegende mythengeschichtliche Zusammenhänge behandelt H. Mühlestein, Odysseus und Dionysos, Antike und Abendland 25, 1979, 140–173.

92 Plutarch, Antonius 24, 10f.

93 W. Eisenhut, Virtus Romana. Ihre Stellung im römischen Wertsystem (1973).

94 A. Andrèn, Architectural Terracottas from Etrusco-Italic Temples (1940). – Vgl. auch Talamone, Il Mito dei Sette a Tebe, Catalogo della Mostra. Firenze, Museo Archeolo-

gico 14. 2. 82–3. 10. 82, mit weiterer Literatur.

95 P. Hommel, Studien zu den römischen Figurengiebeln der Kaiserzeit (1954).

96 P. Zanker, Forum Augustum, Das Bildprogramm (1968) 14, Anm. 59, Abb. 46 (mit weiterer Literatur).

97 Ph. W. Lehmann, Samothrace, The Hieron I (1969) 315.

98 Ph. W. Lehmann, Samothrace, The Hieron I (1969) 253–328. – W. Oberleitner, Funde aus Ephesos und Samothrake, Kunsthistorisches Museum Wien, Katalog der Antikensammlung II (1978) 135f.

99 V. Cianfarani, Civiltà Adriatiche (1970) 190, Taf. 81. – B. Andreae, Antike Plastik XIV, 1974, 75, Nr. 9, Abb. 28–29.

100 B. Andreae, Antike Plastik XIV, 1974, 74–81.

101 Enciclopedia dell' arte antica classica e orientale VI (1965) 854, Farbtafel unten.

102 S. o. S. 93.

103 S. u. S. 94ff.

104 A. Busignani, Gli eroi di Riace, Daimon e Techne (1981). – G. Foti und C. Sabbioni, I bronzi di Riace (1981).

105 S. Anm. 110.

106 A. Maiuri, Die Altertümer der Phlegräischen Felder, Führer durch die Museen und Kunstdenkmäler Italiens Nr. 32 (1958). – E. Kirsten, Süditalienkunde I (1975) 240–247. – St. E. Ostrow, The Topography of Puteoli and Baiae on the eight Glass Flasks, Puteoli, Studi di Storia Antica III (1979) 77–140. – G. Race, Bacoli. Baia. Cuma. Miseno, Storia e mito (1981).

107 A. Schierillo, Vulcanismo e bradisismo nei Campi Flegrei, in: I Campi Flegrei nell' archeologia e nella storia, Convegno internazionale, Roma 4–7 mai 1976, Atti dei convegni Lincei 33 (1977) 81–116.

108 J. W. Goethe, Architektonisch-naturhistorisches Problem (1823), Sophienausgabe II, 10, 191.

109 Osservatorio Vesuviano. Rapporto sull' andamento del bradisismo flegreo dal marzo 1970 al Marzo 1973 (Maschinenschrift).

110 A. de Franciscis, La sorpresa sottomarina di Baia, Il Domani d'Italia, Rivista meridionale di cultura e politica 2, 1969, 2, 48–50. – Atlante, Juni 1969, 54–61. – M. Sirpettino, Il mare di Marmo (1980).

111 B. Andreae, Antike Plastik XIV, 1974, 74.

112 Helvetia archaeologica 12, 1981, 45/48 Zürcher Seeufersiedlungen. Von der Pfahlbau-Romantik zur modernen archäologischen Forschung.

113 Porto Cheli, Halieis: M. H. Jameson, Report I–II, Hesperia 37, 1969, 311–342; W. W. Rudolph, Report III–V, Hesperia 43, 1974, 105–131; 47, 1978, 333–355; 48, 1979, 295–324. Korinth: R. Scranton, I. W. Shaw, L. Ibrahim, Kenchreai, Eastern Port of Corinth I (1978) 139–143.

114 N. Lamboglia, Inizio dell'esplorazione di Baia sommersa, Atti del III Congresso Internationale di Archeologia sottomarina, Barcelona 1961 (1971), 225ff.

115 Vgl. zum Gesamtproblem der Unterwasserarchäologie: P. A. Gianfrotta und P. Pomey, Archeologia Subacquea, storia, tecniche, scoperte e relitti (1980).

116 Dazu zuletzt: M. Pfrommer, Ein Eros des Praxiteles, Archäologischer Anzeiger 1980, 532–544. – Zum Sauroktonos: B. Fehr, Bewegungsweisen und Verhaltensideale, Physiognomische Deutungsmöglichkeiten der Bewegungsdarstellung an griechischen Statuen des 5. u. 4. Jhs. v. Chr. (1979) 39–49 (mit weiterer Literatur).

116a Die Ergebnisse der jüngsten, erst am 9. 6. 1982 abgeschlossenen Ausgrabungskampagne konnten in dem vorliegenden Buch nicht mehr berücksichtigt werden. Sie bestätigen aber die bisher geäußerten Hypothesen und eröffnen zugleich weitere erstaunliche Perspektiven, über die zu gegebener Zeit zu berichten ist. Als für die Thesen dieses Buches wichtigstes Ergebnis ist festzuhalten, daß im ersten unter Wasser exakt vermessenen Plan des Bauwerks von Giuseppe Tilia, Abb. S. 95, die Spuren der Aufstellung des Polyphem-Kolosses in der Apsis deutlich festgehalten sind. Er saß nach rechts zu Odysseus hingewandt, auf einem künstlichen Felsensitz, dessen Armlehnen mit Grottenwerk (finta roccia) verkleidete, niedrige Mäuerchen sind. Der an dieser Stelle sitzende Polyphem muß ähnlich gebildet und bewegt gewesen sein wie auf dem Relief im Louvre, Abb. S. 100. Zu untersuchen bleibt, ob die riesige, hochaufragende Skulptur, an deren Stelle in der Spätantike, wahrscheinlich im 6. Jh. n. Chr., ein Kind in einem Amphoren-Grab bestattet wurde, beim Einsturz der Apsis in die Vertiefung zwischen den beiden Podiumsarmen gestürzt ist. Bei einer Sondage am Nordrand dieser Vertiefung ergab sich, daß man es nicht mit einem einfachen Zugang wie beim Nymphäum in Minori zu tun hat, sondern mit einem 1,72 m tiefen Becken, das offenbar aus einer eigenen Quelle gespeist wurde. Schon bei dieser eng begrenzten Sondage kamen zahlreiche Fragmente von Marmorskulpturen, darunter offenbar Teilen der Polyphem-Gruppe zu Tage, so daß die Hoffnung auf weitere Funde besteht.

117 London Illustrated News 5. October 1957, 546; 26. October 1957, 710f.

118 Odyssee 4, 267–270.

119 H. Sichtermann, Das veröffentlichte Sperlonga, Gymnasium 73, 1966, 231.

120 G. Jacopi, L'Antro di Tiberio a Sperlonga (1963) 99–108. – s. u. Kapitel XI.

121 Bei G. Fiorelli, Notizie degli Scavi 1880, 480.

122 G. Jacopi, L'Antro di Tiberio ed il Museo Archeologico Nazionale di Sperlonga, Itinerari dei Musei, Gallerie e Monumenti d'Italia Nr. 107 (1965).

123 G. Jacopi, L'Antro di Tiberio a Sperlonga (1963).

124 B. Andreae, Beobachtungen im Museum von Sperlonga, Mitteilungen des Deutschen Archäologischen Instituts, Römische Abteilung 71, 1964, 238–244, hier 241f.

125 H. P. L'Orange, Odyssen i marmor, de store nye funn av hellenistik og romersk originalskultur i Tiberius-grottan i Sperlonga, in: Kunst og Kultur 47, 1964, 193–228.

126 G. Säflund, The Polyphemus and Scylla Groups at Sperlonga (1972) 86–93.

127 P. H. v. Blanckenhagen, Laokoon, Sperlonga und Vergil, Archäologischer Anzeiger 1969, 256–275.

128 G. Jacopi, I ritrovamenti dell' Antro detto di Tiberio a Sperlonga (1958). – Ders., L'Antro di Tiberio a Sperlonga (1963).

129 L. Rossini, Viaggio pittoresco da Roma a Napoli (1839).

130 P. di Tucci, Sperlonga bei: G. Fiorelli, Notizie degli Scavi 1880, 480.

131 G. Patroni, Costruzioni appartenenti ad una villa romana e sculture marmoree scoperte presso la grotta di Tiberio a Sperlonga, Notizie degli Scavi 1898, 493f.

132 G. Säflund, The Polyphemus and Scylla Groups at Sperlonga (1972) 105, Anm. 41.

133 F. Fasolo, Architetture classiche a mare. 1. La villa romana di Sperlonga detta di Tiberio, Quaderni dell' Istituto di Storia dell'architettura 14, 1956, 1–6; 20–21, 1957, 19–22.

134 Strabo, Geographica 5, 233 schreibt: »Hier (zwischen Terracina und Formia) öffnen sich riesige Höhlen, welche große und prachtvolle Behausungen aufgenommen haben.« Da Buch 5 der Geographica 18 n. Chr. vollendet war und die Endredaktion des Werkes sogar erst zwischen 18 und 23 n. Chr. erfolgte, könnte Strabon auch auf das Praetorium des Tiberius *ad speluncas* angespielt haben, das damals in der Phase seiner Ausgestaltung gewesen sein muß.

135 B. Conticello, Antike Plastik XIV (1974) 10ff.

136 Giornale d'Italia 24./25. 11. 1964.

137 S. Anm. 125.

138 H. v. Heintze, Die neuen Funde von Sperlonga, Gymnasium 65, 1958, 481–489.

139 H. Sichtermann, Das veröffentlichte Sperlonga, Gymnasium 73, 1966, 220–239. – Vgl. auch Anm. 147 und 163.

140 G. Säflund, Fynden i Tiberiusgrottan (1966). – Ders., The Polyphemus and Scylla Groups at Sperlonga (1972).

141 K. Kerényi, Abenteuer mit Monumenten (1959) 23ff. – Ders., Laokoons Auszug aus Sperlonga, Neue Zürcher Zeitung 11. 9. 64.

142 P. H. v. Blanckenhagen, Laokoon, Sperlonga und Vergil, Archäologischer Anzeiger 1969, 256–275.

143 H. Lauter, Der Odysseus der Polyphemgruppe von Sperlonga, Mitteilungen des Deutschen Archäologischen Instituts, Römische Abteilung 72, 1965, 226–229. – Ders., Zur Datierung der Skulpturen von Sperlonga, ebda 76, 1969, 162–173.

144 R. Hampe, Sperlonga und Vergil (1972).

145 H. Riemann, Sperlongaprobleme, Forschungen und Funde, Festschrift Bernhard Neutsch (1980) 371–383.

146 s. Anm. 144, dazu die folgenden Rezensionen: B. Andreae, Gnomon 45, 1973, 84–88; B. Conticello, Bollettino d'Arte 58, 1973, 171–175; F. Coarelli, Dialoghi di Archeologia 7, 1973, 97–122; H. Sichtermann, Gymnasium 80, 1973, 461–467.

147 P. Krarup, L'iscrizione di Faustinus a Sperlonga, Analecta Romana, Instituti Danici 3, 165, 73–84; 4, 1967, 89–92. – W. Buchwald, Das Faustinus-Epigramm von Sperlonga, Philologus 110, 1966, 287–292.

148 Zu diesen zuletzt: M. Leppert, Domina Nympha, Überlegungen zum Faustinus-Epigramm von Sperlonga, Archäologischer Anzeiger 4, 1978, 554–573. – H. Riemann, a. O. (Anm. 145) 377.

149 M. Bergmann, Studien zum römischen Porträt des 3. Jahrhunderts n. Chr. (1977) 151f., 161, 178.

150 s. u. Anm. 178.

151 B. Andreae, B. Conticello, H. Schroeteler, D. Wunderlich, Abformung der Polyphemgruppe von Sperlonga in GfK nach einem neuen Verfahren, Der Präparator 16, 1970, 117. – B. Andreae, Kunststoffe 60, 1970, 988–990.

152 B. Andreae, Antike Plastik XIV, 1974, 92.

153 R. E. Hecht, A Colossal Head of Polyphemus, Memoirs of the American Academy at

Rome 24, 1956, 137. – B. Andreae, Antike Plastik XIV, 1974, 76 C1 Taf. 60–63.

154 a. O. (Anm. 144), Taf. 12, 2.

155 D. Ohly, Glyptothek München, Griechische und römische Skulpturen (1972) Abb. 9.

156 s. u. Anm. 230.

157 R. Hampe, Sperlonga und Vergil (1972) Taf. 12, 2.

158 Antike Plastik XIV, 1974, Fig. nel testo 6, Taf. 23.

159 s. Anm. 143.

160 E. Salza Prina Ricotti, Il gruppo di Polifemo a Sperlonga (problemi di sistemazione), Rendiconti della Pontificia Accademia Romana di Archaeologia 42, 1969/70, 117–134.

161 Für diese Arbeit bin ich meinem Schwager Dipl.-Ing. Manfred Hannich, BDA zu herzlichem Dank verpflichtet. – s. auch B. Andreae, Die Blendung des Kyklopen, Rekonstruktion der Polyphem-Gruppe von Sperlonga, DFG-Mitteilungen 75, 1975, 1, S. 36–40, Abb. 2.

162 Die Rekonstruktion wurde in einem Atelier vorgenommen, in dem es nicht möglich war, die Gruppe aus einem Abstand von mehr als 3 m zu betrachten. Da wir erwarteten, eine »einansichtige« Gruppe vorzufinden, mußte der Weinschlauchträger möglichst nah an die Gruppe herangerückt werden. Die Aufnahme auf dem Schutzumschlag wurde damals angefertigt. Erst bei der endgültigen Aufstellung in den Kunstsammlungen der Ruhr-Universität konnte die Stellung des Weinschlauchträgers geklärt werden. Ich habe darüber beim internationalen Archäologenkongreß in London berichtet in: Greece and Italy in the Classical World, Acta of the International Congress of Classical Archaeology, London 3.–9. September 1978, 227.

163 Zusammenfassend und abgewogen urteilt H. Sichtermann, Zur Polyphemgruppe in Sperlonga, Mitteilungen des Deutschen Archäologischen Instituts, Römische Abteilung 86, 1979, 371–374.

164 s. o. S. 46.

165 s. u. Anm. 240.

166 W. Fuchs, Die Skulptur der Griechen (1969) 463.

167 W. Fuchs, a. O. (Anm. 166) 575.

168 s. u. S. 192.

169 N. Himmelmann, Der ›Sarkophag‹ von Megiste, Abhandlungen der Akademie der Literatur, Mainz 1970, 1. – B. Andreae, Antike Plastik XIV, 1974, 98, Abb. 81.

170 A. Alföldy, Die Kontorniat-Medaillons (1976) 201.

171 In: Festschrift für A. Adriani, im Druck.

172 Daß es so gut wie ausgeschlossen ist, die Kalotte in der Hand der Skylla mit dem Kopf des Mannes am Aphlaston zu verbinden, zeigen besonders deutlich die Fotos von B. Holmström bei G. Säflund, Sulla ricostruzione dei gruppi di Polifemo e di Scilla a Sperlonga, Opuscula Romana 7: 2, 1967, 25–52, Abb. 11–12. – Der Versuch von F. Coarelli, Dialoghi di Archeologia 7, 1973, 104 ff. setzt sich souverän über das Faktum hinweg, daß die Stirn des Mannes zwischen Daumen und Zeigefinger Skyllas und sein Haarwirbel unter ihrer Handfläche sichtbar werden. Skylla kann ihn also nur von links her greifen und nicht von vorn oder hinten.

173 B. Andreae, Antike Plastik XIV, 1974, 82, Anm. 50, Abb. 39–42.

174 s. u. S. 229. 234.

175 Odyssee 12, 258 f.

176 Zusammengestellt von G. Becatti, La colonna coclide istoriata (1960) 201, Anm. 379 f. 202, Anm. 387. – Mit deutscher Übersetzung abgedruckt bei B. Andreae, Antike Plastik XIV, 1974, 83, Anm. 53.

177 Zuletzt zusammengestellt bei B. Andreae, Antike Plastik XIV, 1974, 87–90.

178 B. Schweitzer, Das Original der sogenannten Pasquino-Gruppe, Abhandlungen der sächsischen Akademie der Wissenschaften LXIII, Nr. IV (1936).

179 Vgl. B. Andreae, Schmuck eines Wasserbekkens in Sperlonga, Mitteilungen des Deutschen Archäologischen Instituts, Römische Abteilung 83, 1976, 301. – Vgl. auch ders., Antisthenes philosophis Phyromachos epoiei, 12. Beiheft zur Halbjahresschrift Antike Kunst, Eikones, Studien zum griechischen und römischen Bildnis, Hans Jucker zum sechzigsten Geburtstag gewidmet (1980) 40–48. – A. Nitsche, Zur Datierung des Originals der Pasquino-Gruppe, Archäologischer Anzeiger 1981, 76–85. – Die nachhellenistische Datierung der Gruppenkomposition von F. Hiller, Wieder einmal Laokoon, Mitteilungen des Deutschen Archäologischen Instituts, Römische Abteilung 86, 1979, 282–284 beruht auf historisch nicht abgesicherten kunsttheoretischen Voraussetzungen.

180 s. o. S. 108.

181 W. Helbig, Führer durch die öffentlichen Sammlungen klassischer Altertümer in Rom II[4] Nr. 1546. – Abb. bei B. Schweitzer a. O. (Anm. 178) 124, Abb. 18.

182 Ausführlich dargestellt bei Sophokles, Aias.

183 Ovid, Metamorphosen XIII 282–285. Vgl. unten S. 186.

184 Ilias XVII, 125.

185 B. Conticello, Antike Plastik XIV, 1974, 14 Fig. nel testo 5.

186 Sie fehlt deshalb im Inventar der von E. Bellante ausgegrabenen Fragmente, s. B. Conticello, Antike Plastik XIV, 1974, 37.

187 Dies zeigt der Verlauf der von E. Bellante in seinen Fundplan eingezeichneten Linie, vgl. B. Conticello, Antike Plastik XIV, 1974, 13f.

188 Odyssee 12, 108–112.

189 N. Himmelmann, Der ›Sarkophag‹ von Megiste, Abhandlungen der Akademie der Wissenschaften und der Literatur, Mainz 1970, 1. – B. Andreae, Antike Plastik XIV, 1974, 98f., Abb. 81.

190 Die Geschichte war in der sogenannten kleinen Ilias, einem verlorenen frühen Epos gestaltet und ist nur in Auszügen späterer Mythographen wiedergegeben, die verschiedene Varianten bieten. Die Darstellung in Sperlonga folgt der von Hesych, Diomedeios Ananke überlieferten Version. Vgl. E. Wüst, Paulys Realencyclopädie der classischen Altertumswissenschaften 17 (1937) 1941 s. v. Odysseus.

191 Seneca, Dialoge 1.2.2.

192 Leider sind die Farben inzwischen weitgehend verschwunden, sie sind aber auf alten Aufnahmen, z. B. B. Conticello, Antike Plastik XIV, 1974, Fig. 63 gut erkennbar. – Vgl. o. Abb. S. 103.

193 Bei B. Andreae, Antike Plastik XIV, 1974, 96ff.

194 Jetzt im Museo Nazionale Romano, Rom.

195 Andreae, Antike Plastik XIV, 1974, 98f., Taf. 72–73.

196 Die Annahme, die Gruppen von Sperlonga seien frühkaiserzeitliche Schöpfungen im hellenistischen Stil (M. Robertson, A History of Greek Art [1975] 608. – E. Simon, Gnomon 50, 1978, 489. – K. Schefold, Die Göttersagen in der klassischen und hellenistischen Kunst [1981] 17, Anm. 35), läßt sich aufgrund der hier vorgetragenen kopienkritischen Beobachtungen aus methodischen Gründen nicht halten. In seiner Abhandlung »Helden und Höhle«, Mitteilungen des Deutschen Archäologischen Instituts Römische Abteilung 84, 1977, 228–234, erklärt T. Dohrn in treffender Weise die Aufstellung der mythologischen Figurengruppen in der Höhle von Sperlonga aus den Sehgewohnheiten der spätaugusteisch-frühtiberianischen Zeit, wie sie aus der gleichzeitigen Wandmalerei zu entnehmen sind. Daraus abzuleiten, daß die Gruppen selbst Erfindungen dieser Zeit seien, schießt jedoch übers Ziel hinaus. Auch in die Komposition der mythologischen Landschaftsbilder werden ältere Figurenmotive eingefügt. Aus dem Gegensatz zwischen der bildhaften Wirkung des ganzen und der keineswegs »einansichtigen« Komposition der Gruppen geht vielmehr hervor, daß sie einer früheren Zeit angehören als ihre Aufstellung in der Grotte von Sperlonga.

197 Tacitus, Annalen IV, 59, 1–5.

198 Sueton Tiberius 39.

199 A. F. Stewart, To Entertain an Emperor: Sperlonga, Laokoon and Tiberius at the Dinner-Table, Journal of Roman Studies 67, 1977, 83.

200 Diesen Namen hat W. Fuchs in der mündlichen Diskussion vorgeschlagen. Allerdings beruht die Zuweisung einer Villa beim Monte Circeo an einen M. Lucullus auf einer völlig unbegründeten Textinterpretation von Varro, De re rustica III, 17, 8, wo L. Lucullus, d. h. der berühmte Feldherr, richtig als Besitzer einer Villa bei Neapel bezeichnet wird. Vgl. G. Lugli, Forma Italiae, Regio I, Latium et Campania I2 Circei (1928) 48 mit Anm. 1.

201 H. Riemann, Sperlongaprobleme, Forschungen und Funde, Festschrift Bernhard Neutsch (1980) 372.

202 Noch bei der zwischen 2 v. Chr. und 4 n. Chr. datierten Stadtmauer von Saepinum sind die Kalksteinprismen nicht ganz regelmäßig. Erst in den tiberianischen Villen von Capri ist regelmäßiges Kalksteinretikulat selbstverständlich. Vgl. G. Lugli, La Tecnica Edilizia Romana (1957) 502.

203 E. Kornemann, Tiberius, Erweiterte Neuausgabe mit einem Vorwort von H. Bengtson und einem von H. H. Schmidt revidierten Bibliographischen Nachwort (1980).

204 Sueton, Tiberius 39: *secessum Campaniae petit,* d. h. er suchte die Einsamkeit Kampaniens auf.

205 s. Anm. 209.

206 A. de Franciscis, Le statue della Grotta Azzura nell' Isola di Capri (1964).

207 s. u. Anm. 223.

208 Jenseits des Steilabfalles des Monte Sant' Angelo bei Terracina, der bis zum Abstich des Pisco Montano durch Kaiser Trajan im Jahre 112 n. Chr. der Via Appia den Weg versperrte und damit eine Art Grenze bildete.

209 Maiuri, Capri, Mythos und Wirklichkeit (1940). – Ders., Capri, Storia e monumenti, Itinerari dei musei e monumenti d'Italia Nr. 93 (1956).

210 E. Löwy, Inschriften griechischer Bildhauer (1885) Nr. 520.

211 Eine ausführliche historische Begründung, warum die Villa von Sperlonga das Praetorium des Tiberius gewesen sein müsse, gibt auch A. F. Stewart, To Entertain an Emperor: Sperlonga, Laokoon and Tiberius at the Dinner-Table, The Journal of Roman Studies 67, 1977, 76–90.

212 A. d. Franciscis a. a. O. (Anm. 206) und ders., Archaeology 22, 1967, 215–16.

213 Plinius, Naturalis Historia 34, 19.

214 Plinius, Naturalis Historia 36, 38.

215 Tacitus, Annalen 4, 58.

216 Tacitus, Annalen 4, 58 und Sueton, Tiberius 70.

217 Tacitus, Annalen 4, 56.

218 Ovid, Metamorphosen 153: *sed virtutis honor spoliis quaeratur in istis.* – Vgl. F. Bömer, Kommentar zu Ovids Metamorphosen (im Druck).

219 Ovid, Metamorphosen XIII, 284–285.

220 Ovid, Metamorphosen XIII, 337–353.

221 Ebda. Vers 350.

222 Odyssee 12, 69ff., worauf als erster P. H. v. Blanckenhagen bei: H. Sichtermann, Das veröffentlichte Sperlonga, Gymnasium 73, 1966, 236, aufmerksam gemacht hat.

223 A. Maiuri, Bollettino d'Arte 25, 1931, 156. – P. Mingazzini, Le grotte di Matermania e dell' Arsenale a Capri, Archeologia Classica 7, 1955, 139–163. – F. B. Sear, Roman Wall and Vault Mosaics (1977) 62, Nr. 18.

224 B. Andreae, Gnomon 45, 1973, 87.

225 s. u. Kapitel XIII.

226 Odyssee 8, 499–520.

227 P. H. v. Blanckenhagen, Laokoon, Sperlonga und Vergil, Archäologischer Anzeiger 1969, 256.

228 a. O. (Anm. 166) 575.

229 Ch. Blinkenberg, Zur Laokoongruppe, Mitteilungen des Deutschen Archäologischen Instituts, Römische Abteilung 42, 1927, 177–192.

230 F. Magi, Il ripristino del Laocoonte, Atti della Pontificia Accademia Romana di Archeologia, Memorie IX (1960).

231 G. M. A. Richter, Three Critical Periods in Greek Sculpture (1951) 66–70.

232 Zuletzt F. Hiller, Wieder einmal Laokoon, Mitteilungen des Deutschen Archäologischen Instituts, Römische Abteilung, 86, 1979, 271–295. – Vgl. auch A. Geyer, Nero und Laokoon, Archäologischer Anzeiger 1975, 265–275.

233 Naturalis Historia 36, 37.

234 Dipoinos und Skyllis, NH 36, 4, 4; Apollonios und Tauriskos NH 36, 5; Kleines Attalisches Weihgeschenk NH 34, 84.

235 Plinius, NH 34, 19 lobt auch ein anderes im Besitz des Titus befindliches Werk, nämlich die Knöchelspieler Polyklets, mit der an keiner anderen Stelle begegnenden Würdigung: »Viele halten sie für das vollendetste Werk.« Das liest sich wie eine Entschuldigung dafür, daß er selbst den Laokoon noch höher einschätzt.

236 F. Magi, Michelangelo e il Laocoonte, Rendiconti della Pontificia Accademia Romana di Archeologia 48, 1977, 151–157.

237 M. Maaskant-Kleibrink, The Laocoon Group on Gems, Bulletin Antieke Beschaving 47, 1972, 135–146.

238 Vgl. A. und E. Alföldi, Die Kontorniat-Medaillons (1976) 201, Nr. 87–89, die allerdings annehmen, daß diese Darstellung nicht auf die berühmte Statuengruppe zurückgehe, was ich hingegen für wahrscheinlich halte.

239 s. o. S. 156. 158.

240 H. Kähler, Der große Fries von Pergamon (1948). – E. M. Schmidt, Der Große Altar von Pergamon (1961). – K. Schefold, Die Göttersage in der Klassischen und Hellenistischen Kunst (1981) 106–116.

241 R. Wenning, Die Galateranatheme Attalos I, Pergamenische Forschungen 4, 1978.

242 R. Fleischer, Marsyas und Achaios, Jahreshefte des Österreichischen Archäologischen Instituts 50, 1972–75, Beiblatt 103–122. – K. Schefold, Die Göttersage in der Klassischen und Hellenistischen Kunst (1981) 176–177.

243 N. Himmelmann-Wildschütz, Bemerkungen zur Geometrischen Plastik (1964) 7.

244 F. Matz, Strukturforschung und Archäologie, Studium Generale 17, 1974, 203–219. – Vgl. B. Andreae, Friedrich Matz, Gnomon 47, 1975, 528.

245 Vgl. z. B. die berühmte Athena-Marsyas-Gruppe von Myron, G. Daltrop, Il Gruppo mironiano di Athena e Marsia nei Musei Vaticani (1980).

246 P. R. v. Bienkowski, Die Darstellung der Gallier in der hellenistischen Kunst (1908). – E. Künzl, Die Kelten des Epigonos von Pergamon (1971). – R. Wenning, Die Galateranatheme Attalos I, Pergamenische Forschungen IV (1978). – Ramazan Özgan, Bemerkungen zum Großen Gallieranathem, Archäologischer Anzeiger 1981, 489–510. – Kleine Attalische Gallier: B. Palma, Il piccolo donario pergameno, Xenia, Semestrale di Antichita 1, 1981, 45–84.

247 s. o. Anm. 178 und 179.

248 B. Andreae, Schmuck eines Wasserbeckens in Sperlonga, Mitteilungen des Deutschen Archäologischen Instituts, Römische Abteilung 83, 1976, 299–302.

249 s. o. Anm. 240.

250 G. J. Despinis, Ein neues Werk des Damophon, Archäologischer Anzeiger 81, 1966, 378–385. – J. Charbonneaux u. a., Das Hellenistische Griechenland (1971) 380. – Vgl. auch u. Anm. 305.

251 P. H. v. Blanckenhagen, a. O. (Anm. 227) 256–275.

252 Da die Skulpturen noch nicht veröffentlicht sind, wurden diese Vorschläge nur mündlich diskutiert.

253 V. v. Gonzenbach, Der griechisch-römische Scheitelschmuck und die Funde von Thasos, Bulletin de correspondance hellenique 93; 1969, 885–945. – W. Trillmich, Das Torlonia-Mädchen, Zu Herkunft und Entstehung des kaiserzeitlichen Frauenporträts (1976). Der gleiche Typus einer Gewandstatue hat offenbar auch der Mädchenstatue zum Vorbild gedient, in der B. M. Felletti Maj, Museo Nazionale Romano, I ritratti (1953) 86 Nr. 155 Julia, die Tochter des Kaisers Titus (79–81 n. Chr.) im Alter von etwa 11 Jahren erkennen möchte. Wegen des flavischen Lockentoupets trägt dieses Mädchen allerdings keinen Scheitelschmuck.

254 Ein vergleichbares Diadem ist mir nur von der Livia-Statue aus Pozzuoli (!) in Kopenhagen bekannt, hier allerdings fast völlig zerstört. V. Poulsen, Les Portraits Romains I (1962) 73 f., Nr. 38, Taf. 60–63. – Von zwei ähnlichen Diademen ist das eines Livia-Porträts in Sarsina [G. Susini, Contributo all' iconografia imperiale giulo-claudia, Studi Sarsinati (1957) 219–237. – Arte e civilà romana nell' Italia settentrionale. Catalogo 6. mostra biennale d'arte antica, Bologna (1964) 181, Nr. 456, Taf. 23, 50] nicht durchbrochen und das eines Agrippina-Minor-Porträts in Kopenhagen (v. Poulsen, Les Portraits romains I (1962) 96, Nr. 61, Taf. 102 f.) anders geformt. – Vgl. H. Herdejürgen, Ein Athenakopf aus Ampurias. Untersuchungen zur archaischen Plastik des 1. Jahrhunderts n. Chr., Madrider Mitteilungen 9, 1968, 220.

255 K. Polaschek, Studien zur Ikonographie der Antonia Minor (1973). – K. Fittschen, Katalog der antiken Skulpturen in Schloß Erbach, Archäologische Forschungen Bd. 3 (1977), Nr. 18 und 19, S. 58–62. – W. Trillmich, Familienpropaganda der Kaiser Caligula und Claudius. Agrippina Maior und Antonia Augusta auf Münzen. Antike Münzen und geschnittene Steine, Bd. 8 (1978). – E. Simon, Augustus und Antonia Minor, in: Kurashiki/Japan, Archäologischer Anzeiger 1982 (im Druck, freundlicher Hinweis von B. Freyer-Schauenburg).

256 Gewöhnlich sind die Haare bei Antonia Minor im Nacken nur in Form einer Schlaufe aufgenommen. Die hier gewählte Knotenform, die an die Haartracht Livias erinnert, wurde offenbar gewählt, weil der Knoten mit dem gesondert gearbeiteten Haarteil zusammenhängt und deshalb vom Körper frei abstehen muß.

257 F. Coarelli, Rom, Ein archäologischer Führer (1975) 103 f.

258 Enciclopedia dell'arte antica classica e orientale IV (1961) 391, Abb. 461 s. v. Kore (B. Conticello). – W. Helbig, Führer durch die öffentlichen Sammlungen klassischer Altertümer in Rom IV^4 (1972), Nr. 3342 (W. Fuchs). – Zum Stil der weiblichen Bildnisstatuen claudischer Zeit vgl. E. E. Schmidt, Römische Frauenstatuen (1967) 48–71. Zum Motiv von Eros und Aphrodite vgl. R. Keulé, Marmorgruppe der Sammlung Modena in Wien, Archäologisch-epigraphische Mitteilungen aus Österreich 3, 1879, 8–24. – Weihrelief in Athen, Nationalmuseum 2256, J. N. Svoronos, Das Athener Nationalmuseum, Bd. II (1911), Taf. 129. – Weihrelief an Demeter und Kore, Wien, Antikensammlung, Athenische Mitteilungen 60/61, 1935/36, 255 Taf. 89, 2.

259 E. Gerhard, Antike Bildwerke, Heft 1 (1827), Taf. 20. – F. Winter, Die Typen der figürlichen Terrakotten II (1903) 40, 6. Nach freundlicher Auskunft von I. Kriseleit im Krieg in Verlust geraten.

260 Der Unterschied der Porträtköpfe der Antonia Minor ohne und mit Diadem läßt sich nur durch die neue Würde der Kaiserin erklären.

261 W. Trillmich a. O. 180. – Vgl. auch die Rezension von R. Ziegler, Bonner Jahrbücher des Rheinischen Landesmuseums in Bonn 181, 1981, 647–649.

262 Von dieser 39 oder 40 geborenen Tochter des Claudius und der Messalina, die später Nero heiratete, aber 62 n. Chr. von ihm verstoßen, verbannt und bald darauf hingerichtet wurde, ist noch kein Bildnis bekannt. Ihr tragisches Schicksal liegt der einzigen erhaltenen römischen Tragödie mit historischem Inhalt zugrunde, die unter dem Namen Senecas überliefert ist. Vgl. Lexikon der Alten Welt (1965) 2113 s. v. Octavia 3. – Ein gewisser Vorbehalt, daß es sich bei der Mädchenstatue um Octavia Claudia handelt, gründet sich auch darauf, daß die unten umgebogenen Haarfransen über ihrer Stirn den Haarfransen bei der im übrigen andersartigen Frisur Neros im 3. Haupttypus ähnelt, der erst 64 n. Chr. geschaffen wurde. Bestes

Exemplar in München, Staatliche Antikensammlungen, Glyptothek 321. K. Fittschen, in: Pompeji, Leben und Kunst in den Vesuvstädten, Katalog der Ausstellung Essen (1973) 40f. Nr. 17. – U. W. Hiesinger, The Portrait of Nero, American Journal of Archaeology 79, 1975, 120. – Zuletzt H. Jukker, Julisch-claudische Kaiser- und Prinzenportraits als Palimpseste, Jahrbuch des Deutschen Archäologischen Instituts 96, 1981, 287f. Skizze 6.

263 W. H. Schuchhardt, Antike Abgüsse antiker Statuen, Jahrbuch der Heidelberger Akademie der Wissenschaften 1973 (1974) 100–103. – v. Hees, Katalog der Ausstellung, Griechische Meisterwerke in römischen Abgüssen – Der Fund von Baia. – Freiburg, Universitätsbibliothek 19. 3.–2. 5. 1982.

264 Zu dieser Wand- und Gewölbeverkleidung vgl. P. Mingazzini, Le grotte di Matermania e dell' Arsenale a Capri, Archeologia Classica 7, 1955, 156–162.

265 R. Gnoli, Marmora Romana (1971).

266 M. Borriello und A. d'Ambrosio, Forma Italiae, Regio I, Vol. XIV, Baiae-Misenum (1979) 19.

267 N. Neuerburg, L'architettura delle fontane e dei Ninfei nell' Italia antica, Memorie dell' Accademia di Archeologia Lettere e Belle Arti di Napoli V (1975) 111f., Nr. 9. – E. Kirsten, Süditalienkunde I (1975), 266.

268 Sueton, Tiberius 39. – Vgl. A. F. Stewart, To Entertain an Emperor: Sperlonga, Laokoon and Tiberius at the Dinner-Table, The Journal of Roman Studies 67, 1977, 83.

269 Vgl. Sueton, Claudius 28. – Plinius, Naturalis Historia 31, 5.

270 G. M. A. Richter, The Furniture of the Greeks, Etruscans and Romans (1966) 105–100, Abb. 551–554.

271 Tacitus, Annalen 14, 5.

272 Notitia dignitatum. Regio I.

273 s. o. Anm. 75.

274 H. Clausen, Corvey: Raumfassung des Westwerks, in: Kunst und Kultur im Weserraum 800–1600, Ausstellung des Landes Nordrhein-Westfalen, Corvey 28. 5.–15. 9. 1966, 646–648, Nr. 381. – Vgl. demnächst auch dies. zum Corveyer Meerwesenfries, Westfalen 60, 1982, im Druck.

275 A. Pagliaro, Ulisse. Ricerche semantiche sulla Divina Comedia (1967) bes. 371–432. – H. Friedrich, Odysseus in der Hölle, in: Romanische Literatur, Aufsätze Bd. 2 (1972) 71–118.

276 P. Mingazzini, Le Grotte di Matermania e dell'arsenale a Capri, Archeologia Classica 7, 1955, 138f., Abb. 1 und 2.

277 B. Andreae, Römische Kunst (1973, 1982[5]) 512. – F. Coarelli, Rom, Ein archäologischer Führer (1975) 204.

278 F. B. Sear, Roman Wall and Vault Mosaics (1977).

279 s. o. Anm. 101.

280 A. Balland, Une Transposition de la Grotte de Tibère a Sperlonga, le Ninfeo Bergantino de Castelgandolfo, Mélanges d'Archèologie et d'Histoire, École Francaise de Rome 79, 1967, 421–502. – F. Magi, Il Polifemo di Castelgandolfo, Rendiconti della Pontificia Accademia Romana di Archeologia, 41, 1969, 69–84.

281 A. Hermann, Sperlonga Notes 1. Marzial and Sperlonga, Acta ad archaeologiam et artium historiam pertinentia Instituti Romani Norvegiae 4, 1969, 68f., möchte das Epigramm auf Sperlonga beziehen, doch liegt ein Bezug auf das domitianische Ninfeo Bergantino viel näher, zumal auch die Skylla-Gruppe dort monumentales Format hatte, wie die Rekonstruktion der Gruppe aus der Villa Hadriana zeigt. s. u. S. 229. 234. – Vgl. auch M. Leppert, Archäologischer Anzeiger 4, 1978, 561.

282 G. Lugli, La Villa di Domiziano sui colli Albani, Bulletino della Commissione Archeologica Comunale di Roma 41, 1913, 112–116; 48, 1920 (1922) 28–35.

283 Magi a. a. O. (Anm. 273).

284 s. u. S. 229. 234.

285 Seneca, Dialoge 1, 2, 2.

286 B. Andreae, Antike Plastik XIV, 1974, Abb. 5–12.

287 S. Aurigemma, Lavori nel Canopo della Villa Adriana III, Bollettino d'Arte 41, 1956, 57–71. – B. Andreae, Archäologische Funde und Grabungen im Bereich der Soprintendenzen von Rom 1949–1956/7, Archäologischer Anzeiger 1957, 311–316.

288 H. Kähler, Hadrian und seine Villa bei Tivoli. – S. Aurigemma, Villa Adriana (1961). – F. Rakob, Bauphasen einer kaiserlichen Villa, Festschrift Klaus Lankheit (1973) 113–125.

289 Historia Augusta, Hadrianus XXVI, 5.

290 S. Bostico, I monumenti egizi ed egittizzanti dei Musei Capitolini (1952).

291 s. o. S. 51.

292 s. o. S. 49. 51.

293 Aurigemma, a. O. (Anm. 287).

294 L. de Lachenal, Sul gruppo di Scilla d'Anzio, Considerazioni e tentativi di ricostruzione, Rendiconti della Pontificia Accademia Romana di Archeologia 49, 1976/77, 103–114.

295 A. Conze, Beschreibung der antiken Skulpturen. Königliche Museen zu Berlin (1891) 218f., Nr. 569, 570. – L. de Lachenal, a. a. O. 99 mit Anm. 24.

296 L. de Lachenal, a. O. (Anm. 294) 108, Anm. 31.

297 L. de Lachenal, a. O. (Anm. 294) 100f.

298 B. Andreae, Antike Plastik XIV, 1974, 81 Anm. 48. – L. de Lachenal, a. O. (Anm. 294) 98.

299 R. Gnoli, Marmora Romana (1971) 142–144.

300 A. Michaelis, Ancient Marbles in Great Britain (1882) 549, Nr. 33. – L. R. Farnell, Sculpture in Sicilian Museums, The Journal of Hellenic Studies 12, 1891, 53f.

301 Guida Ruesch Nr. 531. – B. Andreae, Antike Plastik XIV, 1974, 82 Anm. 84.

302 K. Tuchelt, Zu einem neugefundenen Tonmodell aus Didyma, Istanbuler Mitteilungen 17, 1967, 173–194. – B. Andreae, Antike Plastik XIV, 1974, 85 Abb. 27, 38.

303 R. Horn, Hellenistische Köpfe, Mitteilungen des Deutschen Archäologischen Instituts Römische Abteilung 52, 1937, 160ff. – B. Palma, Il picolo donario pergameno, Xenia, Semestrale di Antichitá 1, 1981, 45–84, bes. 57f., Nr. 2 (mit vollständiger Bibliographie).

304 G. Dickins, Damophon of Messene, The Annual of the British School at Athens 12, 1905–6, 109–136; 13, 1906–7, 357–404. – G. J. Despinis, Ein neues Werk des Damophon, Archäologischer Anzeiger 1966, 378–385.

305 Der Versuch von E. Lévy, Sondages à Lykosoura et date de Damophon, Bulletin de correspondance hellénique 91, 1967, 518–545, die Kultgruppe in hadrianische Zeit zu datieren, ist von der Forschung nicht akzeptiert worden. – Vgl. S. Karouzou, National Archaeological Museum, Collection of Sculpture (1968) 173, Nr. 2171–2175. – The Princeton Enciclopedia of Classical Sites, ed. R. Stillwell (1976) 537 s. v. Lykosoura (G. Bermond Montanari). – M. Robertson, A History of Greek Art (1975) 555. – N. Papachatzis, Pausaniou Hellados Perihegesis, Biblia 7 kai 8, Achaika kai Arkadika (1980) 331–341.

306 Naturalis Historia 34, 18. – Vgl. Th. Lorenz, Polyklet (1972) 64.

307 B. Andreae, Über das Antikenmuseum im Rahmen der Kunstsammlungen der Ruhr-Universität Bochum, Jahrbuch 1975 der Ruhr-Universität Bochum 2f.

308 s. o. S. 166.

309 Vgl. G. Säflund, The Polyphemus and Scylla Groups (1972) 88. – H. Sichtermann, a. O. (Anm. 163) 373.

310 Dieser Stilbegriff ist von G. Krahmer am Beispiel der Laokoon-Gruppe entwickelt worden. Vgl. G. Krahmer, Die einansichtige Gruppe und die späthellenistische Kunst, Nachrichten der Gesellschaft der Wissenschaften zu Göttingen 1927, 1–39.

311 Den jüngsten Versuch, das Kleine Attalische Weihgeschenk wieder ins 3. Jahrhundert v. Chr. zu datieren von A. Stewart, Attiká. Studies in Athenian Sculpture of the Hellenistic Age (1979), hat A. Linfert, Gnomon 53, 1981, 498f., überzeugend zurückgewiesen.

312 Zur Geschichte der Laokoon-Interpretation vgl. zuletzt W. Adam, Der »herrliche Verbrecher«. Die Deutung der Laokoongruppe in Heinses Roman »Ardinghello«, Forschungen und Funde, Festschrift Bernhard Neutsch (1980) 17–30.

313 R. und E. Boehringer, Homer. Bildnisse und Nachweise (1939) haben die antiken Idealbildnisse Homers gesammelt und in vier Typen geschieden, von denen hier nur der sogenannte Epimenides-Typus von etwa 450 v. Chr. und der hellenistische Blindentypus der Zeit 150–100 v. Chr. betrachtet werden.

314 W. Fuchs, Die Skulptur der Griechen (1979^2) 576.

315 G. M. A. Richter, The Portraits of the Greeks Bd. I (1965) 47 Abb. 1–17.

316 Ebda. 50–53 Abb. 64–106.

317 Chr. M. Havelock, Hellenistische Kunst (1971) 38 F. Abb. 34. – W. Fuchs, Die Skulptur der Griechen (1979^2) 576.

318 G. H. Chase und C. C. Vermeule, Greek Etruscan and Roman Art, The Classical Collections of the Museum of Fine Arts, Boston. (1963) 167 Abb. 178.

Ausgewählte Bibliographie

Die Anmerkungen verweisen in gebotener Kürze nur auf die jüngste Behandlung in der wissenschaftlichen Literatur. Die folgende Bibliographie umfaßt das wesentliche Schrifttum zu den vier in diesem Buch behandelten Komplexen. Die Zitate aus Homer wurden, sofern sie in Hexametern abgefaßt sind, den Übersetzungen von J. H. Voss oder von R. A. Schröder entnommen, die Prosaübersetzungen hingegen derjenigen von W. Schadewaldt.

Zu Homer

A. Lesky, Homeros in: Paulys Realencyclopädie der classischen Altertumswissenschaft, Suppl. Bd. IX (1968) 687–846.
H. Erbse, Beiträge zum Verständnis der Odyssee (1972).
H. Eisenberger, Studien zur Odyssee, Palingenesia 7 (1973).
D. Page, Folktales in Homer's Odyssey (1973).
W. Marg, Zur Eigenart der Odyssee, Antike und Abendland 18, 1973, 1–14.
A. Heubeck, Die homerische Frage (1974).
N. Austin, Archery at the Dark of the Moon, Poetic Problems in Homers Odyssey (1975).
R. Friedrich, Stilwandel im homerischen Epos (1975).
H. van Thiel, Iliaden und Ilias (1982).

Zu den antiken Odyssee-Illustrationen

F. Müller, Die antiken Odysseeillustrationen in ihrer kunsthistorischen Entwicklung (1913).
Die Odyssee, Homers Epos in Bildern erzählt von *Erich Lessing* mit einem Kapitel von *H. Sichtermann,* Die Bilderwelt der Odyssee (1965).
O. Touchefeu-Meynier, Thèmes Odysseens dans l'art antique (1968).
B. Fellmann, Die antiken Darstellungen des Polyphem-Abenteuers (1972).
P. Themelis, Skylla eretrike, Archaiologike Ephemeris 1979, 118–153.

Zu den Skulpturen von Sperlonga

Nach einem Vierteljahrhundert intensiver Forschungsarbeit sind Rekonstruktion, Datierung und Deutung der erstaunlichen Skulpturengruppen von Sperlonga immer noch heftig umstritten.
Die wissenschaftliche Literatur ist bis 1972 übersichtlich zusammengestellt bei:
B. Conticello und B. Andreae, Die Skulpturen von Sperlonga, Antike Plastik XIV, 1974, 53–54. – (Rez. F. Brommer, Gymnasium 82, 1975, 485 f. – P. E. Arias, Annali della Scuola Normale Superiore di Pisa Ser. III, V, 4 [1975] 1571–73. – P. H. v. Blanckenhagen, American Journal of Archaeology 80, 1976, 99–101. – R. Hampe, Göttinger Gelehrte Anzeigen 228, 1976, 217–237. – N. Bonacasa, Archeologia Classica 29, 1977, 452–455. – W. Schindler, Deutsche Literaturzeitung 97, 1976, 1128–30. – A. Linfert, Gnomon 49, 1977, 505–510).
Seitdem sind erschienen:
G. Säflund, The Polyphemus and Scylla Groups at Sperlonga (1972) (Rez. P. H. v. Blanckenhagen, American Journal of Archaeology 77, 1973, 455–460).
B. Fellmann, Die antiken Darstellungen des Polyphemabenteuers (1972) 41–45.
G. Bordenache, La »Grotta di Tiberio« a Sperlonga, Studi Classici 14, 1972, 223 ff.
H. Herdejürgen, Jahrbuch des Deutschen Archäologischen Instituts 87, 1972, 307.
R. Hampe, Sperlonga und Vergil (1972) (Rez. B. Andreae, Gnomon 45, 1973, 84–88. – B. Conticello, Roland Hampe, Sperlonga e Virgilio, Bolletino d'Arte 58, 1973, 171–176. – F. Coarelli, Sperlonga e Tiberio, Dialoghi di Archeologia 1973, 97–122. – F. Bastet, Bulletin Antieke Beschaving 51, 1976, 224 f. – H. Sichtermann, Gymnasium 80, 1973, 461–467. – A. Herrmann, Art Bulletin 56, 1974, 275–277).
B. Conticello, Enciclopedia dell'arte antica, Suppl. (1973) 751–754 s. v. Sperlonga.
H. P. Isler, Laokoon und Sperlonga, Antike Kunst 17, 1974, 146.
M. Leppert, 23 Kaiservillen, Vorarbeiten zu Archäologie und Kulturgeschichte der Villeggiatur der hohen Kaiserzeit (1974) 311–351.

A. G. McKay, Houses, Villas and Palaces in the Roman World (1975) 127f.
W. v. Sydow, Fundbericht, Archäologischer Anzeiger 1976, 372–375.
B. Andreae, Schmuck eines Wasserbeckens in Sperlonga, Mitteilungen des Deutschen Archäologischen Instituts, Römische Abteilung 83, 1976, 287–309.
B. Conticello, Di un putto marmoreo del Museo di Sperlonga, Mitteilungen des Deutschen Archäologischen Instituts, Römische Abteilung 83, 1976, 311–317.
A. F. Stewart, To Entertain an Emperor: Sperlonga, Laokoon and Tiberius at the Dinner-Table, Journal of Roman Studies 67, 1977, 76–90.
T. Dohrn, Helden und Höhle, Mitteilungen des Deutschen Archäologischen Instituts, Römische Abteilung 84, 1977, 228–234.
M. Leppert, Domina Nympha, Überlegungen zum Faustinus-Epigramm von Sperlonga, Archäologischer Anzeiger 1978, 554–573.
F. Hiller, Wieder einmal Laokoon, Mitteilungen des Deutschen Archäologischen Instituts, Römische Abteilung 86, 1979, 271–295.
H. Sichtermann, Zur Polyphemgruppe in Sperlonga, Mitteilungen des Deutschen Archäologischen Instituts, Römische Abteilung 86, 1979, 371–374.
H. Riemann, Sperlongaprobleme in: Forschungen und Funde, Festschrift für B. Neutsch (1980) 371–383.
L. Sagui, Ceramica africana dalla ›Villa di Tiberio‹ a Sperlonga, Mélanges de l'École Française de Rome, Antiquité 92, 1980, 471–543.

Zur Laokoon-Gruppe im Vatikan
Außer der zu den Skulpturen von Sperlonga zitierten Literatur.
W. Amelung, Skulpturen des Vatikanischen Museums Bd. II (1908) 181–205 Nr. 74 Taf. 20.
G. Dickens, Hellenistic Sculpture (1920) 1, 50f.
A. W. Lawrence, Later Greek Sculpture (1927) 177–192.
G. Krahmer, Die einansichtige Gruppe und die späthellenistische Kunst, Nachrichten der Göttinger Gesellschaft der Wissenschaften, Philologisch-Historische Klasse 1927, 1–39 Abb. 1.2.
G. M. A. Richter, Sculpture and Sculptors of the Greeks (1930) 50. 82. 297f. Abb. 225. 763–64.
R. Horn, Hellenistische Köpfe, Mitteilungen des Deutschen Archäologischen Instituts, Römische Abteilung 52, 1937, 147–150.
G. M. A. Richter, Three Critical Periods in Greek Sculpture (1951) 49. 66–70 Abb. 66. 68.
C. C. van Essen, La decouverte du Laocoon, Mededelingen der Koninklijke Nederlandse Akademie van Wetenschappen, afd. Letterkunde XVIII, Nr. 12, 1955, 291–308.
H. Sichtermann, Laokoon. Opus Nobile 3, 1957.
F. Magi, Il ripristino del Laocoonte, Memorie della Pontificia Accademia Romana di Archeologia Bd. IX (1960).
M. Bieber, The Sculpture of the Hellenistic Age (1961²) 134f. Abb. 530. 531.
W. Helbig, Führer durch die Sammlungen klassischer Altertümer in Rom I (1963⁴) Nr. 219 *(W. Fuchs).*
H. Sichtermann, Einführung zu G. E. Lessing, Laokoon, Reclam (1964).
W. H. Gross, Zur Laokoongruppe und ihren Künstlern, Nachrichten der Gießener Hochschulgesellschaft 35, 1966, 107–116.
M. Bieber, Laokoon, The Influence of the Group Since its Rediscovery (1967) (Rez. *R. Winkes,* American Journal of Archaeology 72, 1968, 293f.).
K. Schefold, Propyläenkunstgeschichte Bd. I (1967) 147. 202 Taf. 125.
W. Fuchs, Die Skulptur der Griechen (1969) 463. 575.
H. H. Brummer, The Statue Court in the Vatican Belvedere, Stockholm Studies in History of Art 20, 1970, 74–119.
J. Charbonneaux, R. Martin, Fr. Villard, Das hellenistische Griechenland (1971) 355.
Chr. M. Havelock, Hellenistische Kunst (1971) 137f. Abb. 146.
M. Maaskant-Kleibrink, The Laocoon Group on Gems, Bulletin Antieke Beschaving 47, 1972, 135–146.
G. Daltrop, Die Laokoon-Gruppe im Vatikan. Ein Kapitel römischer Museumsgeschichte und Antikenerkundung, Antike Kunst 18, 1975, 93f.
A. Geyer, Nero und Laokoon, Archäologischer Anzeiger 1975, 265–275.
F. Magi, Michelangelo e il Laocoonte, Rendiconti della Accademia Romana di Archeologia 48, 1977, 151–157.
F. Hiller, Wieder einmal Laokoon, Mitteilungen des Deutschen Archäologischen Instituts, Römische Abteilung 86, 1979, 271–295.

Abbildungsverzeichnis

S. 9 Der Monte Circeo, H 504 m.
S. 17 Kopf des Odysseus aus der Polyphem-Gruppe, Sperlonga, Museo Nazionale, H des Gesichtes 0,19.5 m.
S. 23 Sogenannter Nestorbecher, Tonbecher aus Rhodos mit eingeritzter Inschrift, um 725 v. Chr., Ischia, Villa Arbusto, H 0,18 m.
S. 24 Inschrift des Bechers, Abb. S. 23.
S. 25 Protogeometrische attische Amphora, Berlin, Inv. 31004, H 0,22 m. Frühgeometrische attische Amphora, Athen, Nationalmuseum, Inv. 442, aus Eleusis, H 0,49 m. Strenggeometrische attische Amphora, Athen, Nationalmuseum, Inv. 438, aus Eleusis, H 0,64 m.
S. 29 Reifgeometrische attische Amphora, Athen, Nationalmuseum, Inv. 804, H 1,55 m, Mitte 8. Jh. v. Chr., Ausschnitt.
S. 30 Wie Abb. S. 29.
S. 34 Wie Abb. S. 29. Rastereinteilung der Vase.
S. 35 Wie Abb. S. 29.
S. 36/37 Blattkette, Zinnenmäander, Hakenmäander und Stufenmäander von der Amphora Abb. S. 29, 34 und 35.
S. 38 Gitterkette von der Amphora S. 35 und Flechtband von der Amphora S. 43.
S. 39 Protokorinthische Pyxis aus dem Heraion von Argos, um 700 v. Chr., Athen, Nationalmuseum, H 0,13.1 m; Ø 0,19 m.
S. 41 Krater des Aristonothos aus Caere, gegen 670 v. Chr., Rom, Konservatorenpalast, H der Vase 0,36 m, H des Ausschnitts 0,13.7 m.
S. 43 Altattische Amphora, 680–670 v. Chr., Eleusis, Museum, H d. Ausschnittes 0,38 m.
S. 45 unten: Zeichnerische Abrollung der Blendungsdarstellung auf dem Aristonothos-Krater Abb. S. 41.
S. 46 Argivisches Kraterfragment, gegen 670 v. Chr., Argos, Museum, H 0,24.5 m L 0,31 m.
S. 47 Italiotischer Kelchkrater, gegen 430 v. Chr., London, British Museum, H der Vase 0,46 m.
S. 49 Relief eines bronzenen Spiegelkasten aus Eretria, Großgriechisch, um 285 v. Chr., Berlin, Staatliche Museen, Antikensammlungen. Ø 0,21.7 m, Ausschnitt. Vgl. Abb. S. 52 rechts oben.
S. 51 Melisches Tonrelief aus Ägina, um 460 v. Chr., London, British Museum, H. 0,12.5 m; L 0,18 m.
S. 52 rechts oben: wie S. 49.
S. 52 Mitte links: Mosaik aus Tor Marancio, bald nach 123 n. Chr., Vatikanische Museen, L 6,70 m; H 5,60 m.
S. 52 Mitte rechts: Bronzene Griffschale mit Skylladarstellung aus Boscoreale, spätes 1. Jh. v. Chr., London, British Museum, Ø des Tondos 0,108 m.
S. 52 links unten: Tarentinisches Kalksteinrelief, spätes 4. Jh. v. Chr., Wien, Kunsthistorisches Museum.
S. 53 Römischer Gesichtshelm aus Vize, 1. Jh. v. Chr., Istanbul, Archäologisches Museum, H 0,27 m.
S. 55 58–59. 62–64
Odysseelandschaften. Freskenzyklus vom Esquilin, um 40 v. Chr., Vatikan, Biblioteca Apostolica, H 1,50 m; Gesamtlänge ca. 13 m. Fragment der Odyssee-Fresken, aus der Sammlung Gorga, Rom, Museo Nazionale Romano, H 1,06 m; L 1,00 m.
S. 69 Rekonstruktion der Polyphem-Gruppe aus dem Domitiansbrunnen in Ephesos. Selçuk, Ephesos-Museum.
S. 71 oben: Toter Gefährte des Odysseus, L 1,49 m.
S. 71 Mitte links: Weinschlauchträger, H 1,13 m.
S. 71 Mitte: Becherträger, H 0,83 m.
S. 71 Mitte rechts: Odysseus, H 1,38 m.
S. 71 unten links: Hand (H 0,14 m) und Beine (H 0,61 m) des den Pfahl stützenden Gefährten.
S. 71 unten Mitte: Pfahlhaltender Gefährte, H 1,02 m.
S. 71 unten rechts: Toter Gefährte, L 0,91.5 m. Selçuk, Ephesos-Museum.
S. 78/79 oben: Rekonstruktionsversuch des Polyphem-Giebels von Ephesos mit gfk-Abgüssen im Maßstab 1:1 in der Maschinenhalle der Zeche Lothringen des Eschweiler Bergwerks-Vereins Bochum. Lichte Giebelmaße L 12,5 m; H 2,70 m, Steigungswinkel 22°.
S. 78 unten: Teilrekonstruktion des Domitiansbrunnens (sogenanntes Pollio-Nymphäum) in Ephesos, 93 n. Chr.
S. 79 Mitte: Aufstellung der Polyphem-Gruppe als Brunnenschmuck im Ephesos-Museum, Selçuk. Ø des Brunnenbekkens 6,60 m.
S. 79 unten: Domitiansbrunnen mit Polyphem-Gruppe. Fotomontage.
S. 82: links: Kopffragment des Weinschlauchträgers, Selçuk, Ephesos-Museum, H 0,23 m.
S. 82 rechts: Beinfragment des pfahlanspitzenden Gefährten, Selçuk, Ephesos-Museum, H 0,52 m.
S. 83 Hypothetische Rekonstruktions-Zeichnung des Dionysos-Tempels auf dem Staatsmarkt in Ephesos.
S. 85 Kolossaler Porträtkopf eines Römers spätrepublikanischer Zeit aus Ephesos (Marcus Antonius?), Selçuk, Ephesos-Museum, H 0,50 m.
S. 89 Terrakottafiguren aus dem Giebel eines italischen Sacellums in Tortoreto, 1. Jh. v. Chr., Chieti, Museo Nazionale.
S. 91 Odysseus und Polyphem, Gewölbemosaik des Speisesaales im Goldenen Hause Kaiser Neros, Rom 64–68 n. Chr., Ø 2,40 m.
S. 93 links: Wie S. 91.
S. 93 rechts: Odysseus bei der Weinreichung, Fußbodenmosaik in der spätantiken Villa von Piazza Armerina, Sizilien, 306–312 n. Chr. L des Ausschnittes 3 m.
S. 95 Baia, Punta dell'Epitaffio. Nymphäum im Palast des Kaisers Claudius, um 45 n. Chr., L 18 m; B 9,5 m, Plan und achsionometrische Zeichnung.
S. 97 Odysseus, um 45 n. Chr. Baia, Castello, H 1,75 m.
S. 98 wie Abb. S. 97.
S. 99 oben: Weinschlauchträger, um 45 n. Chr., Baia, Castello, H 1,58 m.
S. 99 Mitte: Statue des Dionysos, gefunden am 14. Mai 1981 im Nymphäum von Baiae, Baia, Castello, H 1,45 m.
S. 99 unten: Statue des Dionysos Abb. S. 98 Mitte in Fundlage 6 m unter dem Meeresspiegel.
S. 101 links: Hypothetische Rekonstruktionszeichnung des hellenistischen Bronzevorbildes der Polyphem-Gruppe von Baiae.
S. 101 rechts: Darstellung der Weinreichung an Polyphem auf einem römischen Relief, um 130 n. Chr., Paris, Louvre, H 0,86.5 m.
S. 103 Kopf der Athena aus der Palladionraub-Gruppe Abb. S. 168/169.
S. 104 links: Tiberius-Grotte von Sperlonga. Stich von Luigi Rossini 1835.
S. 104 rechts: Die Tiberius-Grotte von Sperlonga vor dem Beginn der Ausgrabungen im Jahr 1956.
S. 105 links: Das Grottentriklinium von Sperlonga. Gesamtansicht.
S. 105 rechts: Blick aus der Tiberius-Grotte auf Sperlonga.
S. 110 links: Erster Aufstellungsversuch der sogenannten Pasquino-Gruppe, Sperlonga, Museo Nazionale, Zustand 1963.
S. 110 rechts: Kopf des Odysseus aus der Polyphem-Gruppe mit dem Palladion der Odysseus-Diomedes-Gruppe verbunden, Sperlonga. Museo Nazionale, Zustand 1963.
S. 110 unten: Fragmente der Skylla-Gruppe, Sperlonga, Museo Nazionale, Erster Aufstellungsversuch 1963.
S. 114 Erster Aufstellungsversuch von Fragmenten der Polyphem- und der Skylla-Gruppe als Laokoon-Gruppe, Sperlonga, Museo Nazionale, Zustand 1963.
S. 115 oben und unten links: Arme und Beine des Polyphem-Kolosses, Sperlonga, Museo Nazionale.
S. 115 unten rechts: Relief einer Sarkophagnebenseite, um 180 n. Chr., Catania, Castello Ursino, Museo Civico, H 0,73 m; L 0,69.5 m.
S. 121 Rekonstruktionsversuch der Polyphem-Gruppe von Sperlonga von H. Schroeteler nach Angaben von B. Andreae, Bochum, Kunstsammlungen der Ruhr-Universität.
S. 123 L. Mercatali bei der Herstellung einer Tonstückform des Kopfes des Odysseus im Nationalmuseum von Sperlonga, 1969.

S. 124–126 Abformung der Fragmente der Polyphem-Gruppe von Sperlonga in gfk nach einem neuen Verfahren.
S. 129 oben links: Bruchstück vom Kopf Polyphems, 4–26 n. Chr., Sperlonga, Museo Nazionale, H 0,28 m.
S. 129 oben rechts: Rekonstruktionsversuch des Polyphem-Kopfes von Sperlonga von H. Schroeteler zur Angabe der Position des Fragmentes, Abb. S. 129 oben links.
S. 129 unten: Kopf des Polyphem, wohl hadrianische Kopie nach einem hellenistischen Original, Boston, Museum of Fine Arts, H 0,38.5 m.
S. 132 Die Gefährten am Pfahlende während der Rekonstruktionsarbeiten in der Ruhr-Universität Bochum 1969–1975.
S. 133 oben: Relief Abb. S. 115.
S. 133 Mitte: Die abgeformten Fragmente der Polyphem-Gruppe von Sperlonga.
S. 133 unten: Erste Zusammenstellung der fragmentierten Polyphem-Gruppe, 1969.
S. 134 Kopf des Gefährten am Pfahlende, antike Wiederholung aus der Sammlung Polignac, ehemals Berlin, Schloß Charlottenburg, im 2. Weltkrieg zerstört, nach Abguß im Akademischen Kunstmuseum, Bonn, wahrscheinlich aus der Villa Hadriana, H 0,37 m, und Kopf des 2. Gefährten aus der Villa Hadriana, Rom, Vatikanische Museen, H 0,37 m.
S. 135 Kopf des Weinschlauchträgers aus der Polyphem-Gruppe von Sperlonga und antike Wiederholung dieses Kopfes aus der Villa Hadriana in London, British Museum, H 0,34 m.
S. 137 Weinschlauchträger aus der Polyphem-Gruppe 4–26 n. Chr., Sperlonga, Museo Nazionale.
S. 140 Höhenaufnahme und Formationsprüfung des Aufstellungsortes der Polyphem-Gruppe in der Tiberius-Grotte von Sperlonga vom 15. 2. 1971 und senkrechte Projektion der rekonstruierten Polyphem-Gruppe.
S. 143 wie Abb. S. 121.
S. 145 wie Abb. S. 121 mit Angabe der verschiedenen Aufstellungsmöglichkeiten des Weinschlauchträgers.
S. 147 wie Abb. S. 121.
S. 149 wie Abb. S. 121.
S. 150 wie Abb. S. 121.
S. 151 wie Abb. S. 121.
S. 152 Kopf des Odysseus aus der Polyphem-Gruppe, 4–26 n. Chr., Sperlonga, Museo Nazionale, H 0,63.5 m, H des Gesichtes 0,19.5 m.
S. 155 Kopf eines Gefährten in den Fängen Skyllas, Fragment der Skylla-Gruppe, 4–26 n. Chr., Sperlonga, Museo Nazionale.
S. 158 oben: Zeichnung nach einem spätantiken Kontorniat-Medaillon, Windsor Castle, Royal Library.
S. 158 unten: Steuermann vom Schiff des Odysseus aus der Skylla-Gruppe, 4–26 n. Chr., Sperlonga, Museo Nazionale, H 1,65 m; L 2,90 m.
S. 159 wie Abb. S. 158 unten.
S. 160 links: Kopf des Steuermanns Abb. S. 158 unten.
S. 160 rechts: Hand der Skylla, 4–26 n. Chr., Sperlonga, Museo Nazionale, L 0,40 m.
S. 162 oben: Erste Aufstellung von Fragmenten der Skylla-Gruppe, Sperlonga, Museo Nazionale, Zustand 1963.
S. 162 unten: Ergänzungszeichnung des Fragmentes Abb. S. 162 oben von Vittorio Moriello.
S. 163 Fragment mit linkem Fischschwanz der Skylla-Gruppe, Sperlonga, Museo Nazionale.
S. 164 links: Antike Wiederholung der sogenannten Pasquino-Gruppe, Florenz, Palazzo Pitti, H 2,50 m.
S. 164 rechts oben: Gipsrekonstruktion der sogenannten Pasquino-Gruppe von Bernhard Schweitzer, H 2,50 m.
S. 164 rechts unten: Fragmente von Beinen und Hand des toten Kriegers aus der sogenannten Pasquino-Gruppe, Sperlonga, Museo Nazionale.
S. 165 Bronzener Beschlag von einem Wagensessel, sogenannte Tensa Capitolina, 3. Jh. n. Chr., Rom, Konservatorenpalast.
S. 167 links: Antike Wiederholung vom Kopf des Menelaos aus der sogenannten Pasquino-Gruppe, Kopie aus der Villa Hadriana, Vatikanische Museen, H 0,47 m.
S. 167 rechts: Vorderansicht des Kopfes Abb. S. 134 links.
S. 168/169 Fragmente der Palladionraub-Gruppe, Sperlonga, Museo Nazionale.
S. 168 links oben: Kopf des Diomedes, H 0,34 m.
S. 168 rechts: Linker Arm des Diomedes mit dem Palladion, H 0,82 m.
S. 169 Körper des Odysseus, H 1,86 m.
S. 168 unten: Diomedes und Odysseus beim Raub des Palladions. Ausschnitt aus dem Relief einer kleinasiatischen Ostothek aus Megiste um 160 n. Chr., Athen, Nationalmuseum, H 0,43 m.
S. 171 Wie Abb. S. 168 oben rechts.
S. 175 Oben und unten links: Torso des Odysseus wie Abb. S. 169.
S. 175 Oben und unten rechts: Torso des Odysseus, antike Wiederholung, aus der Via Margutta in Rom, Rom, Museo Nazionale Romano, H 0,85 m.
S. 177 Porträtkopf des Kaisers Tiberius (Regierungszeit 4/14–37 n. Chr.) als Kronprinz, Bochum, Kunstsammlungen der Ruhr-Universität (vgl. N. Kunisch, Jahrbuch der Ruhr-Universität Bochum 1982).
S. 180 Sperlonga, Grundriß der Grottenanlage in der Villa des Tiberius, nach Conticello-Andreae, Antike Plastik XIV, 1974.
S. 181 Sperlonga. Rekonstruierter Anblick der »Odyssee in Marmor« in der Grotte des Tiberius, nach Conticello-Andreae, Antike Plastik XIV, 1974.
S. 183 Kaiser Tiberius (14–37 n. Chr.), Sitzstatue aus Piperno, Vatikanische Museen, H 2,05 m.
S. 188 Mosaikinschrift des Schiffes am nördlichen Eingang der Tiberius-Grotte von Sperlonga, H 0,23 m; B 0,15 m.
S. 189 Kopf des Laokoon aus der Gruppe Abb. S. 191.
S. 191 Laokoon und seine beiden Söhne von Schlangen gefesselt und zu Tode gebissen, Statuengruppe aus Marmor, Vatikanische Museen. H 1,84 m.
S. 194 links: Bildhauersignatur am Ruderkasten des Schiffshecks Abb. S. 158 unten, H 0,48 m; L 0,18 m.
S. 194 rechts: Älterer Knabe aus der Laokoon-Gruppe Abb. S. 191.
S. 199 Oberkörperfragment eines liegenden Polyphem aus dem Ninfeo Bergantino am Albaner See, um 90 n. Chr., Castel Gandolfo, Villa Papale, H 1,28 m.
S. 200 Kopf der Dionysos-Statue Abb. S. 99 rechts.
S. 204 rechts oben: Porträtkopf der Statue S. 205 links.
S. 204 unten links und rechts: Bildnisstatue einer Prinzessin mit kostbarem Scheitelschmuck, vielleicht Octavia Claudia, Tochter des Kaisers Claudius und der Messalina (39/40–62 n. Chr.) im Alter von fünf bis sechs Jahren. Gefunden am 21. September 1981 im Nymphäum von Baiae. H 1,20 m.
S. 205 links: Bildnisstatue der Kaiserin Antonia Augusta (39 v. Chr.–37 n. Chr.) als Venus Genetrix, um 45 n. Chr. Gefunden am 23. September 1981 im Nymphäum von Baiae. H 1,59 m.
S. 205 rechts oben: Eros, auf der linken Hand der nebenstehenden Statue.
S. 205 rechts unten: Terrakottastatuette einer Aphrodite mit Eros aus Paestum (?), ehemals Berlin, Staatliche Museen, H 0,20.2 m.
S. 209 Ausschnitte zum Vergleich der Falten bei den Statuen des Odysseus Abb. S. 98, des Dionysos Abb. S. 99 rechts, der Antonia Augusta Abb. S. 205 links und der Octavia Claudia (?) Abb. S. 204 unten links.
S. 211 Nymphäums-Triklinium der römischen Villa von Minori.
S. 216/217 Ninfeo Bergantino in der Villa des Kaisers Domitian bei Castel Gandolfo, 81–96 n. Chr., Panorama-Aufnahme und Plan.
S. 218 oben: Fragment einer Skylla-Gruppe aus dem Ninfeo Bergantino Abb. S. 216/217, 81–96 n. Chr., jetzt im Kryptoportikus der Villa Papale in Castel Gandolfo H 0,95 m.
S. 218 unten: Wie Abb. S. 199.
S. 219 Etruskische Urne 2. Jh. v. Chr., Volterra, Museo Guarnacci H 0,60 m; L 0,67 m; B 0,41 m.
S. 221 Ausschnitt des Trapezophors Abb. S. 237. 239. 240.
S. 224 Canopustal der Villa Hadriana bei Tivoli, Ansicht von Norden.
S. 225 unten: Sockel und zylindrische Basis der südlichen Skylla-Gruppe im Euripus des Canopustales der Villa Hadriana, Ø 1,50 m, H 0,93 m.
S. 228 links: Oberkörper der Skylla aus dem Canopustal der Villa Hadriana, um 130 n. Chr., H 0,55 m.
S. 228 rechts: Fragment vom Kopf der Skylla aus dem Canopustal der Villa Hadriana, H 0,25.7 m.
S. 229 Maßstäblicher Rekonstruktionsversuch der Skylla-Gruppe der Villa Hadriana von H. Schroeteler nach Angaben von B.

Andreae, Bochum, Spritzenhaus der Zeche Lothringen des Eschweiler Bergwerks-Vereins. H 4,00 m.

S. 231 links: Tonmodell mit Skylla-Darstellung (Foto und Zeichnung), spätes 2. Jh. v. Chr., aus Didyma, H 0,08.5 m, L 0,07.2 m.

S. 232 rechts: Skyllagruppe als Brunnendekoration, 2. Jh. n. Chr. Oxford, Ashmolean Museum, H 0,39 m, L 0,72 m.

S. 234 links oben: Kopffragment eines Gefährten des Odysseus aus der Skylla-Gruppe, hadrianisch, Vatikanische Museen, H 0,29.5 m.

S. 234 rechts oben: Torso eines Gefährten des Odysseus aus der Skylla-Gruppe, um 130 n. Chr., Villa Hadriana, H 0,55 m.

S. 234 unten: Wie Abb. S. 229.

S. 235 oben: Torso eines Gefährten des Odysseus aus der Skylla-Gruppe, hadrianisch, Rom, Museo Torlonia, H (in ergänztem Zustand) 1,38 m.

S. 235 Mitte: Antike Wiederholung des gleichen Typus wie Abb. S. 235 oben, hadrianisch, aus der Sammlung Astuto, Palermo, Museo Nazionale, H 1,10 m.

S. 235 unten: Wie Abb. 229.

S. 237. 239. 240 Skylla an einem Tischfuß (Trapezephor) aus der Villa Hadriana, um 130 n. Chr., Neapel, Museo Nazionale, H 1,02 m, L 1,66 m, B 0,50 m.

S. 241 links: Kopf einer gefallenen Amazone aus dem Kleinen Attalischen Weihgeschenk, römische Kopie eines hellenistischen Originals aus der Mitte des 2. Jhs. v. Chr., Neapel, Museo Nazionale, H (Kinn-Scheitel) 0,15 m.

S. 241 rechts: Tritonin als Armlehnstütze am Thron der Despoina von Lykosoura, um 150 v. Chr., Athen, Nationalmuseum, H 0,52 m.

S. 242 oben: Sperlonga, Tiberius-Grotte, wie S. 105.

S. 242 unten: Castelgandolfo, Ninfeo Bergantino, wie Abb. S. 216/217.

S. 243 oben und unten: Villa Hadriana bei Tivoli, Canopustal, wie Abb. S. 224.

S. 244 Bildniskopf Homers im hellenistischen Blinden-Typus, römische Kopie eines hellenistischen Originals der zweiten Hälfte des 2. Jhs. v. Chr., Boston, Museum of Fine Arts, H 0,41 m.

S. 248 wie Abb. S. 17 und S. 153.

S. 249 wie Abb. S. 189 und 191.

Abbildungen

W. Alzinger S. 85. / Archäologisches Museum Istanbul S. 53. / Archäologisches Seminar Marburg S. 25. 29. 30. 31. 39. 183. 241. / Ashmolean Museum Oxford S. 231 rechts. / Bibliotheca Apostolica S. 55. 58. 59. 62. 63. / British Museum, London S. 47. 51. 52 Mitte rechts / Centro di Studi Subacquei, Neapel S. 99. / Deutsches Archäologisches Institut, Abteilung Istanbul S. 231 links. / Deutsches Archäologisches Institut, Abteilung Rom S. 17. 91. 93 links. 103. 105 links. 110. 114 unten. 115 unten rechts. 137. 155. 158. 159. 162. 163. 165. 168 oben links. 169. 172. 175. 188. 189. 194 links. 199. 216. 217. 218. 235 Mitte. 241 links. 249. / Firma Robert Heitkamp, Herne S. 134. 145. 150. / G. Fittschen-Badura S. 164. 219. 221. 237. 239. 240. / R. Fleischer S. 82. / Fototeca Unione, Rom S. 104 rechts. / Cabinetto Fotografico Nazionale, Rom S. 89. 114 oben. 225 unten. / Hirmer S. 41. / Kunsthistorisches Museum, Wien S. 52 unten links. / Kunstsammlungen der Ruhr-Universität Bochum S. 177. / Museo Nazionale Romano, Rom S. 64. / Museum of Fine Arts, Boston S. 129 unten. 245. / Soprintendenza alle Antichità del Lazio, Rom S. 129 links. 152. 168 rechts. 171. 248. / Soprintendenza alle Antichità di Napoli S. 23. / Staatliche Antikensammlungen Berlin S. 49. 52 oben. / V. M. Strocka S. 124. 125. 126. / Vatikanische Museen 52 Mitte links. 167 links 191. 194 rechts. 234 links. / Alle übrigen Fotos Verfasser. / Zeichnungen: S. 24 G. Buchner. S. 34 Verf. S. 39 H. Payne. S. 46 Monumenti Antichi. S. 79 H. Schroeteler, Fotomontage Verf. S. 83 H. Büsing. S. 95 oben A. Mága, unten Bau-Aufnahme A. di Stefano, Zeichnung G. Tilia. S. 101 G. Tilia. S. 104 L. Rossini. S. 133 J. Houel. S. 140 Plan M. Hannich, senkrechte Projektion der Polyphem-Gruppe H. Schroeteler. S. 158 Dal Pozzo. S. 162 V. Moriello. S. 180 und 181 Soprintendenza alle Antichità del Lazio, Rom. S. 205 E. Gerhard, Antike Denkmäler. S. 217 G. Merolli. S. 231 F. Bérard.

CIP-Kurztitelaufnahme der Deutschen Bibliothek

Andreae, Bernard:
Odysseus: Archäologie d. europ. Menschenbildes / Bernard Andreae. – Frankfurt am Main: Societäts-Verlag, 1982.
ISBN 3-7973-0397-1

The Library
·versity of Ottawa
·ate Due